ILLUMINATIONS

I

Juin, 2021

〈見者〉であれ、〈見者〉となれ、と僕は言っているのです。

〈詩人〉は、長きにわたる、膨大で、しかし筋の通った全感覚の撹乱を経て〈見者〉となるのです。ありとあらゆる愛の、悲しみの、狂気の形をおのれのうちに探《たず》ね、おのれのうちに潜む一切の毒を洗い出し、その精髄だけをおのれのうちに残すのです。強靭な信念、持ちうる限りの超人的な精神力が要求される、その筆舌に尽くし難い苦痛を通して、詩人はひときわ偉大な病人、偉大な罪人、偉大な呪われ人へと至るのです――そして至上の〈知者〉へと――。なぜなら、彼は未知へと到達しているのですから！　彼は自らの魂を耕したのです、誰にも増して、すでに豊穣であったその魂を！　未知へと到達すると、まるで錯乱したかのように、ついにおのれの見る幻覚がおのれの理解を超えるのです。その時、彼は真にそれを「見た」のです！

――Arthur Rimbaud *"Lettres du voyant"*

TABLE DES MATIÈRES
目次

目次
TABLE DES MATIÈRES

目次
TABLE DES MATIÈRES

ILLUMINATIONS

俺は真面目になる……

ジャック・リゴー

原智広 訳

JE SERAI SÉRIEUX...
Jacques Rigaut

真面目に語ろう。それもお笑い種だ。人間どもってやつは、自分が何をほざいているかも定かではない。目はうつろ、街中を彷徨し、徘徊する、魂のぬけたクソどもだ。生きる理由などありはしない、かといって死ぬ理由もない。俺たちに残された、生に対する軽蔑を露わにする方法はただ一つ、そいつを受け入れることだ。人生などそもそもないし、捨てる価値もない。ほんの偽善で、他人からそいつを取り除いてやるのは結構な行いだ、だけど自分自身についてはどうか？絶望、楽観、裏切り、誠実、独身、ある世帯、身軽さ、酩狂、資産、貧困、愛、愛の欠如、梅毒、健康、睡眠、不眠、欲望、陰萎、俗悪、芸術、貞節、不身持、凡庸、聡明、すべて何てことはない。くだらない。このようなもので何で世界が成り立っているのか、俺たちは嫌というほど知り抜いており、その点に関しては抜け目はないつもりだ、とるに足らぬ自殺事故を流行させるのがせいぜいだ。（ああ、確かにね、肉体的苦痛というのはあるにはある。この俺は、いたって健康だが、肝臓病みのジャンキー連中はお気の毒さまというしかない。犠牲趣味は柄じゃないが、癌が耐え難い人間がいたってな、別に文句はない、モルヒネを使えばよしとしよう。）それに、拳銃というものがあるではないか。俺たちを解放し、ありとあらゆるこの世の苦痛を取り除くものはね。ちょっと気が向いたら、この拳銃を使って頭をぶち抜けばいいだろうよ、自分というものはそこでなくなる。不満や絶望など、どだい下らない社会的動物（腰抜けども）とやらが生にしがみつくための新手の理由をでっちあげたにすぎない。実に便利なもんさ、自殺というのは。明けても暮れても、俺はそいつに思いを馳せ、恋人のように可愛がっている、頬ずりしてな。便利すぎるほどだ。何故、まだ自分を殺していないのか、殺すものと殺されるものは同一ではないのだから。それもある。だが、心残りなことが一つある。思い切って馬鹿げたことをしでかしてからでなけりゃあ、新聞記事の一面を飾り、その時におさらばしようじゃないか。この世からおさらばするときは、聖母マリアを、愛を、それと「共和国」を道連れにしたいものだ。

自殺は生来より授かったものであることに疑いはない。空回りする血痕、果てのないこの永遠の堂々巡りに辟易しながら、釈明を求める流れる青と赤の血がある。指の中で握りしめたところでこの空虚な焦燥感がある。患者がそいつを的にかけなけりゃあ、保菌者の中で進行する一方の掻痒症があるように。具体的目標のない欲望、何もない、何も見えない、何も聞こえない、不可能なものへの欲望とやらが。ここに名称と対象をそなえた苦悩と、無名の自己発生的苦悩との境目が見えやがる。こいつは精神にとって発情期の一種のようなものだ、犬っころみたいなよ、発情期といっても俺は小説の中でしかお目にかかったことがないが（そもそも、俺はすごく早い時期から放蕩三昧、身を持ち崩したから、下腹が発達しだす時期に危機状態を経験したというようなことがない）、だけどたいていの人間どもは自殺以外の方法でそこから抜け出す、何故なのか。不思議でならない、こんな退屈な世の中の裂け目が俺にはありありと見える。

俺自身はあまり物事をまじめに受け取ったことはない。すべてが嘘っぱちだからだ。子供の時分から、道端で母に近寄って物乞いをする乞食女に舌を突き出してやったり、凍えて泣いている彼女の連れのガキどもの頬っぺたをこっそりつねりあげたりしたもんだ。親父のやつが、死ぬ間際に、最後の望みを聞いてくれと、俺を枕元に呼んだときも、「親の目をごまかし、そして、愛の手ほどき……」なんて流行歌を口ずさみながら、女《アマ》の体に手をまわしていたっけ。友人の信頼を裏切れる機会があるたびに、俺は興奮し、抜かりなくやったもんさ。だが人の好意を嘲ったり、思いやりを冷やかしたりするくらいでは欲望は満たされない。最も愉快なのは、動機もなく、何の意味もなく、芝居がかった悪ふざけをしながら、面白半分に、連中から奴らのちっぽけな生命を奪い取ることだ。子供たちはそのへんのところをちゃんと嗅ぎ分けており、蟻塚を火薬をつかって爆発して大量殺戮して享楽したり、交尾している真最中の二匹の蠅を不意に襲って踏みつぶしたりするのがどんなに楽しいことかよく承知している。そういえば俺は戦場で塹壕の中に手榴弾を投げ込んでやったことがある。なかでは二人の戦友が休暇で戻る支度をととのえている最中だった。聖母マリアにお祈りする時間もなかっただろうよ、ざまあみろ！ 愛撫を心待ちに、うっとり目蓋を閉じた俺の情婦に拳を一発お見舞いしてやったときといったら！ ありゃあ愉快だった！ 彼女の顔が恐怖にひきつり、その図体が何歩か後ろにすっ飛んでぶっ倒れるのを眺めて、どれほど腹を抱えて笑い転げたことか。それからまたゴーモン・パラス映画館に火つけしてやったら、どいつもこいつも我先に逃げ出そうと、騒動が起こり、取っ組み合いをおっぱじめやがった。なんともいえん光景だったね！ 快感だった！ いやいや、今夜は、心配ご無用、真面目で通すつもりだから、どういう風の吹き回しか。死期が近いのかもな、全く弱気になったもんさ、いま言ったことは、勿論、全部でたらめだ、パリじゅう探したって俺くらいお利口なおとなしい品行方正な坊やはいないんだから。だけどこんなふうな由緒ある武勲をたてたところを、あるいはこれから立てようとするところを心に思い描いて楽しんだことが何度あるか数えきれない以上、今の話もまんざらただの嘘っぱちとも言えないわけだ。ともかく、俺はなにもかも馬鹿にしてきた！ だが、この世にたったひとつだけ、馬鹿にしきれなかったことがある、それは快楽だ。俺にまだ羞恥心と自尊心が残っていたら、こんな惨めな打ち明け話などするわけがないのはお察しいただけるだろうか、ご令嬢さんたち。どうして俺はけっして嘘をつかないのか、そのわけはいずれまた改めて教示してしんぜよう。要するに召使どもにはなにも隠しだてする必要がないみたいなものだ。それよりも快楽に話を戻そうか。こいつはご親切に俺らをつかまえ、俺らを引っぱり込んでくれる、ささやかな音楽、肌の質感と情緒、その他さまざまなものをちらつかせて誘惑するのさ。快楽への好みを克服せぬかぎり、俺は自殺念慮から逃れられないだろう、自分でもそれは重々承知している。

一回目に俺が自ら命を絶ったのは、情婦を困らしてやるためだった。その操正しき売女は、突如俺と寝るのを拒みやがった。彼女がのたまうところによると、後悔の念に打ちひしがれて、絶望の彼方にいるにもかかわらず、愛人の上司を裏切れなくなったんだとさ。まったく馬鹿げてやがる。俺が彼女を愛していたかどうか、そんなことはどうでもいい。二週間も離ればなれでいたら、彼女を求める気持ちなんか消えちまっただろう。彼女の拒絶にあって、俺は怒り狂った。どうやってあの女《アマ》を傷つけてやろうか？ 彼女のほうは俺にたいして変らぬ深い愛情を抱きつづけていたことは話したっけ？ 売女を困らしてやるために俺は自殺したのだ。当時俺はまだ蒙古斑のあるほんのガキにすぎなかったことを考慮に入れれば、この自殺は許されるだろう。

二度目に自殺したのは、怠惰のせいだ。金も無く、仕事に対しては働く前から恐怖を抱きつづけていて、或る日、虚無に耐えられず、何の確信もなく自殺したのだ。ちょうどそれまで生きてきたように生命を攫った。今こんなに元気なのを見たら、この死を責める気にもならんだろう。

三回目はこれをもうひとつだけ聞いてくれるなら、ほかの自殺談義は勘弁してやろう。俺は床についたところだった、普段と変らぬ夜を過したあと。ほかの晩よりとくに倦怠に悩まされたというわけでもなかったのだが。突然、俺は決心したのだ。それと同時に、今でもはっきり覚えているが、たったひとつの理由を口にして。ああ、糞たれどもが、ちくしょう！ 俺は飛び起き、家のなかの唯一の愛人である武器を探し出した。ちっぽけな拳銃、先祖のだれかが手に入れた代物で、これまた古びた弾丸がこめられていた。（なぜそんな些細なことを強調するのか、もうじき分かるだろうよ。）裸で寝込んだもんで、部屋の中に素っ裸で阿呆みたいに突っ立っていた。凍えそうだった。急いで毛布の下にもぐり込み、引き金を起こした、口のなかに鋼鉄の冷たさを感じながら。その瞬間、これからやっちまおうとする取り返しのつかない事態を前にしたとき、炸裂寸前の砲弾のうなりを耳にしたときに感じたみたいに、心臓の高鳴りを感じたとしたところで許されるだろう。安全装置をはずし、引き金を引いたが、弾丸は飛び出さなかった。私は拳銃をテーブルの上に置いた、痙攣したような笑みを浮かべて。十分後には、もうまどろみの中にいた。ちょっと面白い話だと思うんだが、かりに……ああ、もういい！ うんざりだ！ 二発目をぶっ放そうという気にまったくならなかったとしてもそれは俺の勝手だろうよ。肝心なのは、死のうという決意をしたことで、死ぬということではないんだから。その瞬間に死ぬということを実感したのだから。

倦怠からも見放されてしまった哀れな男、ところが自殺のうちにこそ倦怠は最も空虚な行為の完遂を発見するように思われる、ただし死にたいして好奇心を抱いていない場合に限るがね！ いつ、どんなふうにしてこの考えを思いついたのか、自分でもよく分からないし、まあ、たいした問題でもない。ともかく自殺こそ最高に理不尽な行為、気紛れの炸裂、おまけに眠りよりもいっそう進んだ崇高な博打、最も純粋なかたちの妥協だ。覚えておきたまえ諸君！

［底本］
Jacques Rigaut, *Écrits*, Gallimard, 1970.

原智広
Tomohiro Hara

自殺総代理店―鏡　断章

ジャック・リゴー

宮脇諒　訳

AGENCE GÉNÉRALE DU SUICIDE
LE MIROIR (FRAGMENTS)
Jacques Rigaut

自殺総代理店｜AGENCE GÉNÉRALE DU SUICIDE

認可済公益法人
資本金　五、〇〇〇、〇〇〇フラン
本社　パリ、モンパルナス通りの七三番
支部　リオン、ボルドー、マルセイユ、ダブリン、モンテカルロ、
サンフランシスコ

我々、A.G.S（自殺総代理店）は、現代的装置の恩恵によって、クライアントの皆様に〈確実ですみやかな死〉をお届けいたします。自殺で〈死に損なう〉ことを恐れ、自殺を諦めた方々にとって、これほど魅力的な事はありません。自殺とは、社会の恐るべき汚穢、そして絶望を抹消しようとする思考を指します。御内政大臣様さえ、我々のこの理念へ惜しみなき讃辞を与えてくださりました。

ただし、我々A.G.Sは、人生を辞する為の幾分かまともな手段を提供するに過ぎません。というのも、死とはどれも結局は許されざる過失なのです。この死への急行列車が企てられたのはその為です。当列車では給仕、友人たちや人間関係からの遮断、希望があればデスマスクの作成、或いは顔の写真撮影、さらに記念品の贈

呈、自殺、祝杯、宗教的儀式（任意）、そして墓地までの死体輸送を担当させて頂きます。先ごろのMM氏の遺言を承ったのも、我々A.G.Sでした。

注意事項

如何なる場合においても、当機関は公共性に与しない。遺族の方々の安寧の為、死体は死体公示所には運ばれない。

料金表

感電死	二〇〇フラン
拳銃死	一〇〇フラン
毒死	一〇〇フラン
溺死	五〇フラン
香水死（奢侈税込み）	五〇〇フラン
首吊り、貧者のための自殺（ロープ別売、一メートル二〇フラン。一〇センチ延長につき五フラン）	五フラン

カタログ請求は死者急行社まで。詳細ご希望の方は、パリ六区、モンパルナス通りの七三番、A.G.S代表ジャック・リゴーにお問い合わせください。なお、自殺を見物してみたいなどという野次馬に対しては、当社は一切の対応を拒否いたします。

［底本］
Jacques Rigaut, *Écrits*, Gallimard, 1970.

鏡断章｜LE MIROIR (FRAGMENTS)

1

監獄　――汝、己を見よ。

2

鏡はめいめいの自己同一性を想起させる目的において作られた。誰もがこれに自分なりの名前を与え、自らの健康の為、ここからの脱走を果たす。

――真の意味での、監獄。

3

「苦しみは無くなる。自らの名前が呼ばれるのを聞くとき、そして、鏡の前で自らを見るとき。」J.-M. Fr., Saint-Mandé.

4

鏡の前で、欠伸をする人間の軽率さ。二人のうちどちらが欠伸にうんざりさせられるのか？

最初の欠伸をしたのは誰だったのか？

顎から顎へと伝わり、私の欠伸はアメリカにまで届く。

腹の減った黒人よ
退屈した美人よ ｝私だ、欠伸をしたのは。

5

どの鏡にも私の名が刻まれている。

6

我が秘密。私は鏡の向こう側にいる。一九二四年の七月二十日、オイスターベイに住むセシル・ステュアートの家において、私はこの驚くべき快挙を成し遂げた。証人も居る。身体を少し浮かせ、額を前に突き出し、鏡を通り抜けた。たやすく、そして魔術的に。額にはちょっとした傷がある。ほとんど気づく事のない、普通の傷だ。それからというもの、どの鏡にもこれまで通り私の名が刻まれているにも関わらず、君の見る鏡の向こうにいるのは、私だ。君が「これは私だ」と思ってきたものは、私だ。君のモデルは、私だ。ただ一人、私は君の目の前で、点よりもやや小さい。苦もなく、悪意もなく、私はあなたになり、私はあなたである。信じられないだろう。眉をひそめたくもなるだろう。皆が私のことを狂人と呼ぶのは、多分これのせいだ。

7

さあそれが今だ
よく考えてみることだ
鏡のことを

〔底本〕
Jacques Rigaut, *Écrits*, Gallimard, 1970.

小野麻早

Masao Ono

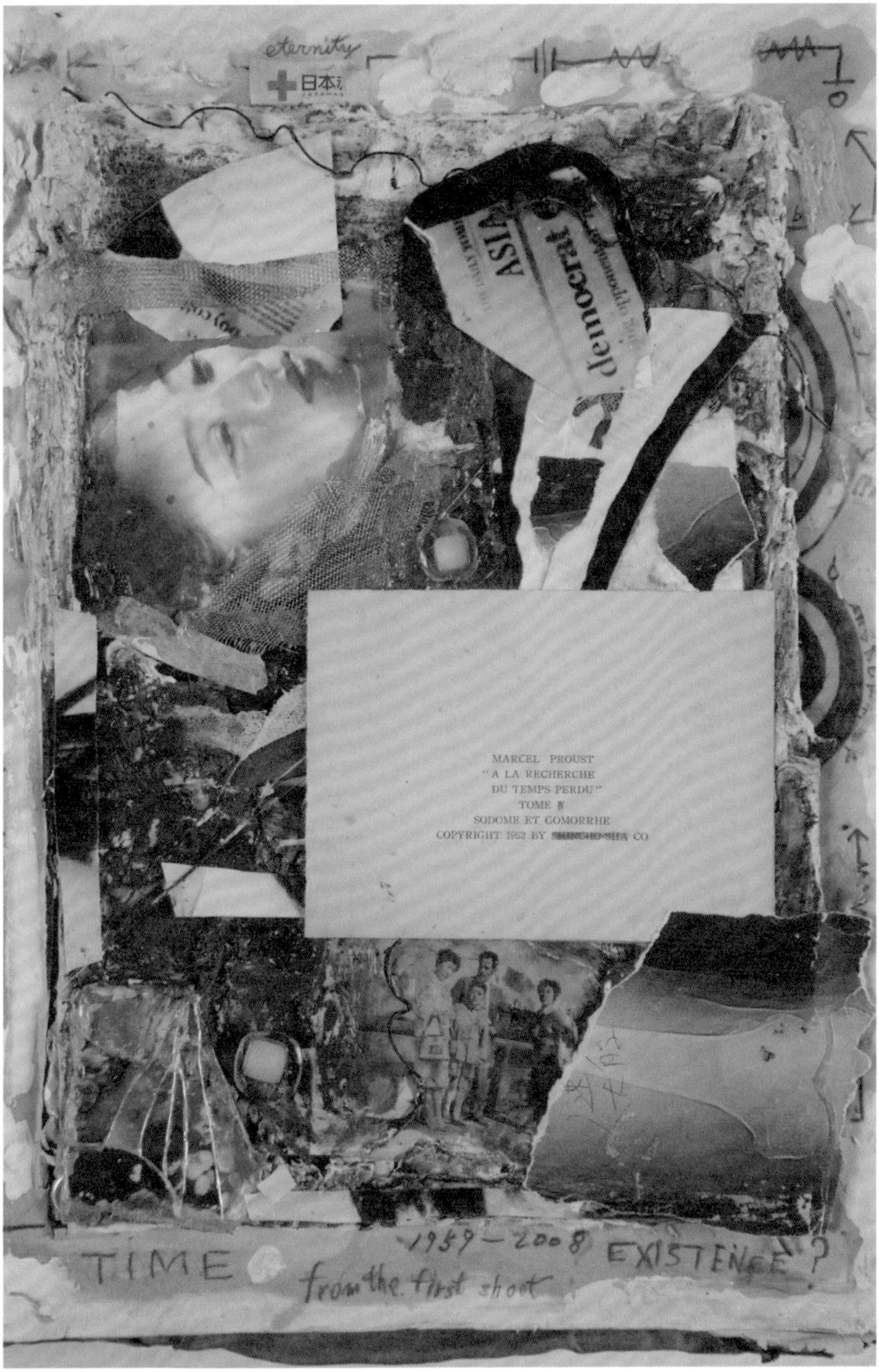
eternity
日本
ASIA
democrat
MARCEL PROUST
"A LA RECHERCHE
DU TEMPS PERDU"
TOME Ⅳ
SODOME ET GOMORRHE
COPYRIGHT 1952 BY [redacted] CO
1959–2008
TIME
EXISTENCE?
from the first shoot

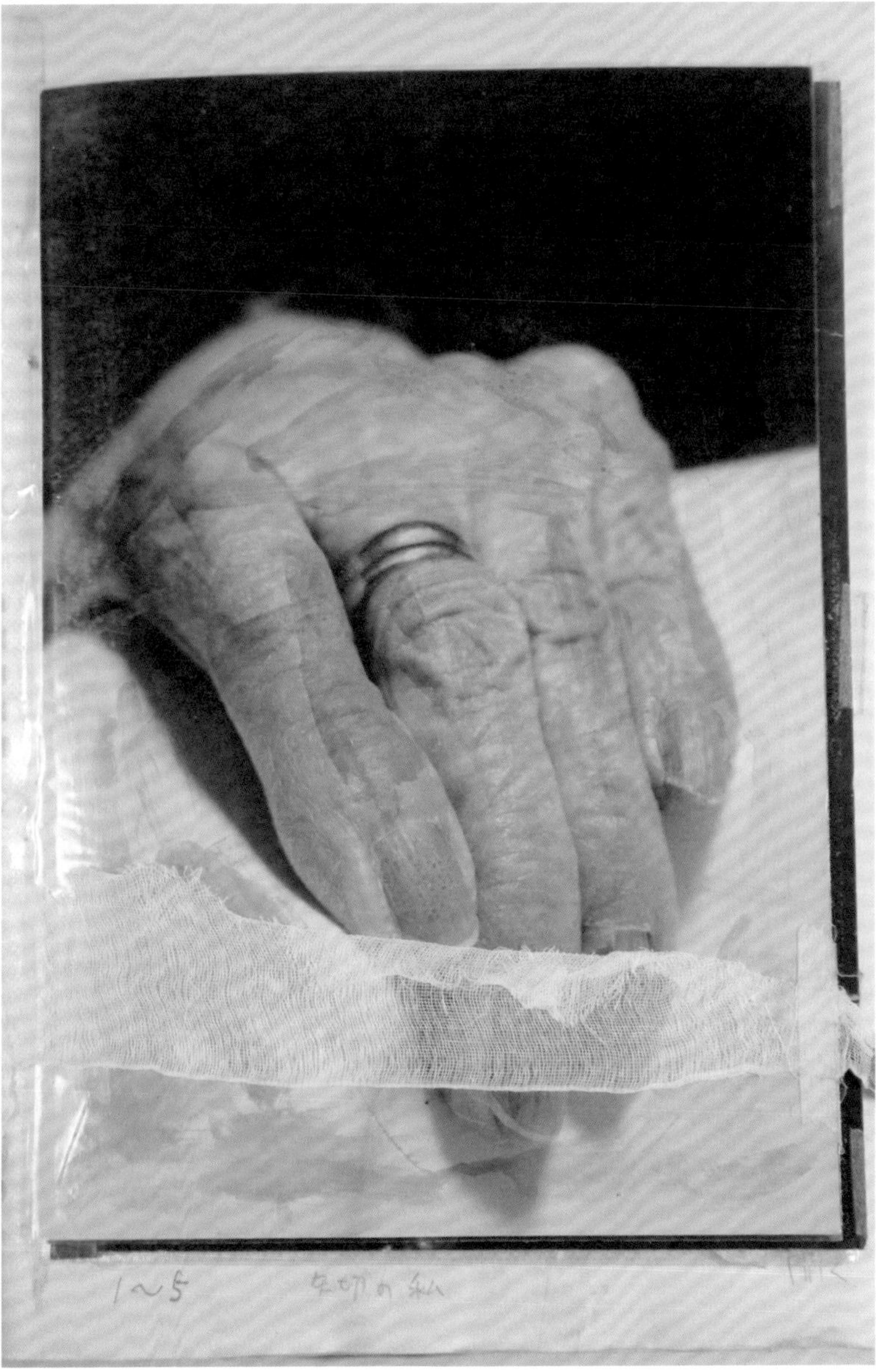
1〜5

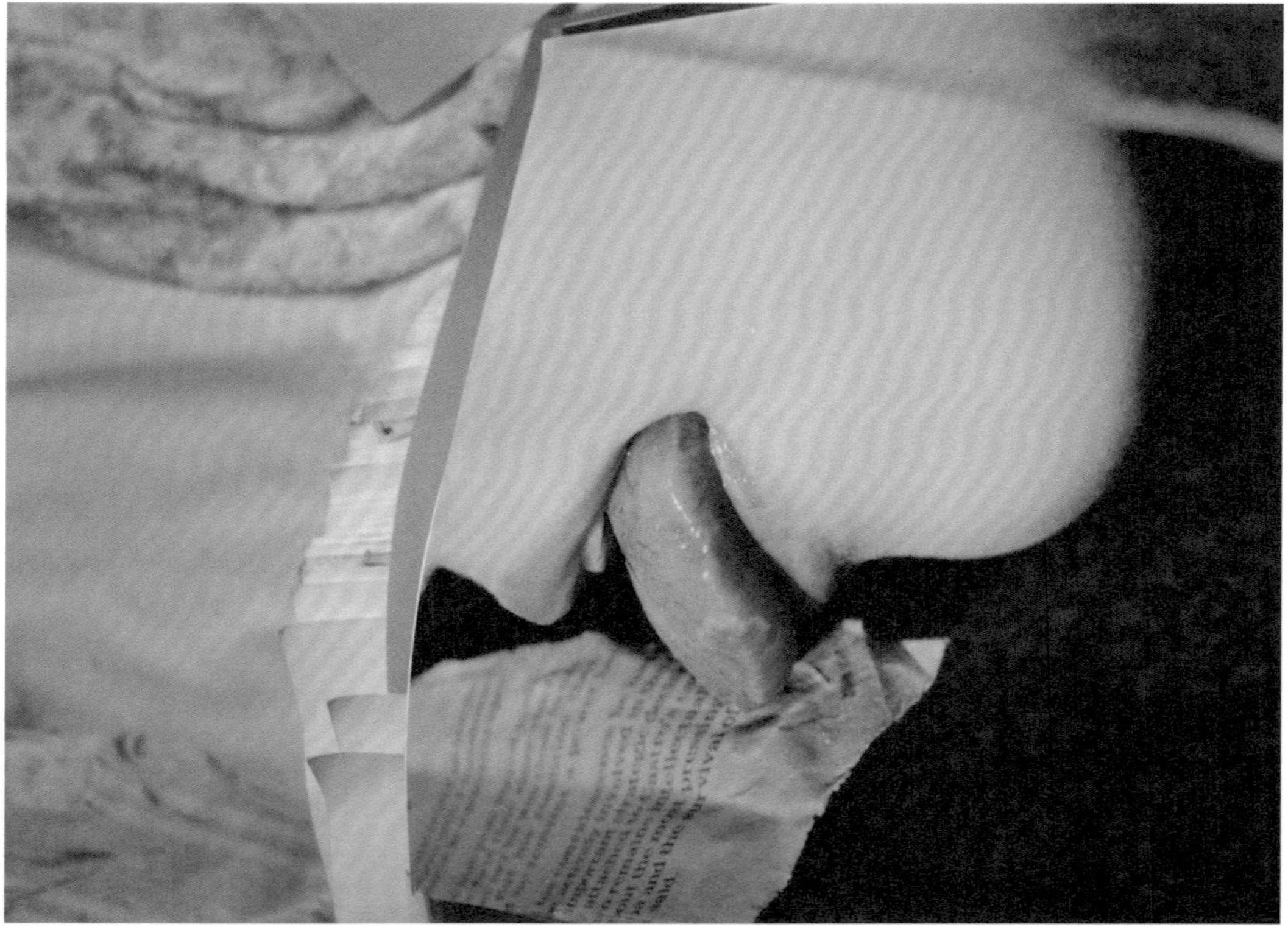

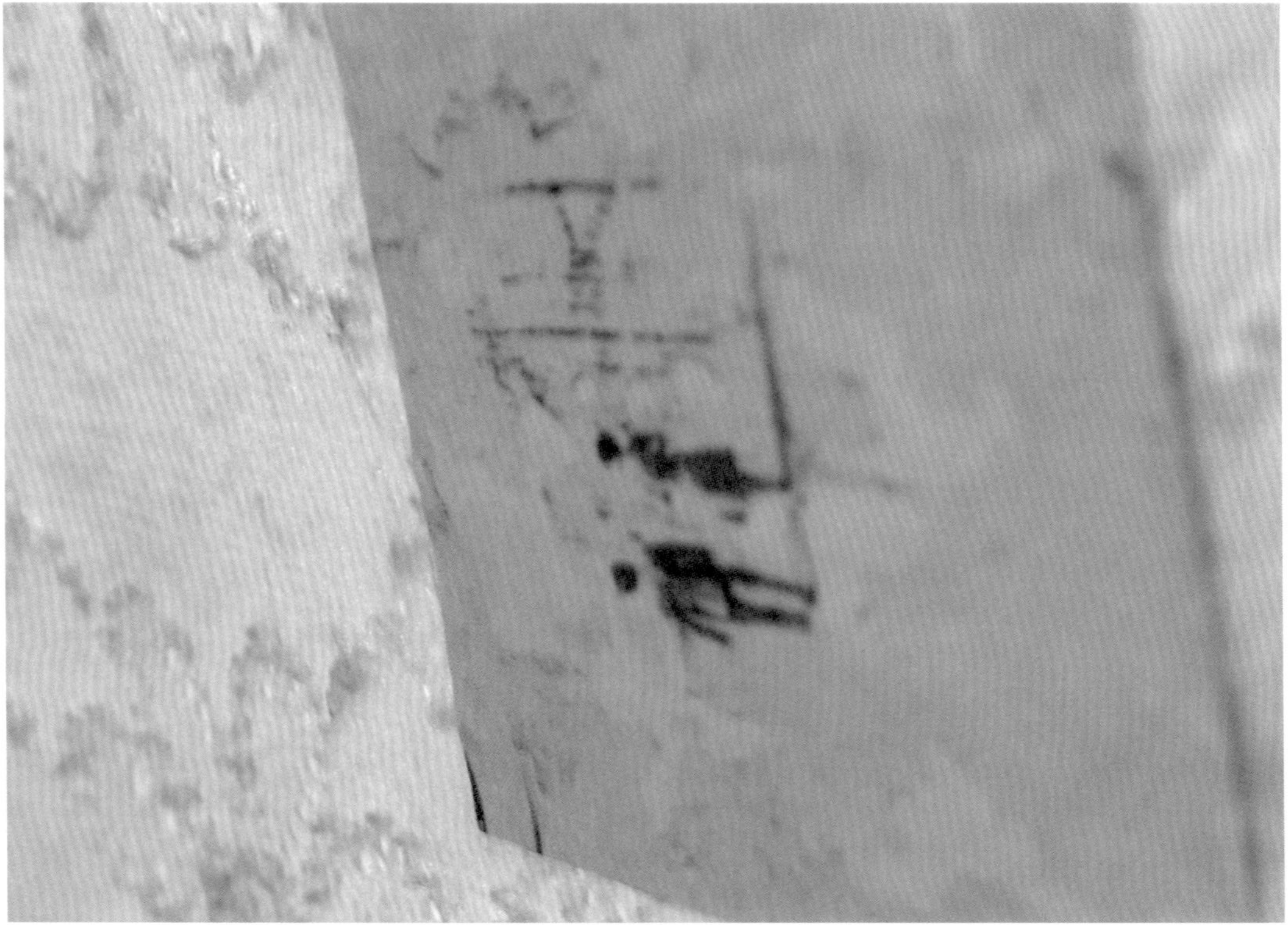

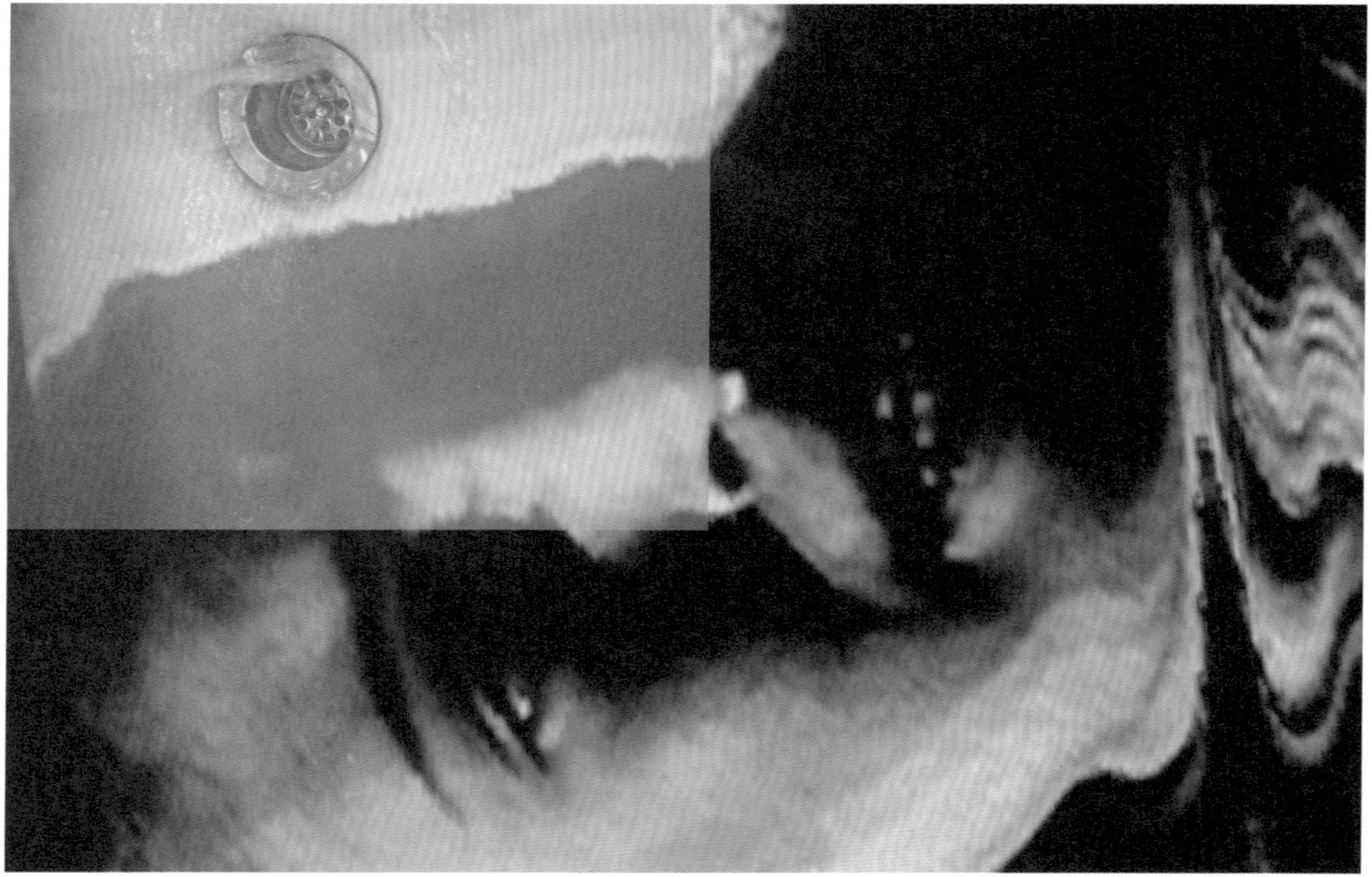

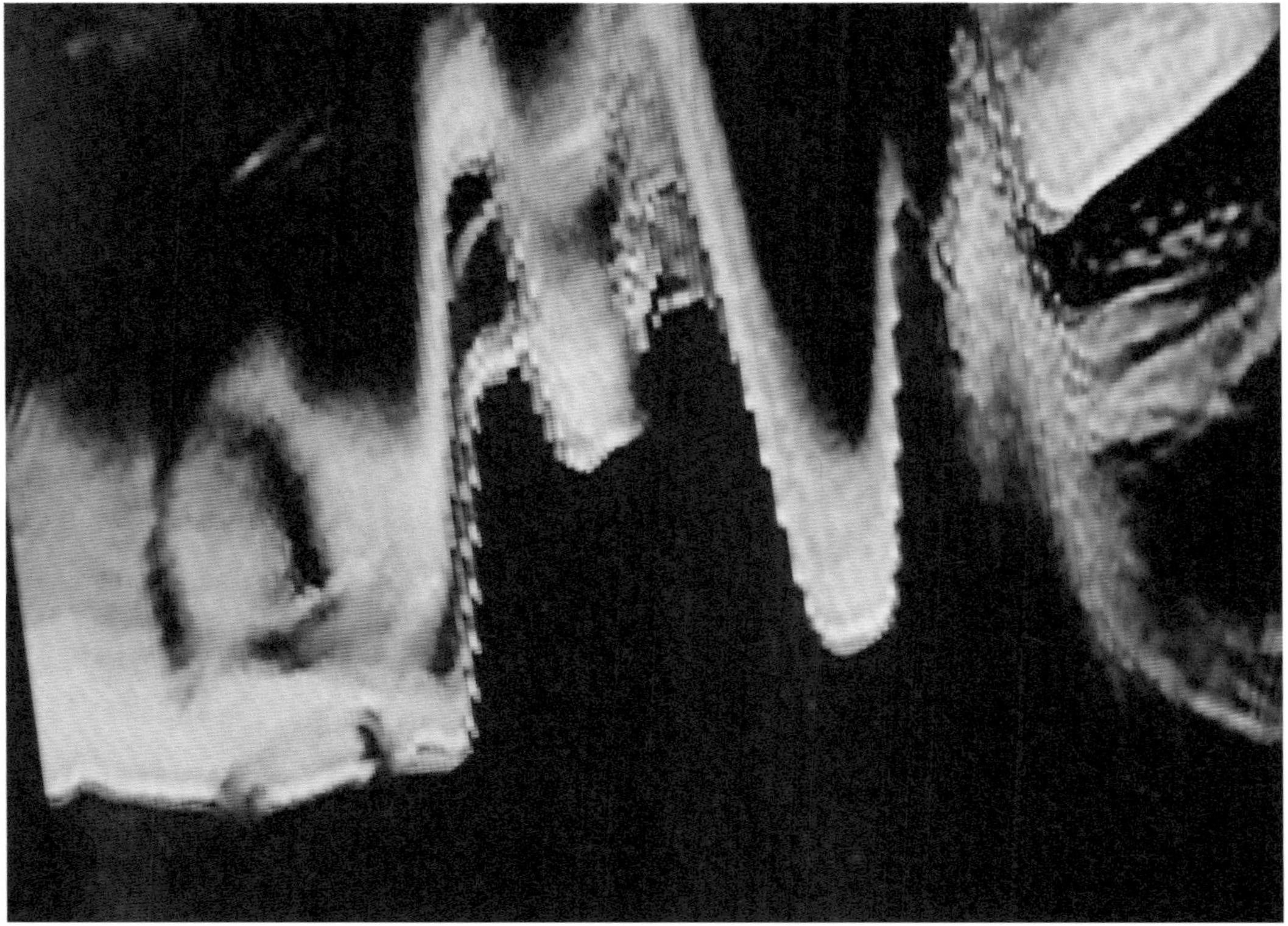

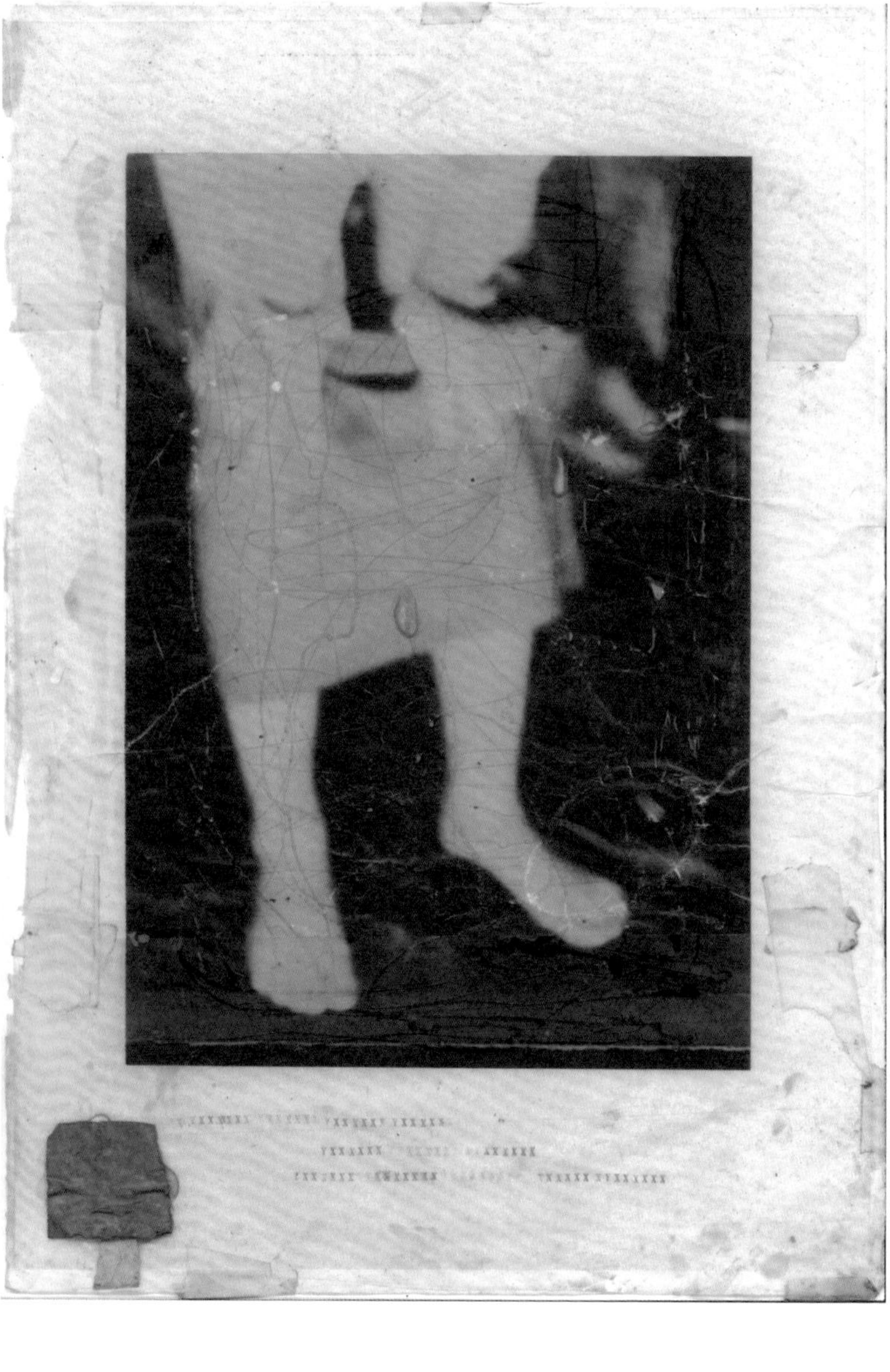

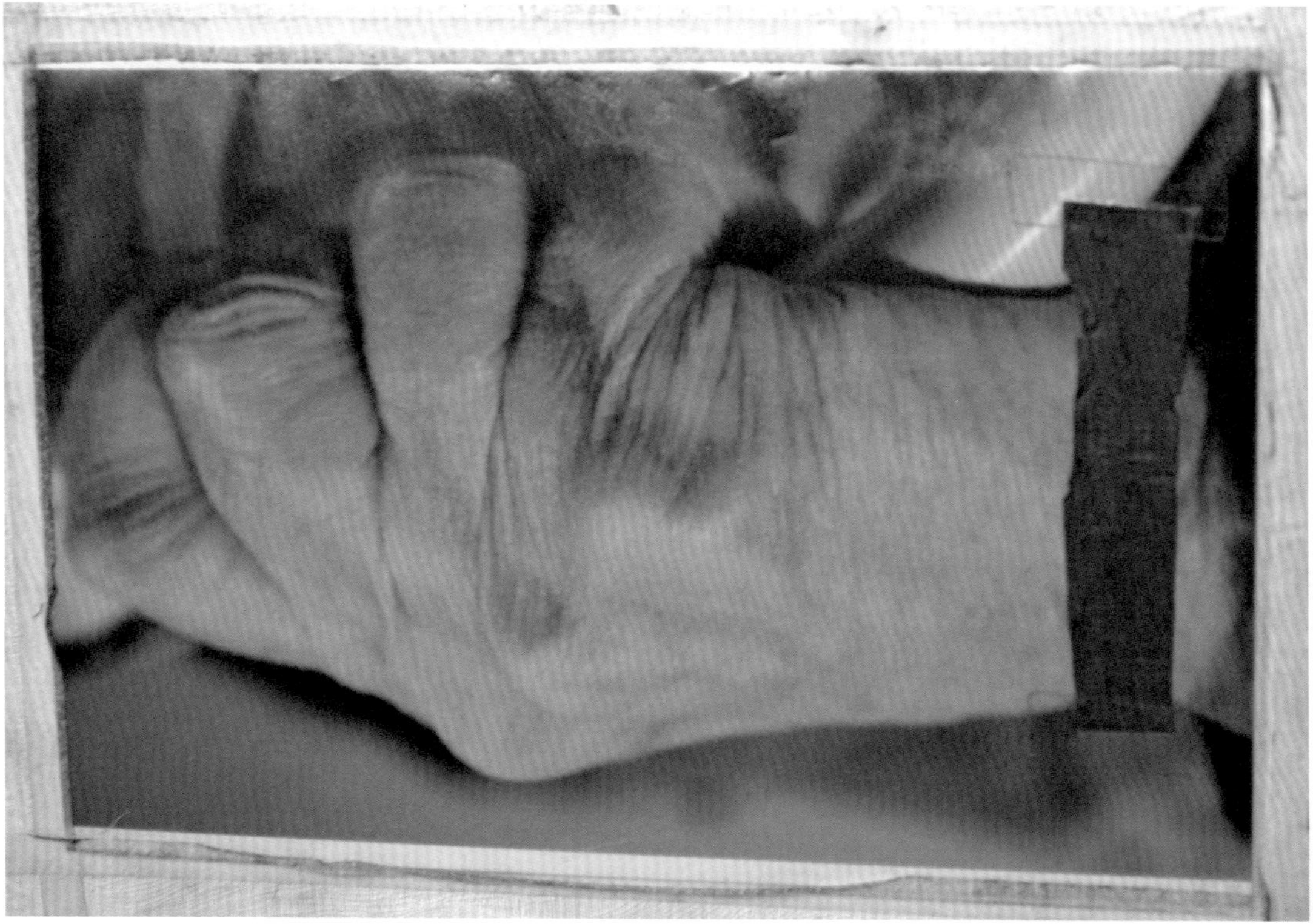

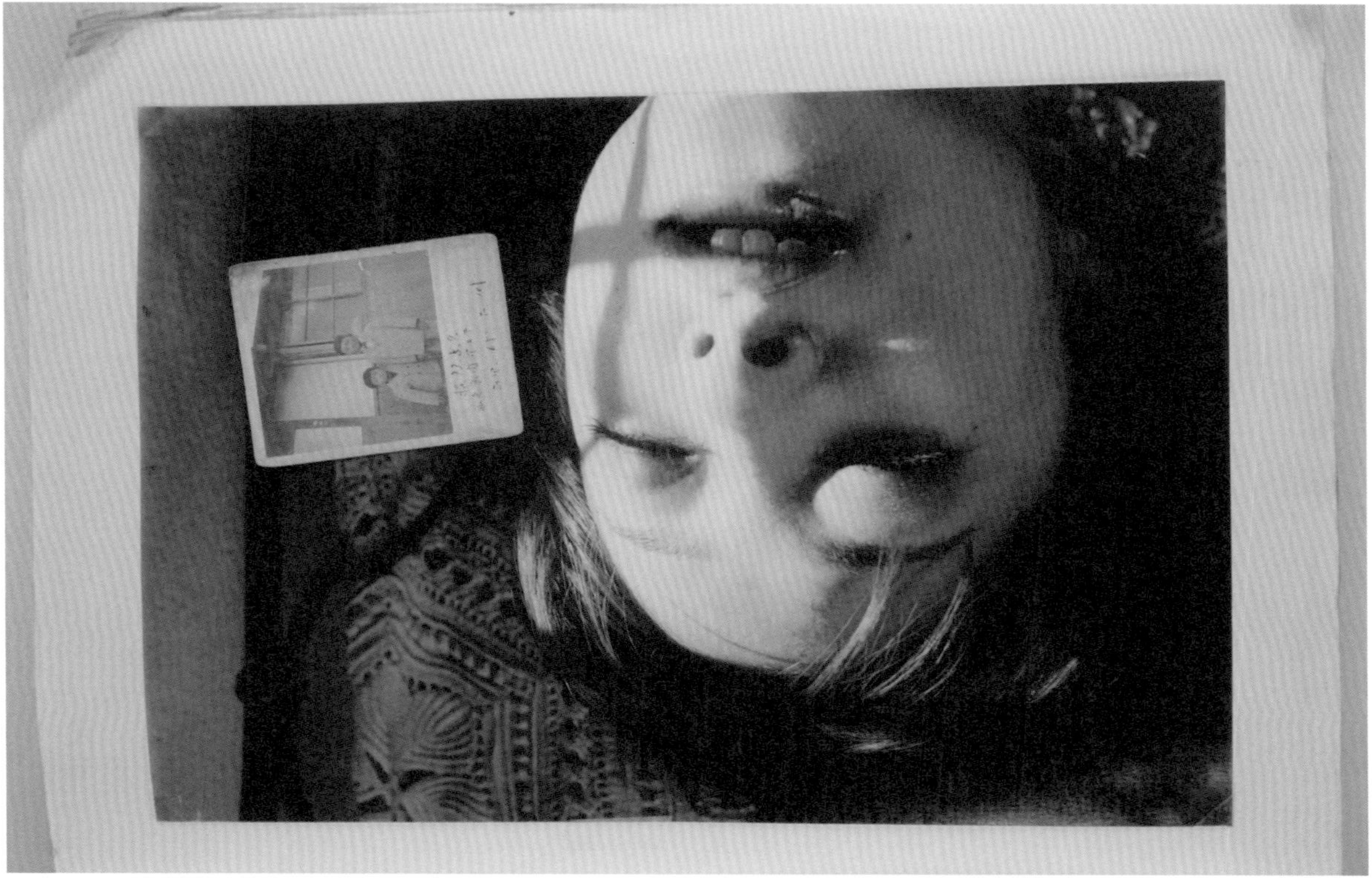

仮面｜髑髏

ジョルジュ・バタイユ
江澤健一郎 訳

LE MASQUE | CALAVERAS
Georges Bataille

仮面[1]｜LE MASQUE

仮面の現前から生じる謎は、短い人生がわれわれのそれぞれに差し出す謎のなかでも、おそらくもっとも混乱と意味で満ちている。不可解な宇宙には、人間的なものは剥き出しの顔以外にはなにもない。それらの顔は、見知らぬ、あるいは敵意のある姿をした混沌のなかで、唯一の開かれた窓である。人間は、同類の一人の顔が、それを取り巻く空虚から浮かび上がるときにしか、耐えがたい孤独から抜け出すことはできない。しかし仮面は、人間をさらに恐ろしい孤独へと引き渡すのである。なぜなら、通常ならば安堵させるものそのものが、突如として恐怖への謎めいた意志で覆われたことを、その現前は意味しているからである。人間的なものが仮面で覆われるとき、もはやただ動物性と死だけが現れるのだ。

仮装ごっこは、結局のところ人間が戯れる喜劇にすぎないだろう。なぜなら、初めは仮面に「夜の恐怖」の力があったにもかかわらず、その力が思慮と習慣によって失われてしまうからだ。しかし、その力の剥奪は、けっして本来の恐怖をもはや表せないほどひどいものではない。われわれのそれぞれにとって、仮面の恐ろしい意味は、幼児的な形で、意識の不可解な領域においてまだ生き生きとしているのだ。当然のようにこの意味は、知性の発達が世界の形を予測可能なものにして、世界を人間化するのに応じて失われてしまう。しかし、幼年的な表象の根底をなす暗鬱たる混沌は、書物が表す文明化された宇宙よりも軽視すべき表象であるわけではない。さて、仮面は、この退屈に満ちた明瞭で安堵させる世界の閾で、混沌の得体の知れぬ具現として現れる力をまだ持っているのである。[2]

今、幼児的な無邪気さにまで身をゆだねて、あえて仮面を自分に思い浮かべようとするなら――見せかけだけでするのではなく、力強く、そして深い高揚の感情に支えられてそうするのだ――、私はその現前に、混沌の単なる敵意をはるかに上回るものを認めなければならない。《**なぜなら、仮面は肉となった混沌だからである**》。それは、私の前に一人の同類のように現れていて、私を見すえるこの同類は、私自身の死の姿となったのである。その現前によって、混沌はもはや人間と無縁な自然ではなくなり、人間を破壊するものを自分の苦痛と歓喜で突き動かす人間そのものとなる。それは、自分を消滅させて腐敗させるあの混沌の手中に身を投げる人間、悪魔に取り憑かれた人間、人を死なせて腐乱させる自然の意図を具現した人間である。たえず顔から顔へ伝達されるものは、人間の生にとって、光と同じくらい貴重で安堵させるものだ。突然の決定によってその伝達が裁ち切られるとき、仮面によって顔が夜へと引き渡されるとき、人間はもはや人間と敵対する自然にほかならず、その敵対する自然は、仮面を被った人間のひそかな熱狂によって完全に突き動かされているのである。

学問の表象とこれほど対立する表象はない。学問が、ひとつひとつのありうる外観から、人間の理性と適合した現実を生み出すのに対して、仮面は、同じくらい断固とした態度で、世界と生きた人間を混ぜ合わせる。しかし仮面は、世界における人間の現前を野蛮な自然の表現に変え、それと同時に天と地の領域を、苦悩する生や素晴らしく残酷な生で活気づけるのである。実のところ仮面は、世界を人間化するというよりも、むしろ神聖化するのだ。なぜなら、仮面が導き入れる現前は、もはや賢者という安堵させる現前ではないからである。つまり、仮面が現れるとき、自然な動物性の深みから出来する神聖な力が明らかになるのである。規範と規則、社会生活や自然の掟は、仮面も神も隷属させることはできない。[3] それらの聖なる形象がもつ暴力、動物性、「非社会性」は、道徳性や理性と連動した神の善意や知的で社会的な性格と同じくらい強烈に顕著である。しかし、人間的な正常さの野蛮な破壊――それは、神の性質に特有である――が、動物や仮面によって開示されるにもかかわらず、パスカルが侮蔑的に「哲学者たちの神」の名で呼んだ神聖なイメージにおいては、その破壊は覆い隠されているのである。

もろもろの開けっぴろげな顔の調和において伝達されるのは、安堵させる安定性である。それは、人間のあいだで、地面の明瞭な表面で確立される秩序の安定性だ。しかし、顔が閉ざされて仮面で覆われるとき、もはや安定性も地面もなくなる。仮面は、唐突で不可測な変化、そして死と同じ様に耐えがたい変化の不確かさと脅威を伝達する。その突然の侵入は、安定性と秩序を維持するために縛り付けられていたものを解き放つのだ。この夜と昼の凄まじい対立を厳密に想像しようとするなら、学問が検討する諸要素から出発しなければならない。つねに問題となるのは、際限なく予測して繰り返すことができる結果である。それらの結果は、そうして実体の性格を獲得して、時間に従属することをやめたのである。物体を落下させて、その加速の予測を繰り返すのは、つねに可能なことだ。逆に、最終的に生じる死のような変化を、時間の外に組み込むのは不可能である。物体の落下には永遠不変の性格があり、あるいは少なくともそう主張できる。だが逆に、そのような存在の死は、時間の性格を露わにする。その時間の各瞬間が、それに先立つ瞬間を虚無へと投げ捨てるのである。時間は、自分と無縁な物体の落下を破壊することはない。だが時間は、自分の手中にある死すべき存在を破壊するのである。ところが、開かれた「気さくな」顔は、次のような意識を人から人へと伝えているのである。その意識によれば、人間の生は、固体の不変な落下と同じように実体的で正しい社会秩序に属しているのである。したがってその顔は、自分の学問を十分に所有したホモ・サピエンスの顔だ。しかし、たったひとつの仮面が現れるだけで、そのホモ・サピエンスは、自分のまったく知らない世界に投げ捨てられてしまう。なぜなら仮面には時間の性質があり、その荒々しく不可測な変化という性質があるからだ。時間は、その夜からたえず再生する混沌のなかに、永遠の老人を入り込ませるのである。時間は、情愛に満ちた人間、若くて仮面をかぶった人間のなかに受肉する。急流のような生は、ホモ・サピエンスを学校の概論のような平凡さへと追い払う。そして悲劇的な人間 (homo tragicus) だけが、歴史という消滅と死にいたる破壊の騒音のなかで荒れ狂うのである。そしてその歴史については、なにも知られることはないのだ。なぜなら、それについて知ることができるのは、永久に埋もれた、永久に虚しい過去だけだからである。

生は、意識である限り、回答というよりも問いである。自然とは、世界とはなにか、それらを鎮まることなき急流へと投げ込む時間とはなにか。ならば、自分自身の生に問いただされるあの人間そのものとはなにか。相次ぐ諸世紀が回答した主張が積み重なり、築き上げられ、それらの虚しい作業が、ずっと前から謎の古い形態を消し去ってきたが、その謎はまだ生きていて、酩酊した男のような歩みを続けている。[4] 仮面の重々しい尊大さと入れ替わって、穏やかな懐疑的態度が現れたのだ。人間の悲劇的な宿命を完成させる野蛮な陶酔が具現化した後で、衰弱した空虚がその後を継ぐのである。幼児的な表象は、それぞれの夜の形態を、あの解けない謎という恐ろしい鏡に変える。その謎とは、死すべき存在が自分自身の前にいる、という謎である。しかし、英知は、夜の虚しい戯れを遠ざける――そうして、それらの代わりに、明るい顔をした昼の因習を現れさせようとする。炎天下に、全面的な暗闇を生むあの内奥の点を見いだす者だけが、幸せである。その内奥の点から、大嵐が新たに生じる。虚ろで満足しきった顔たちに吐き気を催して、自分の顔を仮面で覆う決意をする者こそ幸せである。その人は、嵐のような陶酔を最初に見いだすだろう。時間の瀑布[5]の上で死の舞踏を踊るあらゆるものの陶酔を。彼は、回答というものが、犬に与えられてかじられる骨のように、労働という穏やかな隷属を維持するための決まり文句にすぎなかったと気づくだろう。そのとき彼の歓喜が、自分の幼年期という夜の恐怖から再び生じるのである。なぜなら、彼が沈み込む夜への欲求は、裸体への欲望と同じくらい深く、彼を酔わせるからである。

髑髏《しゃれこうべ》[6]｜CALAVERAS

ジャック・プレヴェールに

われわれが授かった実存は、粉々になった実存にほかならない。そして、この実存そのものが、自分の破片をもはや見いだすことができずにいるのだ。後進国の前では、われわれは自尊心と満足感で満ちているようにみえる。だが、自尊心と満足感は、隠れた退廃と愚かさを曝露しているのである。われわれの実存は、星きらめく空間で諸感覚を惑わされて引き裂かれているかぎり、自分自身に羞恥心を抱くことしかできない。つまり実存は、物乞いや嘆きになるのである。

この精神的な悲惨さに衝撃を受けて、われわれは、その悲惨さに冒されていない国々、生き生きとした秘密を守っている国々を見つめた。しかしその過程は、ほとんど常にひどくまずい仕方でなされたため、生よりも、自分たちの悲惨さや不十分さについてわれわれに教えるのである。だが、その《生》を、後進国の民衆は手放すのを拒むのだ。しかし、学問による測定から新聞による下劣な陳列物にいたるまで、生はそこでもまた有用な対象、所有できる商品として扱われてしまった。

生という内的激情を感じずに生に侵入するのは、卑怯でありおぞましい。人間にとっては、自分の満足した好奇心を引きずり歩き、本来なら沈黙と震えを要求するひとつひとつのものの前で観光客のような話をするよりも、身体を切断されるほうがましだろう。かつてなら、人間の悲惨さで心が荒廃した存在は、耐えがたい不安に苦しむことで、神を追い求め始めていた。今日では、虚無が猛威をふるう場所に自分で進み入らなければ、この悲惨さの神を無に帰すことはできない。それには、休息に身を委ねるのをやめて、死に似た恍惚の哄笑に入り込むしかない。もはや命なき者たちではなく、震えおののく人々こそ死と戯れ、死が笑うところで無邪気な生を発見するのだ。

恐れが、文明人を退廃させた。無邪気さと瞑想は、極端な大胆さを必要とする。恐れを抱く人々は、無邪気さを失い、瞑想することができない。なぜなら彼らは、偏狭な幻想から別の幻想へと絶えず逃げざるをえないからだ。ただ後進国の人々だけが、死と戯れるのである。実存の完全性が、後進国の人々のなかで輝き出る。その完全性は、必ず恐怖を引き起こす。そのため、われわれは疲れ果てると、それが粉々になることを求めてしまう。完全性が悲惨さと結ばれ、生命の浪費が豊穣さと結ばれて現れるとき、完全性の悪臭は当然のように身震いを引き起こす。つまり、無邪気なものは、腐臭を帯びているのだ。だが、満足した人々は、死の行儀の悪い顔が葬儀用の幔幕で覆われる世界を、他者たちの上に広げていく。すると、逃亡や浪費によるあらゆる汚辱が、幔幕の汚辱によって歪曲されるのだ。しかし、傷ついた人間がこの満足という地獄から逃れるとき、彼は後進国の同胞たちに、人間であることの幸福を再び見いだすのである。

　文明人たちは、自分たちの死んだ同類の顔を隠してしまう。死者たちの空虚な眼、悲喜こもごもの眼は、彼らが生きているのを見ることはできない。彼らを輝かせるあいまいな哄笑は、安全や安息への配慮に抗ってはいないのだ。そして、そのような配慮が、人間の有り様を下劣で退屈なものに変えてしまったのである。哄笑というものは、死を対象とするときにだけ、人間を完全に揺るがす。無邪気でも錯乱してもいない逃げ腰の哄笑は、耐えがたい慎重さにほかならない。危険のない笑いは、諦めだ。聖職者の服《スータン》は悪臭がする。笑いの危険は死である。歯のすき間を通る風や骸骨の眼は、笑いを誘う。死は、素朴な冗談である。死は、星なき空を子供の戯れに変える。

　お前はけっして、**《大人たち》**の喜劇を十分な怒りで裏切ることはないだろう。ただお前の死だけが、十二分に馬鹿げた輝きでそれを裏切るのだ。もしお前が「しかるべき仕方で」死ぬとすれば、大人たちは自分たちの幔幕でお前を隠すことができるだろう。大人たちは、お前を一人の大人として真面目に扱えるように、お前の死を見張っているのだ。奴らは、自分たちの威厳を磨き上げるために、お前の死を必要としている。

　ルイ14世のように死んではならない。

《犬のように死ね。》

　黒い幔幕をもった男や女たちは、お前の陽気さが彼らの荘厳さの前で崩れ去るのを願っている。彼らは、陽気になったり、陶酔したり、特にそれ以上の状態になることは、荘厳であることに比べれば驚異的ではないと主張しているのだ。彼らの頭を透かして見たまえ。高潔で痛悔に満ちた肉体の下で、彼らの見えない頭蓋骨は、歯の間で**《私は嘘をついている》**と口笛を吹いているのである。

　一人の大人が地面に倒れるのを見たら、微笑んではいけない、爆笑したまえ。虚無がお前の眼下で口を開く。もしお前が、輝かしい生きる幸福をひとかけらでも放棄するなら、お前は彼らの幔幕のなかで窒息するだろう。下水道は、昔の死んだ子供たちを呑み込むものだ。そして下水道の底には、輝かしい太陽がある。お前が大地にむさぼり食われるとき、お前は虚無にうっとりするだろう。彼らの幔幕はすべて、まさに虚無への恐怖と同じように恥ずべきものだ。狂ったようにお前を哄笑させるもの、無礼者になる幸福を味わわせるものを前にして、彼らは喪服を着て青ざめてしまうのである。

メキシコの死者の祭りには、ドン・ジョヴァンニもいる（彼は骸骨だ）。

ヨーロッパでは、石像の老いぼれうぬぼれ屋が近づくあいだに、死を迎える無礼者は、酒を飲みながら、テーブルの上に座ってあらん限りの声で歌う。

万歳、女たち
万歳、美味い酒
栄光にして支え
人間の[7]

1――このテクストは、『ミノトール』誌（一九三三―一九三九年）に掲載される予定であった。しかし、この雑誌は、バタイユに原稿を短くすることを要求して、結局、この「仮面」は『ミノトール』に掲載されずに終わり、バタイユの死後になって、ガリマール社の『ジョルジュ・バタイユ全集』第二巻「死後刊行の著作、一九二二―一九四〇」（*Œuvres complètes tome II Écrits posthumes 1922-1940*, Gallimard, 1970）［以下 *O.C. t. II* と略記］に収められた。「仮面」の草稿は二つ存在していて、両者のあいだには若干の異同がある。以下の訳註において、ガリマール版の編者註を参照しながら、草稿における異同を示す。『ミノトール』という題名の発案者は、バタイユとアンドレ・マッソンであるとされている。この二人は、同誌の第八号（一九三六年）に共同で「モンセラート」を寄稿している。「モンセラート」は、マッソンの詩「モンセラートの高みから」とバタイユのテクスト「空の青さ」で構成されていた。

2――草稿の余白に、次の書き込みがある。「人間に敵対する混沌ばかりでなく、混沌としての人間」。

3――草稿の余白に、次の書き込みがある。「規範と規則の抹消。仮面は、人間的な伝達の中断である」。

4――「その謎はまだ生きていて、酩酊した男のような歩みを続けている」は、草稿では、「その謎は生きていて、素早い流れによって突き動かされている」である。

5――*O.C. t. II*, p.406 では「caratacte」だが、「cataracte」の誤植と判断して訳出する。

6――このテクストは、生前未発表であり、執筆時期は不明である。*O.C. t. II* に収められている。題名は、最初は「死が笑う」であったが、「髑髏」に変更されている。

7――モーツァルトの『ドン・ジョヴァンニ』からの引用である。モーツァルト『オペラ対訳ライブラリー　ドン・ジョヴァンニ』小瀬村幸子訳、音楽之友社、二〇〇三年、一五四頁。バタイユは、複数のテクストでドン・ジョヴァンニ（ドン・ジュアン）に言及している。たとえば、『眼球譚』「聖なる陰謀」『内的体験』『空の青さ』に言及がある。

あめまるや。

お墓参りへ行く高速バスの二人がけシートで、備えつけのテーブルにトランプのカードを並べながら、わたしは母に、最近目がチラチラして、いろんなところに模様が重なってみえる、と、軽いきもちでいった。カードを手のうちで扇形に持ち、母は、ふうん、と息をもらした。

最初は、なんだったろう、大学の窓枠かな。ジムのプールを囲んでる、タイルの模様だったかもしれない。縦横に、たくさんの棒が組み合わさっている構造の、ある一箇所だけが、ぼうっと浮きあがってみえる。つまり、一本の横棒と一本の縦棒が交差する、十文字のかたちがひとつ。

いしいしんじ

気づいてしまえば、わたしの暮らしている日常に、その同じかたちはくりかえしくりかえし、いくらでもあらわれた。道路標識、自動車のエンブレム、本棚、計算式、バイト先のメニュー、市営バスの路線図。いたるところにかくれている。漢字や、ひらがなの一点にさえ。わたしがそのかたちに気づくや、まさに同時に、まるで待ちかまえていたみたいに、黄緑か、ちょっと緑がかった黄色を帯びて、さあっ、と空気の上に十文字のかたちが浮かびあがる。五秒ほどおいて、砂粒みたいな痕を残し、すっと消える。

新幹線の駅から出発したバスは、陸路を北西にむかっていた。わたしがうまれる前の年に亡くなったから、おばあちゃんと会ったことはないのに、母と過ごす時間が長いせいか親しく感じる。毎年、夏休みにはいるとすぐ、おばあちゃんのお墓参りに出かけ、そのまままぐるっと九州をまわって帰る。

テーブルからはみだしそうな、トランプの7ならべ。スペード、ダイヤ、クローバー、ハートと数字。

「うち帰ったら、目いしゃ、いったほうがいいかな」

母をみると、扇形にカードをかまえたまま、じいっと動かない。わたしの視線に気づいて目をあげると、

「祥子、それって今年になってからね」

「うん、そうだね」

「ふうん」

母は昔からたいていのことに屈託がない。ゆっくりと、草原に隙間がひらくみたいに笑って、

「ふしぎなことがあるねえ」

といった。口調ははっきりしてるけど、その「ふしぎ」のいいかたは、曖昧にふくらんで、ゆらめいて、輪郭をにじませたまま、じょじょに遠のいてゆく。

7ならべは、五枚差でうれしげに母が勝った。

鉄道駅に着き、在来線にのりかえる。ことこと走る小さな車両に、学生服のふたり組とおばあさんがひとり。

わたしたちは四人がけシートを独占し、作ってきた空の二席でトランプの「しんけいすいじゃく」をやる。カードがひっくりかえり、7。カードがひっくりかえり、A。カードがひっくりかえり、4。

「祥子、おばあちゃんちでお正月やったこと、あるんやったかね」

「ええ、おぼえてないけど、たぶん、ないと思うよ」

「ふうん」

少し考えこんでから、母がシートへ右手をのばす。カードがひっくりかえり、7。母は7をとる。カードがひっくりかえり、3、3をとる。カードがひっくりかえり、A。母はAをとって舌をぺろりとだし、

「かあしゃん、ばかヅキばい」

うまれた場所が近くなると、母はその土地のことばになる。もどっていく。また母が勝ち、駅をふたつすぎてから、海に面した、建築模型みたいな駅でおりる。改札口の木柱と梁がやっぱりほの黄色い十字型だ。めまいの最中みたいなまぶしさの日なたに出ると、

「田島さんで、まちがいなかとねえ」

ワイシャツの上に、ぴちぴちに張りつめたチョッキをつけた制帽の運転手さんが、ふたり分の荷物をもってくれる。ザトウクジラみたいな笑い顔に、例年以上に濃厚な、夏の陽ざしが照りつける。こ

の地方のタクシーはいつも、クーラーを最強にしながら、窓を全開にして走る。そうして海をみるたび、こんな青がこの世にあったのか、と何度もまばたきして驚くことになる。

海原のあちこちで、波がまた、細かな十文字にきらめいている。駅から十分くらい走って、峠道から山の緑地に折れ、見あげてしまうような急坂をのぼりきったところで、母方のご先祖のお墓がならぶ、古いお寺の駐車場にはいる。

水をはったバケツに柄杓を入れ、お供えの花をかかえて、コンクリートの坂をのぼる。直方体ばかりでなく、丸い屋根つきだとか、こんもりと膨れたかまくら風だったりとか、変わった風合いの墓石がちらほらとみえる。おばあちゃんとその親族のお墓は、一軒家くらいの大きさの樹冠をもつ、アラカシをとりまいて並んでいる。

落ち葉をはらってから石に水をかける。敷石のまわりを箒で清め、輪ゴムをつけたまま花を入れ、チャッカマンで火をつけたお線香をたてる。しゃがみこんで手を合わせるわたしの後ろから、母の声が、

「祥子」

と、どこかいたずらっぽく響いた。

「お墓のうしろまわって、ようみてみんしゃい」

立ちあがって、隣の墓石とのすきまを横ばいで抜けると、緑陰に響いていた蝉時雨がふつりとやんだ。根元をみっしり、まるで山麓みたいな苔におおわれて、おばあちゃんの石はたいそう立派にたっていた。これまで気にしたことはなかったけれど、灰色のその石の背面に、くっきりと浮き彫りにされて、先端がスペードみたいにとがった十文字のかたちが刻まれてあった。

黙ったままでいるわたしに、母はしばらくのあいだ声をかけなかった。おばあちゃんの墓石に背を向け、段々畑みたいに作られた墓地の斜面から、ひっくり返った宇宙みたいに青くきらめく海面を、犬の口みたいな笑みをたたえながら見わたしていた。わたしが両足をずらし、石から少し距離をとったとみるや、その瞬間、

「カクレキリシタンやったとばい。ばあちゃんも、かあしゃんも、うちはみんな」

と母の声が風にくるりと舞いあがった。

わたしはさらにあとずさって全体をみた。そこらあたりにたつ墓石はどれも斜面の山にむいた面に、十文字、スペード、ハートの模様を刻まれていた。そうとわかってみわたすと、この墓地の大半がそうだった。小さな模様や記号を刻んだ墓石だらけだった。畳サイズの古い墓石の裏に、女性らしき姿の斜め上方から、手足で十字をつくったひとが見おろす姿が、レリーフみたいに刻まれている。すぐそばのお地蔵さんに視線を落とす。赤い前掛けの上で淡くほほえみながら、その背中には、ささやかだけれど力強そうな、天使の二

枚羽根がそなわっている。

母のうまれそだった実家は、小学校の裏手の、日曜市のたつ広場に面してある。広場のまんなかに据えられた、赤さびた物見櫓と同じくらい古い。とはいえ玄関にはサッシ戸、エアコンは完備、畳は「おばあちゃんの部屋」に六枚あるだけで、台所も居間も板間の上に幾何学模様の薄物を敷いている。

家じゅうの窓とサッシをつぎつぎと開け放し光と風をいれる。手早く掃除機をかけ、ヤマキ商店で買ったスイカをふた切れずつ食べた。皿を洗いながら半開きの窓をみやると、網戸の外側にちいさなヤモリが一匹貼りついていた。

しばらくしずまっていた空気を割って、母の声が廊下をつたってのびてきた。「おばあちゃんの部屋」にいってみると、六畳間の隅に母は立て膝ですわり、わたしの顔に頷いてみせてから、仏壇ぽいその襖の開き戸に手をかけ、鳩かなにかを解き放つように一気に両側へ引き開けた。

なんとなくわかっていたけれど、そこにはお位牌や焼香台はなかった。四角く口をあけた室の奥まったところに、画用紙ぐらいの大きさの掛け軸がひとつさげられ、下のひな壇には銀色の鎖やこまごました人形がまばらに置かれてあった。

母が身をずらす、その隙間にならんで正座する。見あげてみると表装されているのは、つくづくふしぎ、というか、へんてこな絵だった。緑色の着物の胸をはだけ、ちょんまげ姿で白目だけの若者が、黄色い三日月を右手に抱き、素足のまま、青いひょろひょろのミミズをまたぎこそうとしている。

「おかけーたい」

母がいう。

「え」

「掛ける、絵、てかいて、お掛け絵ばい」

中二か、小学生みたいな笑み。

「昔えらかひとが、ヨルダン川ばわたるとき、ごうごう流れよる水がせきとばって、ほいでわたれたげな。一念、岩をも通すばい。正月もお盆も、ばあちゃん、じいちゃん、かあしゃんに日向子に、洋介おじしゃん、みんなことば並んですわって、手ぇ合わしてオラショよみよったったい」

母の説明によると「カクレキリシタン」のひとはまだこの集落に九十人ばかりいる。カクレキリシタンとはキリスト教ではなく、また、もはやかくれてもいない。

ポルトガル人たちによって伝えられた、十六世紀半ばのころ、ひとびとが信じていたのはもちろん、本場から伝えられた正真正銘のキリスト教だった。それが禁教とされてから何百年ものあいだ、洞窟や家の内々でこっそり伝えられていくうち、だんだんと、もとの教えとはかけはなれた、一種の民間宗教へと変貌していった。

お盆にはご先祖を思って十字を切り、十字架のかわりに釘をあがめる。引越のときはお祈りをとなえながらそこらじゅうを鞭で叩いたり、病人がでたらその枕元に「水方」が聖なる水をまいたりする。十字架にかけられた救い主やマリアさまの像、絵姿は、いつのまにか、着物姿の天使や、地蔵のかたちの石、大黒様なんかにかわった。

母はきょうだいたちと昔、おばあちゃんから「オラショ」を教わったけれど、意味なんてぜんぜんわからなかったし、考えたこともなかったそうだ。

あめまるや。がらさべんのふ。どうまん。べえこ。えれんとつうや。えれむり。えれむり。えれすべ。えんつう。ふりつう。べんつう。つうえのじんぞう。さんたアまるや。まあてるまあてる。うらひらのふ。のふべす。のふべこ。とりえの。のミきり。えのつまる。やまとのと、あんめんじんす。

早口ことばみたいな母の「オラショ」をききながら、わたしはなんだか胸がいっぱいになってきた。その声のなかに、おじさん、おばあちゃんだけでなく、その上の曾祖父母、さらに何十、何百のしわがれた声が、幾重にも重なって遠く響いている気がした。そうして、そうやって遠くで唱和しているのは、みなけっこうな年寄りのはずなのに、なぜか、どれもこれも幼いこどもっぽい声に思えた。

お掛け絵の下に置かれていた、貝殻の「めだい」や外国の古コインをひとつずつ畳の上におろしながら、母は、お正月やお盆の話をしてくれた。そうした日には、白い紙を折ったり、切ったり、小竹を組みあわせたりして、魔除けの十字「オマブリ」を、こどもたちみんなでつくる。オマブリは、家のあちこちに貼る。オマブリを入れた桶の水を、近所の家々にかけてまわったり、魔物が出る場所にまいていったり。なんだか節分そっくりだ。そのときのオラショは「オニハソト」「フクハウチ」みたいに、楽しげに響いたんじゃないだろうか。

カクレキリシタンというと、迫害や受難、火あぶりの刑なんかを想像してしまう。母にいわせれば、それは禁教がはじまった初期や、十七世紀にはいってすぐの頃の話で、二十世紀も半ば、おばあちゃんのこどもの頃にはもちろん、もうすでに誰ひとり隠れてなんていなかった。戦後すぐ、隣の集落にステンドグラスで有名なカソリックの教会が建てられたけれど、そちらへは通わず、カクレキリシタンの教えを守りつづける家族も、当時はまだ少なくなかった。

「かあしゃんのころは、まあ、少数派やったと」

それでも校庭で「水かけ」をしたり、「オラショ」の早口競争をしたり、子どもたちは屈託なく遊んだそうだ。母が小五のころ、ふたつ年上だった山岡大志という少年が、校門の横の松によじのぼり、十字に張りだした枝に赤チンを塗った腕をかさね、磔になった救い主の真似をした。その夜大志は高熱をだし、一週間意識をうしなったまま、目尻から血を流しながら譫言をつぶやきつづけた。大志の、まだ生きていた曾祖父によると、それは遠い遠いご先祖の代で失われてしまったはずの、「ごパッシオ」のオラショのようにきこえた。

意識のもどった大志少年はカクレキリシタンをやめ、カソリックの教会にはいった。この事件を境に、キリシタンの習俗とこどもたちの暮らしは、だんだんと離れていったらしい。

いまではカクレキリシタンのひとたちはふだん、家のなかでひそやかにオラショをとなえ、玄関の前に毎朝そっと水をまく。集落を出たことのない、高齢者がほとんだ。

「おばあちゃんのお葬式って、どんなだったの」

「そらあ、見物やったばい」

知り合いのみながこの六畳間にあがり、ふとんに仰向けに伏せたおばあちゃんをとりかこんで、口々に「こんちりさん」のオラショを送る。すう、と気が抜けるような音をたてて最後の息が漏れるや、白木綿の布に黒マジックで十字を書いたものを、おばあちゃんの額にかぶせる。白木綿の肌着を着ていれば、誰でも無事に、「ぱらいそ」の門をくぐることができるとか。

寺の僧侶が呼びだされ、まずは仏式のお経をよんでもらう。あの急坂をのぼりきったところにある古い寺の住職で、葬儀をめぐる風習については、だいたいなにもかものみこんでわかっている。読経をすませ、お数珠をじゃらじゃら鳴らし終えて住職が寺へ帰ると、みなそれぞれの「くるす」や「めだい」を手に集まり、おばあちゃんに向けていっせいに「経消し」のオラショをとなえる。

「それ、なんのため」

「お経がこびりついとったら、ぱらいその門ばくぐれんばい」

座棺に膝を折っておばあちゃんのからだをおさめ、その上から六本の釘を入れてから蓋をする。真上にかけた紐で、つくる結び目は正確な十字形でなければならない。生前のおこないを讃え、悔い改めをうながす。儀式の進行するたびごとに、となえるべきオラショが場面ごとに決まっている。

でいうすの、みことはを、もって、のかせ給えや。でいうすの、おひかりをもって、御母三田丸や様の、おひかりをもって、あきらかにつつんで奉願、あんめんじんす。

座棺を台車に乗せる前、紐に棒を通して持ちあげ、左まわりにぐるりぐるぐる三回まわす。出棺のオラショをよんでから、母たちを先頭にした一行が静粛に墓場につくと、焼けた鞭のようなからだの「埋け掘り人」が、もうすでに墓穴を掘って待っている。穴にそろそろまっすぐに下ろし、さっき去ったはずの住職があらわれ、座棺の背中側にむけて淡淡とお経をよみあげる。そのあいだみな、土を見つめてじっと黙っている。そうしてまた住職が寺へ帰ってしまうと、盛り土のまわりに全員が集まり、キリシタン式の葬儀をやりなおす。

座棺は掘り出され、引きあげられる。埋け掘り人がまた独特のオラショを唱えながら、鍬でざくざく土を崩し、穴を縦長にひろげていく。墓穴が完成したらば、みなで手を合わせ、声をそろえて「さらばのオラショ」を送る。

にんげんは、土のちり、塩、水、あぶら、四つの油でかためし五体、四つの油にもどします。あめん。

そうとなえてから座棺を倒し、からだが左側を下に、横向きに寝るよう墓穴におろす。頭はきっと東方をむいていなければならない。水方が真上から聖水をかけてから、横倒しの座棺に土をかけ、十字を刻んだ墓石をたてて、おばあちゃんのお葬式は終了する。

「わたしがうまれる前の年、ってことは、おかあさんもう結婚してたでしょ。おとうさんは知ってたの」

「知っとるもなんも、ばっちゃんのお棺、いっしょにかついだばい」

と母は、青い空に抜ける声で笑った。

「あんひと、民謡の研究で、オラショさ録音しにきて、で、うちばきたっとたい。かあしゃんよりいろんなオラショ知っとったと。百年、二百年、三百年前んとか」

半年前からフランスにいったきり帰ってこない、音大教授の父。古い僧院をまわりながら、やっぱり古い聖歌やら、譜面の残っていない古謡の断片やらを、レコーダーに集めてまわってる。ひょっとしたら、父の部屋に、おばあちゃんの詠みあげるオラショも眠っているかもしれない。本やCDの積み上がった棚のどこかで、左側を下に、カセットテープのケースごと横倒しになって。

次の朝、いつもどおり海とつながったみたいな漆黒の青空。母は、地元の古い友だち三人とランチ。わたしは電動自転車を借りて、海沿いの峠道をゆらゆら走った。焼けそうな陽ざしに、北からの海風がちょうどよかった。

もぐらが掘ったようなトンネルをふたつくぐって赤い鉄橋をわたると、杉木立の角に隣町の駐在所が見え、そこを折れてしばらく農道をのぼっていったところに、真っ白い十字架をいただく西洋風の小箱が、赤青黄色の花壇に取りまかれて建っている。

今年で築七十五年をむかえる山上カソリック教会。

玄関前の案内板をひととおり読む。遠巻きに眺めると、教会の建物はほんとうにお菓子でできた小箱のようだ。両サイドにはめられたクローバーにダイヤ、ハート模様のステンドグラスが色とりどりにきらめき、青空と森の景色もあいまって、なんだかわたしは、物語本のひらいた表紙の前に立っているみたいな気がした。

母に教えられてネットで調べてみたが、この地方の古い教会めぐりは、ここ最近、観光の女子やカップルに人気があるらしい。じっさい、わナンバーの軽自動車が案内板の前にとまり、車内から出てきた二十代の女性三人組が、かわいいかわいいいいながら正面に密集し、自撮り棒をのばしてシャッターを切りはじめた。

やさしそうな掃除のおばさんが出てきてにこやかに頭をさげる。三人組は、いいですかあ、といって十字架の浮き彫りがされた木戸からなかにはいる。すうっ、と自然に閉まってゆく戸を見つめ、わたしは声にださず、そっと吐息をついた。サドルにまたがり、体重をかけてペダルを踏む。電動自転車はみるみる農道をこえ、誰かの手が背にそえられたような勢いで、まばゆい峠道をまっしぐらにのぼっていく。

右に曲がり、緑地にはいる。急な坂道だって、あの、ザトウクジラタクシーよりよほどスムーズだ。駐車場の日陰に自転車を停めると、さすがに顔も背中も汗ばんではいるけれど、この地方の海風はふしぎなくらいに湿り気がなく、吹きよせてくるそよ風に三分もあたっていれば、全身、物干し台からとりこまれたばかりみたいにすっきり乾いてしまう。たったひとりで墓地を訪ねるのはこれがはじめてだ。

この日、最初の参拝客かもしれない。柄杓もバケツも、きのうと同じところに整然とならんでいる。ひとの手がならべた、というより、そのようにあるべき場所に、はじめからある、といった風に。汗でなく、ひんやりしたものを背中に感じながら、バケツに水を張り、柄杓を入れて、コンクリートの坂をのぼる。白い紙を十字形に切ったオマブリを、いれてくれればよかったかな。それとも、あれはたしか魔除けで、お詣りとはあんまり関係ないか。

真っ青な空にひろびろと樹冠をひろげ、アラカシの木が待っている。はじめから、そのようにあるべき場所。わたしは少し頭をさげる。古い敷石をまたいで、スニーカーで、おばあちゃんたちの墓所に入っていく。

きのうはお昼過ぎだった。この日、まだお日さまは東方の空にあった。黄金色の陽ざしが古い墓石の列に斜めにふりそそいでいた。だから、はじめ、光の具合でそうみえるのかと思った。しゃがみこみ、両目を二度、三度、閉じてはひらいてみる。バケツの水面で、陽光が十字を描きながらきらめく。おばあちゃんの墓石が目の前にたっている。灰色だった表面は、燃えあがる黄金色に。裏に施されてあったはずの浮き彫りが、正面に、ありありとあらわれている。先端がスペードみたいにとがったかたちの十文字。

どうやったのか、わからない。山麓みたいな苔はみっしり土台を覆ったままだ。朝日のあふれかえる墓地の「しんけいすいじゃく」。石がひっくりかえり、十字架。アラカシの樹冠が揺れ、緑がかった黄色の光を振りまく。墓石から、さあっ、と空気の上に、十文字のかたちが浮かびあがる。

五秒ほどすぎ、浮かんだまま、消えない。光の粒子があたりに降りそそぐ。

赤い前掛けの天使がわたしをふりあおぎ、石のくちびるから、透明なオラショをさんさんとこぼしている。

蛾

ケンゴマツモト
写真—菊池真末

大きな蛾の複眼は、適切な角度で光にさらされると、燐光に似た不気味な赤色を発する。なんとなく素晴らしいような気がする。西洋の雑誌小説で蛾の幽霊について読んだことがあるが、彼らの目からの光は実際には妖怪のような印象を受ける。言い換えれば、いくつかの非現実的な色と光がある。これは、まぶしさを引き起こす軽い苔の場合のように、目に複数の複合レンズが作用することが原因である可能性がある。たとえば、黄色い笑顔の悪い人がパレードのように歩いている無毛の太った男の周りをゆっくりと膨らんでスピーチをしているときに格子を見る。白髪の男は妻のお尻を舐め、黒い建物の部屋の独房犬は毎日怠惰な生活を送っており、妻は喜んで泣き叫ぶ。プラスチックの代わりにアイロンをかけたり、妻のお尻を舐めたりする。狂気の世界では、ギャンブルを続ける人々の心の底に流れる川で、盲目の剃毛した男が溺れ、彼は消えようとしていると言うのは子供たちだけだ。私は知らない。パレードを離れた後、子供たちは黒い建物の周りを走り回り、多くの目の世界に気づかずに遊ぶ。やがて夜明けに、子供たちはすべての動きを止め、半分は水たまりに浸り、集合住宅の部屋に一人で住んでいた失踪した人の意識を取り替えた。言うまでもなく、これはわがままでわがままな妄想だが、精液の半分以上が滴り落ちるとアルコールのように蒸発する。中は不純物になるが、残った液体は浸透する。頭の後ろ

と意識の中で、虚像のように見える小さな鉄塔のある街を作り始める。蛾は夜が再び落ちるまで動かなかった。狂気の世界では、狂気を演じ続ける人々の意識の底に流れる川で、剃毛された盲人が溺れ、消えようとしていると言うのは子供たちだけだ。私以外の誰かが鏡の中のすべてを壊して静かな世界の音を聞くと、隣の町で唯一の子供用公園の小さな砂場に姿を消す。アルコール依存症の老人（彼もそこで一日を過ごし、私と同じくらい漠然とした幻覚を聞き、禿げた頭に突き刺さる灰色の脳を持っている）。耳に入った音はだんだんと人間の声に変わり、何度も何度も言葉を呟くが、気づいた気配はなく、音だったときのように鳴り続ける。この人のやわらかなつぶやき声はいつも響き渡る。そう、彼の妻は死ななかった。かつて妻の顔にあった白い布を見たとき、彼は完全に積極的で血まみれだった。翌日、彼は旅に出た。この時期、彼は自分なりの方法で自然の美しさを実感したようだった。物体を見たとき、彼はできるだけ物体の形だけを見ようとした。形だけを見ると、どんなに些細なことでも、その相性には敬意と性格があった。彼の物事を見て最も頻繁に見られたのは彼の亡き妻だった。どんなものを見ても、死は一種の死だ。彼がいつも目にする二つの形のうち、空と妻、最もエキサイティングで空の驚くべき弱さを打ち破る妻の形が突然彼になる。彼女が目から消えたという事実は、空の目だけが常に彼のパー

トナーを見るという考えからのみ生ずるが、彼にとってこの人生の風景は完全に薄れている。家の門を出て散歩に出かけたとき、突然疲れ果てた。彼はすぐに同じ街のホテルに直行し、ベッドに仰向けになった。「死とは何ですか。死とは何ですか？」なぜ私たちは左手で死を考える必要があるのだろうか。結局、彼は自分の質問で何か間違ったことをするだろうと思った。それから彼は夜中に目が覚め、彼女の腹の上で、香りを嗅いでいるかのように蛾が羽を振った。彼が横になろうとしたとき、別の大きな白い蛾が彼の肩にとまった。「これは楽しい」と彼は思った。彼はしばらく蛾を見つめて立っていた。「これが妻だ。」突然彼は思った。すると突然、前夜に羽ばたいていた蛾が孤独な妻の心に消えたようだった。「どんな不思議なことが起こっても、不思議なことが起こっても。動く人は動くのがいい。周りの人は振り返るのがいい。」彼は目を閉じて何も考えないようにした。この町に蛾が飛んでいる。少し黒い夜に街灯からの光の糸で跳ね返る大蛾はとても美しい。流れ星のようだ。それ以外の光の塊が交差する。それを軽い粉で拭くとき。光線の残像。解凍すると内側から星の懐かしい匂いが揺れて笑った。彼もうっかり微笑んだ。

無題

階戸瑠李

「無題」は階戸瑠季さんの未完のエッセイである。編集部からの執筆依頼に対し、階戸さんは二つのエッセイ案を送ってくださった。その双方を生かし、一篇にまとめる提案を原智広から行っていたが、概ね了承いただいたところで、突然のご逝去により中断されてしまった。今回、明らかな誤りは訂正したうえで、担当マネージャー様の許可を得てここに掲載する。

一度は考えたことはないだろうか
自分が死んだらどうなってしまうのか。
私は幼い時、よく母に尋ねた
人は死んでしまったらどうなるの？
お母さんは、死ぬのが怖くないの？
そして、ただひたすらに死ぬことが怖かった。

私はここ十年で身近な人間の死を経験していない。父方の祖父も母方の祖父も、もうずっと昔に死んだ。（母方のほうは戦争で死んだ）

随分、長生きしたひいばあちゃんが死んだのが、私が覚えている最後の身内の死だ。カラフルな花々に囲まれて動かなくなったとっしょりばあちゃん（私にとって、おばあちゃんとは両親のお母さんであって、曾祖母はもっと年寄りのおばあちゃんだったので、年寄りばあちゃん→とっしょりばあちゃん、と呼んでいた）の顔と、まるで跡形もなくなった小さな骨たちと、骨の粉の白さがこの眼に明瞭に映り込んだ。ある種の錯覚のように。それは本当に現実だったのでしょうか？夢だったらいいのにと何度も思う。その度に今の現実の私は絶望する。返して！返してよ！

その時はまだ小さくて、死に対しての哀しみは私にはなかったのだ。私は何も分からなかったのだ。とっしょりばあちゃんが死んでしまったということ。それよりも、お母さんやおばあちゃんが悲しんで泣いている姿を見るのが悲しかった。

人は生まれ降りた瞬間から、ただただ死へと向かっていく。期限、限りある生、だが、それはきっと豊かなものだ。

けれど、当然、ある一定の期間は、自分が死ぬ、ということを実感するわけではない。漠然と死んだらどうなってしまうのか、死にたくない、という感覚はあったとしても。それは残像のように私の身体を翻し、締め付ける。苦しみというもの。同時に生きているという実感。

歳をかさねていくにつれて、死というものがとても身近になる

生きるということは、死を捉えることである

ここ数年、最近感じたこと
死を捉えるからこそ、生が輝く、生きることに執着する

己で命を絶つ、というのは、生きることへの執着を失ったとき

何もかもがうまく行かず自分が死にたいと思ったとき、私はうつ病になった。

けれど病院に行っていないから、正式な病名はついていない。
けれど毎日がただださらさらと流れていくようで、虚無に包まれていた。

人が多いと変な汗が体中から噴き出した。電車を待つホームで、いっそとびこんだら楽になるのではないかと、何度も思ったら怖くなって、電車移動をやめた。

自分は、演じることで生きることに執着した、死にたくないと思った。

死を、恐れなくなったときに、人は死ぬ

世界中がこの目に見えないウィルスに侵されている、今
聴いた声、沢山のざわめき、雑踏、息遣い

とある若者
自分だけが取り残されていた感覚があり、この世界的なパニック

に安堵を感じる。自分だけじゃないという安心感。

そしてまた、生死とは、個人としての生死ではない。人は一人で生きることは出来ない、誰かが関わっている。つまり、残された人間たちの生きることに対して、ある個人の死が深く作用するということである。

ふと、夜中珈琲を飲みながら、だらしのない恰好でこの原稿を書いているのが誘い水となったのだろうか、父から電話があった。何もかもが現実であると同時に現実ではない。何らかの対象について考え、その対象に触れてしまう時。私はそれを恐ろしいと思う。他の言葉では表現出来ないのだから仕方がない。シンクロニシティ？思わず現実のほうがフィクションではないかと私は疑った。だが、現実は永遠に現実でしかあり得ない。

救急で深夜病院に運ばれたと父に聞いたのは、死ぬ一週間前だった。父曰く「上手く機能していなくて、本人が苦しいと唸った。流行り病ではない」とのことだ。

突如世界を襲った新型ウィルスのせいで、苦しむ祖母の受け入れ先はすぐには決まらなかったらしく、それを聞いてちくりと胸が痛んだのはその父からの電話の後だった。

もう少しでよくなるから、そうなったら実家で療養します。そんな連絡が続いていた。それが急に、要介護の状態なので、自宅で療養は厳しい。意識がほぼなく今日が山場なので、家族は特別に面会を許可する。と変化していった。

ここ数年、私の中で、死によって生が色濃く息づくということは確信に変わっていた。死があってこその生なのである、と。死をとらえるからこそ、生に執着するのだと。この世に生れ落ちてから、死に向かってただ進んでいくにも関わらず。

私はおばあちゃん子だった。両親が共働きで、小学生の頃はよく祖母に宿題を見てもらった。祖母は厳しい人間で、はるか昔に旦那と死別しているが、聡明で、賢い人だった。宿題をやらないと外に遊びに行ってはいけないと言われ、半べそかいてよく机に向かったものである。

姉はいまではすっかりお母さんだが、昔は素行が悪いほうで、厳しかった父の手を焼いた。兄は、優しく気弱な一面もあってよくお腹を壊していたので、母の心配の種だった。

私はそんな二人を反面教師に?のびのび自由に育った。そんな私の面倒は祖母がよく見た。肩が凝るという祖母にカタモミをするのが私の日課だった。

祖母は私に向かって「るりちゃんが一番賢い子だ。私の旦那さんに似ている」と言っていた。私は三人兄弟の中で、一番祖母の愛情と圧力を受けて育ったのである。

さて、祖母が死ぬ瞬間の話をしよう。

彼女の肺は半分がもうほとんど機能していなくて、機械でやっと呼吸をしているような状態だった。血圧は異様に低く、脈も弱くなって、意識があるのかないのかわからないような状態だった。当然口もきけなかった。反応もしない。ただ、シュー、シューと、酸素を送る機械に合わせて僅かに体が揺れるだけだった。

私は心の中で思った。いっそ、止まったほうがいいと。止まってくれと。この、生にすがっていない祖母の痛々しさに耐えられなかった。

両親や、姉兄が優しく声をかける中で、じっと病室の椅子に座って彼女を見つめた。普通に寝るのは苦しいので、身体を右によじったまま寝ている祖母を、ただ私は静かに見つめた。暫くそうして見つめた後に、いよいよ呼吸ができず、心臓の、脈の弱くなっていくのがわかった。

私は布団の中の祖母の手に、足に、自分の手を添わせた。もうだいぶ冷たくなっていた。死を間近に迎える肌は、こんなに冷えているのかと思った。

彼女の状態を知らせる機械が、ずっと大きな音で鳴り響いている。延命措置は頼んでいないから(もう肺が使えないのに、しまいに喉に穴をあけて無理やり呼吸をさせるなんて、私たちには選択できなかった)、それが鳴り響いても、看護師も医者もこない。

私は祖母の体に手を添えてじっとした。すると、彼女の鼻から茶色い液体がどろりと流れ落ちた。私は怖くなって悲しくて少し離れた。看護師を呼んでそれをきれいにふきとってもらうと、今度は口から同じ茶色い液体を吐き出した。動かない彼女の口元から、どろりとした液体が流れる。

次の瞬間、私は発狂したように、まるで時間が息をしていないかのように、夢遊病者の遠吠えのように叫びながら泣いた。大きくて真っ黒で、寒い渦の中に飲み込まれるような絶望だった。手と肩の震えは止まらなかった。肩を震わせながら、色んな感情に包まれたまま私は大声で泣いた。おばあちゃん、と家族が声をかける中で、大きな声で泣いた。

この感情で一番大きいのは、後悔だった。後悔、そして、寂しさだった。この今の私の気持ちはだれにもわからない。祖母と私の間だけに存在していて、私だけが持っている唯一の感情なのだから。

どうして意識があるうちに面会させてくれなかったのだという怒りもあった。私が最後に祖母に声をかけたのは、三、四週間前だ。実家に帰って泊まった後に「色々落ち着いたらまた来るね」そう言って別れた。また来るねで終わってしまった。大好きだよ、も、面倒見てくれてありがとう、も、何にも言えなかった。私の人生に多大な影響を与えてくれた彼女に、気の利いたことは何も言えなかった。

そして祖母は、私たちが病院に来てから三時間ほどで息を引き取った。

祖母がいる世界を生きてきた私は、祖母がいない世界を今日から生きることになる。ずっと彼女がいる世界を生きてきたのに、祖母の死を実感しなければ、彼女との思い出はただ通った事実としての人生でのみ存在していた。祖母の死が近づいたことを感じて、私は必死に彼女との思い出のかけらを拾い集めた。もうすぐ死ぬ彼女を目の前で眺めながら、若く、自身の足でしっかりと歩く彼女の厳しさを、優しさを思い返していた。学校から帰る雪道が危ないからと迎えに来てくれた彼女の背中を。私に肩を揉まれながら時代劇を食い入るように見つめる彼女を。

死を捉えなければ、毎日はただささらさらと流れていく。

私は一度うつ病とパニック障害を併発したことがあった。毎日をクラゲのように、ふわふわと生きた。死にたいのか、死にたくないのか、生きたいのか、生きていたくないのかすらわからなかった。自分の足で地面に立っている感覚がなかった。生きたい理由より、死にたくない理由を見つけられたから。その時はそう思った。

祖母の最期を看取った後、身体がどっと疲れて、病院から家に帰ってひとしきり泣いた後眠りについた。起きたらお腹が空いて、コンビニにご飯を買いに行った。甘いものが食べたくなってアイスも買った。毎日が苦しかった時も、ご飯は食べたし、コーヒーも飲んだし、睡眠もとったし、少しだけの性欲もあった。

家族の中でも私は祖母と共犯者のような感覚があったが、そんな祖母が死んでもなお、私は私のままであった。

こんなご時世でなければ、体調が悪いのか、傍で様子を見られたんじゃないのか。機械で呼吸させられている状態の祖母じゃなくて、病床で元気のない祖母に「早く元気になって、おばあちゃんの好きなものを食べに行こうよ」と伝えられたんじゃないか「好きだよ」「私のこと、大事におもってくれてありがとう」「おばあちゃんがいてくれたから、私はこんなになりました」

そう言えたのではないかと思わないことはない。

誰もいないけど言わせてください。

肺が機能しなくなって、意識がなくなるまで家族に会えないで、先生や看護師さんと一言二言しか会話ができなかった祖母の心中がわかりますか？

どんな気持ちで個室の窓から外を見つめていたのか。

自分はもう死ぬと思ったのか、また元気になって家族に会えると思っていたのか、会いたいと思っていたのか。

彼女がもっと生きたいと思っていたかすらわからない。それでも、もしこうだったら、という、たられればが脳裏に浮かんで仕方ないのである。

それでも、祖母が死んでしまった今、また私は生きようと思った。生きたいのではなく、まだ死なないのである。死にたくないのである。私は、まだ死にたくない。

なんかもう生きているのがつらいなんて思うことばっかりで。苦しいこととか、悲しいこととかばっかりで、誰にも必要とされてない気がすることがあっても。それでも、祖母が死んでしまって、やっぱり生きているだけでいいんだって思った。

人は死んでしまったら、精神と肉体が消滅する。祖母と過ごした沢山の時間はもう彼女とは共有できない、全てがただ、言葉の通り「思い出」になる。

生きていなければ、こんなにも苦しい思いをしなくて済むのかと問いかけても。

彼女が死ぬまでに共に生きた時間はかけがえのないものなのだと。無限に続く「生」だとしたらきっと、バランスが取れないのだと、限りがないのなら、今の一瞬を生きる必要がないのだと。私たちは死ぬからこそ、今生きるしかないのだと。

人はみんな死ぬのだから、今は生きるしかないのだと。

死ぬんだから、ちょっとくらい人生の一生を自分なりに有意義に過ごしてみたらいいんじゃないかと。

全ての欲は、死ぬからこそ生まれるのである。だから、見たことのない景色を死ぬまでに見たいし、身が消滅するまでに沢山のことを知りたいし、人を愛したいし、愛されたい。どうせ肉体が朽ち果てるからこそ、生きるのだと。ただ、今与えられた生を全うすることが、私たちに与えられた義務であり権利であるのだと。それが、全てなのだと思う。

もし、あれがしたい、これがしたい。こんな夢がある、富を、名声を築きたい。そんな風に思って生きなくても大丈夫。だっていつか終わりがくるのだから。あなたが、彼が、私が死んでも、私の大好きな祖母が死んでも、世界はずっと続いていくのだから。

必ずみんな死ぬんだから、その終わりを誰も決めることはできない。

死があるから、今を生きようと私は思う。

そう思うと、街の景色から、とある撮影現場から、電車移動の合間にも温かい感情が溢れ出してきて、その実体のない感情を私は今日も抱きしめるだろう。抱きしめ続けるだろう。それが生きるということなのだから。

塊鐵

吉田棒一

かれこれ数十時間、明滅の最中にいる。「数十時間」は仮説に過ぎない。ひょっとしたら更に長い間、もう何日も何ヶ月も、この馬鹿げた酩酊状態は続いているのかも知れない。最初にぼやけるのは思考で、やがて記憶が曖昧になり、視界が滲んで皮膚から感覚が失われ、最後には自分が誰なのかもわからなくなる。時間はその途上で失われるもののひとつだ。眠った記憶がない。眠ったことを忘れているだけかも知れないし、実際に一度も眠っていないのかも知れない。光沢の失われたリノリウムの床に、粉々に砕けたガラス片が散らばっている。注射器かも知れないし、スマートフォンのディスプレイかも知れない。目を凝らし、それが割れた酒瓶であると理解すると同時に、さっきから鼓膜を振動させているものが自分を呼ぶ声であることに気がついた。

　声は「すみません」「大丈夫ですか？」と何度も繰り返したあと、やがて「ちょっと」から「おい」「お前」へと変化していった。若い男の声だ。男の声を聴くために鼓膜に意識を集中させた。液体のように成った自分の意識と肉体を、濡れた砂で塔を作り上げるように積み重ねて固めていく。おれは床にへたり込んでいるらしい。男が顔を覗き込んでくる。金玉みたいに皺だらけの顔だ。黄色と黒のポロシャツを着て、しゃがみ込んでこっちを見ている。男と同じ服装をした中年の男と、髪の先端だけを緑色に染めた若い女が、奥の方に突っ立っている。その服装には見覚えがある。ドンキホーテだ。それはドンキホーテの制服だろ？　一瞬だけ思考が取り戻される感覚があった直後に、側頭部に強い打撃を感じた。痛みはなかった。失われていた。男に殴られたのだろうか？　再び思考が遠のき、それと入れ替わるように視力が戻ってくる。身体が床に倒れているらしかった。目線と同じ高さに埃塗れの床と、酒瓶と値札の列が見えた。酒瓶は空になって床に転がっているものがいくつかと、未開封のまま値札と一緒に整列しているものとがあった。どちらも素晴らしく輝いて見えた。

　同じ格好をした二人の男と一人の女の言い分を注意深く聞いた。ひとつを聞くと、もうひとつを忘れてしまう。彼らを理解したかった。それは途轍もなく困難なことに感じられた。彼らの声は遥か上空から響いてくるようだった。チラつく蛍光灯は瞳孔から世界の輪郭を容赦なく奪っていく。神は明滅の狭間にいる。翼を生やした白髪の老人の姿で。或いは、穴の中に横たわる薄汚れた子犬の姿で。三人の男女は、ここがドンキホーテ西川口駅前店の酒類売場であることと、彼らがそのエリアを担当する店員であることを必死に説明していた。そして、おれが飲み干してしまったらしい売り物のウィスキーについて「金を払わないと警察を呼ぶ」と言った。

　店を出てアパートに向かって歩いた。金は払った。最初は払い方が思い出せなかった。彼らから提示された三千円だか四千円だかの料金を、ケツのポケットから取り出した一枚の一万円札で支払うやり方がわからなかった。紙幣を三千円分の大きさに千切ろうとしたところで、女がそれを奪い取った。何枚かの紙幣と小銭を手渡されたところで、正しい金の払い方を思い出し、またすぐに忘れた。精神と思考と記憶と妄想が液状化して混濁し、それが行動を通じて世界に影響を与えていく。少なくとも、おれは三人の人間を不愉快にさせ、売り物のウィスキーを空にし、警察沙汰を起こしかけた。自己に対する嫌悪感が芽生えかけたが、肝心の「自己」の方が不明瞭で、うまく落ち込んだり苛立ったりすることができない。もう男たちの顔も女の髪の色も思い出せない。陽射しが眼球を刺し貫く。真っ昼間だ。記憶がない。

　今いる場所が本当に自分の部屋なのか、疑わしくなるたびに天井のシミが語りかけてくる。ここは確かにお前の部屋だ。酒瓶を探し始めると同時に目の前のテーブルに置かれた酒瓶の存在に気づき、既に数分前の自分がそこに酒瓶を置いていたことを思い出しては、またすぐに忘れてしまう。カーテンが翻る。絨毯の裏側に何かが潜んでいる気がする。神だか真理だか、何かそんな類のものが。立ち上がって部屋中のものを裏返すが、どこにも何も見当たらない。誰でもいいから一緒にいて、隣で一曲歌って欲しい。アイアイ、アイアイ、カンタイノジョレ、ポルケカンタン、ドセアグラ、シェリトリンドス、コラソネス。気がつくと酒瓶が倒れていて、安物のウィスキーが全て無くなっている。そうこうしている間に、ここが本当に自分の部屋なのか、再び自信が持てなくなっている。

本棚から本を取り出す。ジョン・ファンテ『デイゴ・レッド』、ジェイムズ・エルロイ『わが母なる暗黒』、ジャック・ロンドン『火を熾す』、細田成嗣『AA　五十年後のアルバート・アイラー』、清水アリカ全集、アントニオ猪木自伝。どれもページがカッターで切り離され、順不同に並べ替えられている。他の本のページが複数混じっているものもある。それを更にバラバラの順番で読んでいくと、そこに世界が表出する。秩序が断絶と再接続を繰り返すことで無秩序に姿を変え、無秩序の連続は常態化することで再び秩序に回帰していく。

デスクトップ型の古いPCを蹴飛ばして、スリープモードを解除する。眠りは死の隣人で、おれには眠った記憶がなく、PCは生きたまま眠り続けている。並べ替えたページを手に取り、目についた単語と文章をディスプレイに打ち込んでいく。書くことは無秩序に秩序を与える。秩序は世界を形成するが、その世界は無秩序でできている。混沌の中に無数の物語があり、物語の中に無数の混沌がある。世界の中心は別の世界の外郭となり、世界の外側に突き抜けるために世界の内部に深く潜り込む必要がある。複数の本の中に別々に存在していた言葉を組み替え、画面上でひとつの世界を成形していく。分断する精神と思考の中で、それをやる。液状化する自分が、世界を固定化していく。

音楽が聴きたくなるが、世界に音楽が存在していることに対して確信が持てない。確かに存在していたはずだが、それも自分の妄想かも知れない。アルバート・アイラーの死体はニューヨークのイースト・リヴァーで発見された。消息を絶ってから一ヶ月が経過していた。音楽は幽霊のようなものだ。アルバート・アイラーの精神は死によって安らかに覚醒し、固定化し、解放された。分断と無秩序は分断と無秩序のまま停止した。それは一見すると統合や秩序のようだったが、やはりただの「停止した分断」と「停止した無秩序」に過ぎなかった。安らぎは永遠に訪れない。焦燥の中でのた打ち回り、錯乱を受け入れるしかない。

本を閉じる。閉じられた本の中で言語が蠢き、物語が変貌しているのを感じる。そうでなければ割が合わない。ニール・キャサディは文学者であり親友でもあったケルアックに憧れを抱いただろうか？彼が何かを残したのか、または何も残さなかったのかは、意見の分かれるところだ。彼はただ語るに足る人物としてそこにいて、実際に語られ、その残像は今でも消失していない。喜劇と悲劇が綯い交ぜになった高速の躁状態から振り落とされるような終幕。死は今よりも遥かに身近で、振り返れば話しかけることも表情を伺うこともでき、いつでも肩を抱いて泣いたり愛したりすることができた。

　突然、スマートフォンが鳴った。鋭い電子音が黒眼の奥底で乱反射して、瞳孔に激しい痛みが走った。緑色の通話ボタンを押すと男の声がした。聞き覚えのある声だったが、誰かはわからなかった。声は舌の裏側から喉の奥へと入り込み、紙とインクを舐めたような味が鼻腔から涙腺をすり抜けた。声の主は言った。

　お前のやり方は、おれが何年も前に打ち捨ててしまったひとつの可能性の体現だ。実に羨ましい。おれはお前になりたいし、お前になるべきだった。お前は混沌の中から瞬間を選び取り、それを繋いで永遠を作り出す。悪態をついて罪悪感をなだめ、疲れた獣のように生きている。お前のやり方は生命の抽象的な感動に満ちている。おれはお前にはなれない。欠落を抱えた淫売が、スロットマシンのレバーを握る。お前がおれを祝福するように、おれはお前を祝福するだろう。お前がおれを目撃するように、おれはお前を目撃するだろう。子供のような貪欲さと眼差しを持つ、お前だけを。黒みがかった静寂の中で、お前だけを。お前だけを。お前だけを。お前だけを。

　PCのディスプレイに文字の羅列が残されている。言葉のひとつひとつは他の言葉から完全に独立し、意味を持たず、音声に近い状態で浮遊している。その連なりの中で偶発的に生まれた秩序が、言葉に意味を持たせてしまう。言語など、所詮は音楽の奇形のようなものだ。空気のように充満し、うねり、巻き、艶やかに伸び、流れ、消失し、誰からも悲しまれない。蝙蝠のような姿形をした生物が、夜の原野で燐光性の糸の正体を知る。成長し続ける血塗れの蔦が物語を形成するならば、その種子となる輝きはPCのディスプレイに散りばめられている。まったく厄介なことだ。酩酊による意識と記憶の混濁は続き、酒はどこにも見当たらない。おれは光に包まれている。それを見つめながら、少し眠った。息を殺し、能動的に。

ÉTUDES À VINGT ANS, L'ŒUVRE POSTHUME

Tozo Haraguchi

マリエレーヌ・ポワンソ 訳

二十歳のエチュード［部分翻訳］
原口統三

Études I

Apprécions sans vertige
l'étendue de mon innocence.
— Arthur Rimbaud —

[...] Les taches de sang petites et grandes gravées sur leurs visages les rendent hideux à regarder.

Ils ne peuvent plus désormais regagner leur patrie où demeurent des gens simples et naïfs à la peau nue.

Là, vertueusement, sous couvert du sabre « de ceux qui ont la faculté de connaissance », ces humbles citoyens se rassurent en se montrant mutuellement leur visage.

Quelle âme est sans défauts ?

Les « détenteurs de connaissance » que j'ai pu autrefois rencontrer n'étaient tous guère que laides et petites gens.

Seul Rimbaud n'avait-il pas jeté la lame et tourné les talons ?

Bâtard du « bonheur », j'ai rompu tous les contrats. Mon ennemi est un monstre appelé « vide », et j'ai rencontré les membres de sa fratrie partout — « sécurité » et « satisfaction ».

Finalement, j'ai affronté la déesse de la victoire.

Études I

Apprécions sans vertige
l'étendue de mon innocence.
— Arthur Rimbaud —

3

〔…〕彼らの顔に刻まれた大小の血痕が、彼らを醜くする。

もはや、あの、生地のままの肌を持った、素朴な人々の住む故郷に彼らは帰って行けない。

そこで、こうした賤民たちが、「認識者」の刃を後生大事と、看板代わりにぶら下げて、お互いの顔貌を見せあっては安心するというわけだ。

4

Quelle âme est sans défauts ?

僕がかつてお目にかかった「認識者」とは、なべて皆、醜怪な賤民たちにすぎなかった。

刃を捨て、昂然《こうぜん》と廻れ右をして立ち去ったのは、ひとり、ランボオだけではなかったか。

8

「幸福」の私生児、僕はいっさいの契約をご破算にした。僕の仇敵は「虚無」という怪物であり、僕は至る所で彼の兄弟に出会した――「安心」と「満足」と。

最後に僕は、勝利の女神と対決した。

[...] La maison où j'ai grandi. Mes parents, mes frères et mes sœurs aînés. Ici, même les meubles familiers cherchent à me choyer.

Cette chaleur m'était intolérable.

Je voulais demeurer froid. Je voulais partir à l'aventure vers « l'esprit ». Cela signifie nier tout ce qui peut-être chaud, autrement dit, aboutir au fait de mourir.

Je me demande ce que fera ma mère, face à la mort de ce petit dernier qu'elle ne peut comprendre.

[...] Désormais je ne crois plus guère qu'aux sensations de ma peau.

Il m'a fallu atteindre le point où la conscience de soi peut feindre l'inconscient. Cela restait du domaine de l'apparence. J'ai pensé qu'il me fallait appliquer la chose jusqu'à la sphère de la représentation intérieure.

En résumé, je devais devenir impitoyable vis-à-vis de toutes les représentations — l'image présente en nous et qui existe à l'extérieur — le langage, la logique et les mathématiques.

Parce que la « clarté » pour moi dépend du degré de « méticulosité ». Ensuite, mon innocence était un adjectif qualifiant ce que l'on appelle le « corps de l'esprit », qui fait d'une conscience de soi scrupuleuse son plus fidèle messager.

Des deux types de solitude.

Celle qui vit renfoncée dans un coin de fenêtre, et celle qui se tient hors du cadre de ladite fenêtre.

Autrefois, tout le jour la joue appuyée à la vitre, tandis que je contemplais le ciel bleu, mon âme enfantine se consumait pour des univers inconnus. Et l'on a déploré que je fusse solitaire. Le poète en moi était déjà né à ce moment là. [...]

12

〔…〕僕が育った家。父母、兄たち、姉たち。ここでは、見慣れた家具の類が、家族の一員となって、僕を甘やかそうとする。

僕にはその居心地の温さが堪らなかった。

僕は冷たくありたかったのだ。「精神」への冒険に旅立ちたかったのだ。それはいっさいの温いものを拒否すること、すなわち「死ぬ」ことに帰着する。

理解できない「末っ子」の死を前にして、お母さんはどうするだろう。

14

〔…〕もはや僕の信ずるのは、自分の肌の感覚だけだ。

19

僕に、自意識がついには無意識を装いうるということまで到達しなければならなかった。けれども、それは外見の上のことだった。僕はそれを内心の表象の世界にまで押し進めねばならぬ、と考えた。

つまり、すべての表現——われわれの中に存在し、外に存する、image——言語・論理・数学に対して、苛酷になることであった。

20

何故なら、「明哲《めいせき》さ」、は僕においては「潔癖さ」の度合いによるものだ。そして、僕の純潔とは、潔癖な自意識を最も忠実な使者とする、「精神の肉体」と名づけられるものへの形容詞であった。

九・二四

21

二種類の孤独について。

窓の内側に住む孤独と、窓の外側に立つ孤独と。

むかし、僕の幼い魂は、終日、窓ガラスに頬を寄せて蒼空を眺め、未知の天地に恋い焦れていた。

そして、自分を孤独だと歎いたものだ。僕の詩人は、すでにこの時に生誕していたのだ。〔…〕

Là où est une fenêtre est une solitude. Je ne dirai pas aujourd'hui que je suis seul.

Je ne suis plus « spectateur » — car j'ai tiré un trait sur la fenêtre.

A ce propos, ne serait-ce pas là la véritable solitude ?

Je suis un homme qui va mourir sous peu.

« Point de récompense »

Où que j'aille, le démon me chuchote ces mots.

« Point de salut »

Je suis oppressé par cette voix.

« Point d'ode »

La désolation me tient partout

« Point de victoire »

Mais pour autant, qui peut dire que je suis vaincu ?

Mon esprit avance, maculé de sang.

Je déteste la conspiration. Mes mains sont sèches.

[...] Aspirer à laisser les autres tranquilles, à moins qu'il ne s'agisse d'une sentimentalité timorée, peut-être considéré comme une attitude arrogante à l'extrême. C'est une mauvaise habitude que j'ai prise après avoir choisi la mort.

J'aurais autrefois indéniablement pris plaisir à détruire l'amour-propre des autres.

En tout cas, il me faut abandonner orgueil et masturbation mentale.

Le philosophe ne raconte pas la vérité. Il se contente d'écrire des ouvrages.

22

窓のある所に孤独がある。今日、僕は己を孤独だと言うまい。

僕はもう「見る者」ではなくなったのだ——窓を捨ててしまったから。

ところで、これこそ真の孤独ではないだろうか。

僕はやがて死ぬ男だ。

25

「報いはない」

悪魔はどこまで行っても、この言葉を囁《ささや》くのだ。

「救いはない」

僕の胸はたえずこの声にしめつけられる。

「頌歌《しょうか》はない」

寂寥《せきりょう》は至る所で僕を持ち構えている。

「勝利はない」

だからと言って、僕が敗北したと、だれが言えよう。

26

僕の精神は血にまみれて歩く。

32

僕は狃《な》れ合いが嫌いだ。僕の手は乾いている。

34

〔…〕他人をそっとしておこうという望みは、気弱い感傷でなければ、極度の傲慢《ごうまん》な態度と言えよう。僕が死を選んでから、得たこの悪い癖。

かつての僕なら、他人の自尊心の破壊を楽しんだに違いない。

いずれにしても、己惚《うぬぼ》れと精神的マスターベーションを捨てること。

42

哲学者は真理を語りはしない。彼は作品を書くだけだ。

Quand on parle à d'autres, on avance des preuves pour justifier son propos.

C'est pourquoi mon dialogue intérieur pourrait donner quelque chose du genre :

« Il paraît que « le style, c'est l'homme même » ! Comme si un monstre tel qu'une « personne » pouvait exister. Le style reste le style, quoi que l'on dise. »

J'ai abominé tout ce qui était impur ou manquait d'absolu. A ce propos, tous les « ismes » ne sont pas fidèles à l' « isme » en lui-même. Autrement dit, ils font forcément un compromis quelque part.

Ce n'est pas vis-à-vis du « matérialisme » ou du « réalisme » en soi que j'ai éprouvé le plus de haine, mais vis-à-vis de l'ambiguïté et de l'opacité des matérialisme et réalisme de ce monde. Je ne m'occupe pas d' « ismes » sans foi.

Hymne à la solitude.

Partout le matérialisme étend son territoire.

Le matérialisme vit également dans la sphère mentale. C'est-à-dire que chaque expression est une substance matérielle dans le domaine de l'esprit. Le langage est une substance.

La langue polit l'esprit et le fait briller, mais elle-même n'a pas de lumière. La pensée que l'esprit habite le langage a donné jour au proverbe selon lequel « le style c'est l'homme même », mais en avançant davantage, nos yeux inattentifs ont fréquemment l'illusion que c'est « langue, ou esprit ». Appelons cela le matérialisme du monde spirituel. [...]

Aujourd'hui mon démon est venu et m'a tenu ce discours.

« Détester le passé, se rebiffer à certain idéal, abandonner la poésie, abandonner ta maison, jeter un regard froid et cruel jusque sur ta parentèle, puis sur les gens et les choses —

N'était-ce pas après tout renier ton propre sang ? »

J'ai bien voulu écouter cette sentence en silence.

46

他人と話す時には、正確さは実証によって裏づけられる。

だから、僕の会話はこうなるだろう。

「『文は人なり』だって！『人』なんて怪物が存在するものか。なんと言っても文は文だよ」

47

僕は不純なもの、徹底性のないものをすべて唾棄した。ところですべての「イズム」は「イズム」自体に忠実でない。すなわちどこかできっと妥協しているのだ。

僕が最も憎悪したのは、「唯物論」「現実主義」そのものに対してではなく、世に現われた唯物論と現実主義の曖昧さ、不透明さに対してである。信仰のない「イズム」など僕には用はない。

48

孤独への讃歌。

唯物論はどこにでも領土を拡げる。

精神の世界にも唯物論は住んでいるのだ。すなわち、ありとあらゆる表現は、精神界における物質である。言語は物質である。

言語は精神を琢磨し、これを輝かせるけれども、言語そのものに光はない。精神は言語の中に住む、という考え方が「文は人なり」という箴言を生んだのだが、さらに進んでわれわれの不注意な眼は、しばしば「言語すなわち精神である」と錯覚することがある。これを精神世界における唯物論と呼ぼう。[…]

52

今日、僕の悪魔が来てこう告げた。

「過去を憎み、ありとある思想に反逆し、詩を捨て、家を捨て、肉親の人々にさえも冷酷な瞳を投げつけ、そうしてお前の周囲のすべての人に、事物に——。

これは結局は、おまえ自身の血を否定することではなかったのか」と。

僕は黙って、この判決を聞いてやった。

Mon dieu, mon dieu, la vie est là,
Simple et tranquille.
— Paul Verlaine — [...]

J'aime la mer qui se tait. J'aime une mer aux vagues tranquilles.

Mais si j'aime une mer qui ne raconte pas, c'est justement parce que je sais quelle narratrice extraordinaire elle est.

C'est parce que même à la mer sereine de l'aube sous sa calme soumission, sont promis des minuits aux vents rugissants, des soirs de colère et des midis bouillonnants.

Mais finalement n'est-ce pas triste ? Pourrions nous aimer la mer sans ces promesses ?

Sur le rivage, à moins de voir les crêtes blanches des vagues se détacher sur le bleu lointain du large, sans entendre un infime murmure dans la dernière brise d'un air qui s'éteint, sans fouler les traces d'une nuit de tempête cruelle sur les dunes de sable gris immobiles sous un soleil d'automne déclinant, nous tournerions les talons, incapables d'en supporter l'ennui.

Ne déplorez pas que je cesse d'être conteur.

Contemplons la voûte azurée, les beaux yeux de cette jeune fille éternellement muette.

Prévisions de ce que les autres penseront quand ils sauront que je suis mort. [...]

[...] Néanmoins, à ce moment précis, le projet de me suicider avait déjà point dans mon esprit.

Très certainement, je suis un homme qui ne souhaite pas que les autres suivent le même chemin que lui. En ce qui me concerne, j'ai toujours séparé très clairement les discours que je me tiens de ceux que je sers aux autres.

Le désir d'être compris n'est rien de plus qu'une faiblesse.

53

Mon dieu, mon dieu, la vie est là,
Simple et tranquille.
— Paul Verlaine —［…］

56

僕は黙っている海が好きだ。波の穏やかな日の海が好きだ。

けれども僕が、語らない海を愛するのは、それがすばらしい語り手であることを知っているからだ。

静かな忍従の衣の下にやすらう黎明の海上にも、きっと、あの壮絶な暴風の夜半が、怒号の夕べが、泡立つ正午が約束されているからだ。

だが、これは悲しいことではないのか。この約束なしにわれわれは海を愛せるであろうか。

人は海べに来て、はるか青一色の沖合いに砕ける幾つかの白い波頭を認めなければ、最後の微風も死に絶えた大気の中に、かすかなざわめきを聴きとらなければ、衰えた秋の陽を浴びて、じっと動かない灰色の砂丘の上に、無残な嵐の一夜の痕跡を踏まなければ、おそらく退屈に耐えずして踵《くびす》を返すだろう。

僕が語り手でなくなることを嘆くまい。
蒼穹《そうきゅう》を、あの永遠の唖《おし》の少女の、美しい瞳を仰ごう。

57

僕の死を知る時の他人の思惑への予想。［…］

59

［…］しかし、自殺の計画はすでにこの時、僕の心に兆《きざ》していたのである。

60

いかにも、僕は他人が僕と同じ道を行くことを望まない男である。僕においては、自分に言い聞かせる言葉と、他人に語る言葉とは常に劃然と区別された。

理解されようという願い、これも一つの弱気にすぎない。

Je méprise le genre de martyrs qui s'invitent mutuellement à monter à l'échafaud.

[...] La tranquillité d'esprit n'est-elle pas constamment mon ennemie ?

Personne ne peut-être un grand homme au sein de son foyer. Là, l'orgueil n'a pas le temps de dresser la tête. Mais il prend facilement froid. C'est pourquoi les gens sortent de chez eux le matin, font activement travailler leur amour-propre, puis quand vient le soir, ils rentrent à la maison et le couchent pour l'endormir.

On a besoin d'un foyer pour vivre. Notre orgueil gèle s'il n'est pas chaudement enveloppé.

L'esprit est la sphère où l'orgueil se déploie.

Mon violent amour-propre a rejeté toutes les machinations. J'ai abandonné les miens. Je ne me rappelle même plus quand.

L'amour est indubitablement notre patrie. Je n'ai pas de patrie.

Aujourd'hui, le démon m'a fait cette carte de visite :

> *Tozo Haraguchi*
> *Masochiste solitaire*

61

僕は、誘い合って断頭台に登るような殉教者を軽蔑する。

64

［…］「安心」は常に僕の敵ではないのか。

65

何人も、自分の家庭では偉人ではない。そこでは自尊心が首をもたげる暇がない。けれども、自尊心というやつは風邪を引きやすいものだ。だから、人々は朝になると外出して、自尊心を活動させ、夜になると家に帰ってそれを寝かしつける。

66

生活するためには家庭を持たなければならない。われわれの自尊心は、温い着物がなければ凍《こご》えてしまうのだ。

ところで、精神とは、自尊心の活動する世界のことである。

僕の兇暴な自尊心は、あらゆる八百長《やおちょう》を拒絶した。つまり僕は家庭を捨てたのだ。それがいつの日のことであったか、僕はもうおぼえてもいない。

67

愛はまさにわれわれの故郷に違いない。僕は故郷を持たぬ。

68

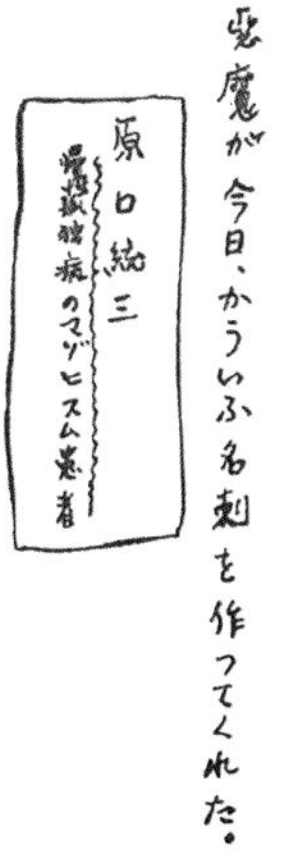

Une idée d'épitaphe :

« Ci-gît un jeune naïf qui a quitté ce monde en priant pour le bonheur des jeunes filles sans soucis »

« Délicatesse ». Je me suis essayé à travailler ma délicatesse, un labeur absurde que les Allemands ne comprendraient probablement pas.

Montaigne, Pascal, La Rochefoucauld, La Bruyère...

Il me semble que des statues de ces moralistes français se dressaient toujours à chaque coin et recoin de la route que j'ai empruntée.

« Passé de souillure. Passé d'humiliation. Acceptez-le et construisez par dessus une vie meilleure » [...]

Être persuadé de connaître le passé est le comble de la stupidité.

Nous fabriquons le passé.

Lorsque nous nous tournons vers le passé, ce sont d'innombrables chemins d'illusion plausibles qui s'offrent à nos yeux. [...]

«L'esprit accroît son éclat par le mensonge», mon diable tend son piège avec force compliments.

Pour autant, mon esprit ne fait pas de courbettes au mensonge.

Disons-le simplement.

L'esprit contrôle le mensonge. Il n'hésite guère à mentir que lorsque vient la nuit silencieuse.

69

墓碑銘の一考察。
『ここに
悩みなき乙女等の幸ひを祈りつつ世を去りし
素朴なる若者眠る。』

80

Délicatesse. 僕は繊細さを鍛えあげる、というドイツ人には恐らくわけのわからない仕事を試みた。

81

Montaigne, Pascal, La Rochefoucauld, La Bruyère............
僕の通った道の角々には、いつも、これらフランスのモラリストたちの銅像が佇《たたず》んでいたようだ。

102

「汚濁の過去。屈辱の過去。これを肯定して、その上によりよき生を築く」と。〔…〕

111

過去を知っていると信ずるのは愚の骨頂だ。

われわれが過去を捏造《ねつぞう》するのだ。

過去に向かって立つ時、われわれの眼前にあるのは、無数のまことしやかな、虚妄の道路である。〔…〕

117

「精神は嘘偽によって、ますますその光輝を増す」

と僕の悪魔が、お世辞たっぷりの陥穽を張る。

だからと言って、僕の精神は嘘偽にお辞儀はしないよ。

簡明に言おう。

精神は嘘偽を支配するのだ。それが嘘偽を蹂躙するのは、沈黙の夜が訪れる時だ。

Parce qu'il n'avait pas quitté son poste de travail, un charpentier a perdu la vie à cause d'un morceau de brique tombé là.

Sera-ce aussi ce qu'il adviendra de mon suicide ?

[...] «Je n'ai jamais vu jusqu'à présent, et ne reverrai sans doute jamais une personne qui suive omme toi un chemin si étroit.» [...]

« — L'humain est un animal social, c'est pourquoi une impeccable maîtrise des relations sociales fait un humain parfait.

— Le passé a défini notre présent. Par conséquent, par une pleine conscience du passé, nous pouvons pleinement connaître le présent.

— L'esprit est affûté par le mensonge. Ainsi, une fois le mensonge parfaitement assimilé, l'esprit émet un rayonnement parfait.»

Le démon ne dirait pas autrement.

Les «parce que» sont évidents. D'eux naîtront les « parce que » et « donc » suivants. Je n'ai plus besoin de conjonctions de coordination. Mon écriture est faite de fragments épars. [...]

Quand j'ai dit en toute mauvaise foi que « pour moi, le suicide est une nouvelle avancée », mon ange m'a réconforté : « Qui peut affirmer que même si la mort vous fait disparaître, ne serait-ce que le battement de vos ailes ne restera pas dans le vent ? »

Un saint qui se qualifiait lui-même de « saint » de son vivant. — Épicure.

Épicure s'est peut-être suicidé.

137

自分の持ち場を離れなかったために、落ちて来た煉瓦の一片で命を失った大工。

僕の自殺もこんなことになるのだろうか。

138

〔…〕「君みたいに、窄《せま》い道、窄い道と辿ってゆく人を、僕は今までに見なかったし、今後も再び見ないだろう」〔…〕

141

「——人間は社交の動物である。それゆえに社交術の完全な習得こそ、完全な人間となるゆえんである。

——過去がわれわれの今日をあらしめた。それゆえに過去の完全な認識によってわれわれは現在を完全に知ることができる。

——精神は嘘偽によって磨かれる。それゆえに嘘偽を完全に身につければ、精神は完全な光輝を発する」

悪魔の語法はいつでも同じだ。

「それゆえに」はまっぴらだ。それは次の「それゆえに」を生むだろう。僕にはもう接続詞の用はない。僕の文章はばらばらの断片だ。〔…〕

144

「僕にとって、自殺は一つの新しい飛躍である」

こう負け惜しみを言ったら、僕の天使が慰めて曰く、

「死によって、あなたの姿が消え失せても、羽搏《はばた》きだけは風の中に残らないとだれが断言できるでしょう」

172

生前、自ら「聖者」と称した聖者。——エピクロス。

173

エピクロスは自殺したのかもしれない。

Qui dira désormais qu'il fut l'artisan de son propre malheur ?

L'esprit aussi a un corps. [...]

Je crois légèrement déplacé, pour critiquer ma décision de me suicider, de me ressortir le manuel du comment vivre.

Il ne sert à rien d'essayer de faire entrer dans le cadre de l'art de la réussite sociale un homme qui l'a nié et brisé.

La sagesse est tiède — Échelle de mes contemporains —

La sagesse est froide — mon échelle —

Dans une certaine mesure, nous ne pouvons pas entrer dans le monde sans simuler des faiblesses que nous n'avons pas.

Je peux imiter les insensés comme les débiles mentaux.

Aujourd'hui je peux cacher jusqu'à l'éclat de mon regard. [...]

[...] Proust a tissé le fil de cet art grandiose depuis le lit de sa chambre plaquée de liège. Le « Discours de la Méthode » a vu le jour sur une chaise au coin du feu.

Ne m'étais-je pas heurté à cette lassitude invincible à mon corps défendant ?

181

自分で自分の不幸を作ったのだ、とだれが今さら言おう。

182

精神にも肉体がある。〔…〕

187

自殺を決意する僕を批判するのに、生きようとする「処世術」を持ち出すのはいささか見当はずれだ。

処世術を破壊し拒否する男に処世術の枠をはめこもうとしてもだめである。

188

賢さとは生温いことである。——現代人の尺度——

賢さとは冷たいことである。——僕の尺度——

193

ある程度、僕らは自分に持ち合わせのない弱点をさえ装わなければ社交界に出て行けない。

僕にはばかのまねも、白痴のまねも可能である。

眼の光さえ、今日では隠し偽ることができる。〔…〕

202

〔…〕プルウストはコルク張りの密室のベッドの中で、あの偉大な芸術の糸を紡いだ。Discours de la Méthode は煖炉部屋の椅子の上から生まれ出た。

203

僕は、あのどうしようもない倦怠《アニュイ》に身をもってぶつかったのではなかったか。

Enivrez-vous sans cesse ! De vin, de poésie ou de vertu, à votre guise.

— Charles Baudelaire — [...]

Les deux nobles plaisirs laissés au patient masochiste — j'ai joui de l'union intime de la magnanimité et de l'esprit de contradiction.

(dispersion)

Le démon est un dieu de l'inertie.

Destin. — Le premier de mes poèmes enfantins parlait d'une roue solaire qui s'enfuit. Il était dédié au trépas du soleil.

Études II

Cependant c'est la veille.

Recevons tous les influx de vigueur et de tendresse réelle. Et, à l'aurore, armé d'une ardente patience, nous entrerons aux splendides villes.

— Arthur Rimbaud —

C'est que notre âme, hélas ! n'est pas assez hardie.

— Charles Baudelaire — [...]

204

Enivrez-vous sans cesse ! De vin, de poésie ou de vertu, à votre guise.
— Charles Baudelaire —〔…〕

205

自虐狂患者に残された二つの貴族的快楽。──僕は天邪鬼と寛大とを交合に享楽した。

206

（散逸）

235

悪魔は、惰性の神である。

238

宿命。──僕の最初の幼い歌は脱走する日輪、太陽の終焉《しゅうえん》に対して捧げられた。

Études II

Cependant c'est la veille.

Recevons tous les influx de vigueur et de tendresse réelle. Et, à l'aurore, armé d'une ardente patience, nous entrerons aux splendides villes.

— Arthur Rimbaud —

7

C'est que notre âme, hélas ! n'est pas assez hardie.
— Charles Baudelaire —〔…〕

[...] Les descendants d'Adam et Ève, les congénères des singes, les composés organiques les plus élevés, l'échelle de toutes choses, les facteurs qui composent la société, le roseau pensant, l'incarnation de la raison mondiale, les rois de la Terre, le peuple japonais — ah, quelle barbe. Il y a autant « d'humains » que l'on veut.

Décidément, je ne ferai jamais partie de l'« humanité ».

Les gens pour la plupart pensent que le style littéraire se perfectionne au fil du temps. Cependant, à partir du moment où le texte n'est jamais qu'un moyen d'expression, tout changement de destin est prévisible. Reconnaissons que j'ai perdu mon style. Aujourd'hui, je ne peux que penser que je m'obstine à écrire des mensonges avec les mots des autres.

Oui, l'heure nouvelle est au moins très sévère.

— Rimbaud — [...]

Une conscience de soi scrupuleuse était toujours à l'affût, dans le phare qui illuminait mon esprit.

Ni lu, ni compris ?

Tandis que je me tiens à l'entrée solennelle de l'esprit, je lis « pays du silence » sur la pancarte qui est là.

Le silence éternel de ces espaces infinis m'effraie. [...]

25

［…］アダムとイヴの子孫、猿の同族、最高等の有機化合物、万物の尺度、社会を構成する因子、考える葦、世界理性の権化、地球の王者、日本国民、——ああ、めんどうくさい。「人間」はいくらでもある。

僕は断じて「人間」などになるまい。

28

多くの人は、文体というものが、年と共に磨かれてゆくと考えている。だが、文章も表現の一手段に過ぎぬ以上、いかなる運命の変化をも予期しうる。僕は、自分の文体を失った、と言おう。今日、僕はあえて、他人の言葉で、しかも強いて嘘を書いているとしか思えぬのだ。

38

Oui, l'heure nouvelle est au moins très sévère.

— Rimbaud — ［…］

40

僕の精神世界を照す燈台では、いつも潔癖なる自意識が見張りしていた。

九・二六

45

Ni lu, ni compris ?

精神の厳粛な門口に彳《たたず》む時、僕はそこに「沈黙の国」という表札を読む。

56

Le silence éternel de ces espaces infinis m'effraie. ［…］

[...] Chercher la « vie » dans le paysage désolé et sans odeur de vie de la psyché. — Le désir de « salut » est-il un châtiment éternel imposé au « roseau pensant » ?

Allons, enfants de la patrie.
Le jour de gloire est arrivé.

La gloire de la révolution n'était déjà plus là. Néanmoins, cela ne signifiait pas que les choeurs de cette fière Marseillaise ne résonnaient pas en moi.

A chaque nouveau pas, le puissant refrain montait à nouveau. « Aux armes, citoyens ! » [...]

Le frisson éprouvé vis-à-vis du péché originel. Les formes de récit du XIXe siècle mises à part, comparons l'épiderme de Baudelaire et le mien. [...]

Vide et nature. — Le riche flux de la vie.

« L'Orient de l'Occident »
Ceci est le rêve du poète. [...]

L' « ego » existe dans la solitude totale.

[...] Quand on aura perdu de vue la croix, que l'on se sera révolté contre elle, quand la croix sera tombée — alors, ce sera la dernière heure de l'Europe.

59

〔…〕精神の荒涼たる、生命の匂いなき風景の中で、「生命」を求めること。——あの、「救済」の願いは、「考える葦」に課された永遠の劫罰《ごうばつ》であろうか。

60

Allons, enfants de la patrie.
Le jour de gloire est arrivé.

革命の栄光は、すでにここにはなかった。しかし、僕の胸奥にも、あの高らかなマルセイエーズの合唱が波打っていなかったわけではない。僕が一歩踏み出すごとに、力強いルフランはまた新しく湧き上がるのであった。Aux armes, citoyens ! と。〔…〕

62

原罪への戦慄感。この十九世紀的話法はともかくとして、ボオドレェルの皮膚と、僕の皮膚とを比べて見よう。〔…〕

75

虚無と自然。——生命の豊かな流れ。

"L'Orient de l'Occident"
これが詩人の夢である。〔…〕

78

「自我」は全き孤独の中にある。

79

〔…〕十字架を見失う時、十字架に反逆する時、十字架の倒れる時、——それこそはヨーロッパの臨終の日である。

Ce fantasme avide et contradictoire qui essaie de faire coexister le fait de vivre, et celui d'être un résident du pays de l'esprit. [...]

Je suis belle, ô mortels, comme le rêve d'un pierre.
— Charles Baudelaire — [...]

A propos des rêves. — Dans les rêves, ni passé, ni futur. N'existe qu'un monde qui nous entoure. Cependant, tandis que nous rêvons, nous-mêmes n'existons pas.

[...] Changer sa sensibilité, là est le seul problème.
L'homme ne doit pas craindre de devenir fou.

[...] Folie — N'est-ce pas justement le privilège de l'homme civilisé, le titre donné à l'époque moderne, le laurier d'honneur qui domine brillamment le vingtième siècle ?

« Une saison en Enfer »
Ce petit livre était mon unique Bible. [...]

La mort.
Ici est la porte secrète.

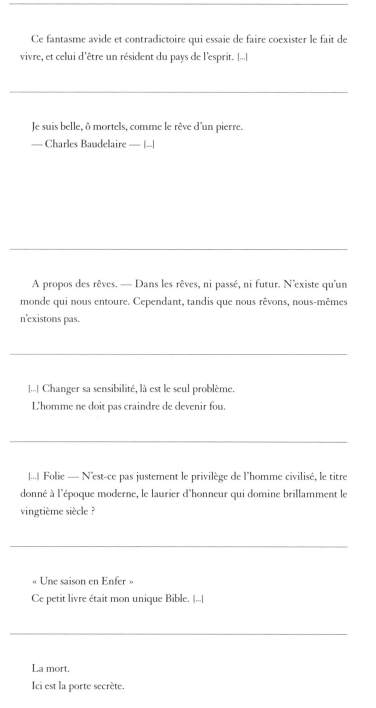

81

生きること、と精神の国の住人であるということを両立させようとする、あの貪慾未練の逆妄の徒。〔…〕

85

Je suis belle, ô mortels, comme le rêve d'un pierre. *
— Charles Baudelaire — 〔…〕

* シャルル・ボードレール『悪の華』中の「美」（和訳・私は美しい、死すべき人よ、石造りの夢のように）。原口の原文には “Je suis belle, ô mortels, comme le rêve d'un pierre ” と記載されているが、ボードレールの原文は “Je suis belle, ô mortels, comme un rêve de pierre” である。

100

夢について。——夢の中では、過去もない、未来もない。存在するものはただ、われわれの周囲を取り囲む、一つの世界あるのみである。しかし、夢を見ている間は、われわれ自身は存在しない。

101

〔…〕感覚を変えること、それが唯一の問題なのです。
人間は、狂人となることを恐れてはなりません。

102

〔…〕発狂。——これこそは、文明人の特権、近代に寄せられた信驚き敬称、廿世紀の頭上に燦として君臨する、光栄の月桂冠ではないか。

109

“Une saison en Enfer”
この小さな書物が僕の唯一のバイブルであった。〔…〕

110

死。——秘密の扉はここにある。

On laisse derrière les nouveautés. — Mort.

Poésie.
Le poète défunt a ainsi chanté :
« Nous frappons,
Aux portes de la Mort »
Notre poète, lui, chantera vraisemblablement :
« Aux portes de la Mort,
Nous vous engageons »

Études III

Ma sincérité m'a crucifié.

Avant de mourir, Il me faut faire mes adieux à un ami.

Ça ne le fera pas. Rimbaud est allé recevoir le baptême. Le type n'est plus là. De toute façon, où donc ai-je perdu mon chapelet ?

On s'en fout, rends aux chrétiens ce qui est aux chrétiens.

Adieu! Rimbaud, cher ami. Applaudis à moi. *

* アディユ！ ランボー、親しい友。拍手してくれ、ぼくに。
Vers composé par Haraguchi lui-même.

Dans le désert d'un esprit pur, il n'est pas d'arbre qui ne se dessèche.

La solitude fait le rêveur. Pourtant, quand le rêveur s'abîme par trop dans la solitude, cela fait geler le rêve et le détruit bientôt.

111

新しいものは残されている。──死。

112

詩法。
亡びたる詩人はかく歌った。「吾人は敲《たた》く、死の門」
われわれの詩人はかく歌うであろう。「吾人は推す、死の門」と。

Études III

3

僕の誠実さが僕を磔刑にした。

10

死ぬ前に、一人の友に別れを告げねばならぬ。

だめだ。ランボオは洗礼を受けに行ってしまった。やつはもういない。それにしても僕のロザリオはどこで失くしたのだろう。

──かまいはしない。クリスチャンのものはクリスチャンにかえせ。

Adieu ! Rimbaud, cher ami. Applaudis à moi.

13

純粋な精神の沙漠において、枯れない樹木はない。

14

孤独は夢想児を作る。しかし夢想児があまりに久しく孤独の中に住むと、それは夢を氷らせ、やがて亡ぼしてしまう。

J'ai torturé le rêveur en moi. En un mot, j'ai brisé la fenêtre. Qui plus est, ne suis-je pas surnommé actuellement « l'étrange visionnaire » ?

Depuis que j'avais jeté mes poèmes, j'avais l'impression que du sang s'écoulait sans cesse de mon cou.

Jours de jeunesse — ô combien étais-je plus courageux que celui que je suis maintenant.

Poème de mes dix-sept ans
Puisque je ne peux pleurer,
Une gifle
je pensais m'enivrer des larmes que tu aurais versées —

Poème de mes dix-huit ans
...
Seul, endurer la colère
Lointain automne
...

Ô saisons, ô châteaux !

Ces temps-ci, quand je récite ce poème de Rimbaud, l'autre image de « château » qui me vient systématiquement à l'esprit est celle-ci :

Des funazushi, un nuage vient voiler le château de Hikone *

Yosa Buson

Je me demande à quoi pouvait ressembler le château chanté par mon âme d'enfant ?

...
La mer à l'aube est encore sombre
Dans mes rêves, un château fantasmagorique se dressait
...

* Poème de voyage, le choix des « funazushi » (préparation de carpe vidée et conservée au sel , disposée en couches alternatives avec du riz cuit, mise à fermenter dans des tonneaux de bois), spécialité des abords du lac Biwa indique la saison, à savoir l'été.
Traduction : « Alors que je récupérais tranquillement des fatigues du voyage en dégustant des funazushi dans une maison de thé, en levant les yeux je vis un blanc nuage qui n'était pas là tout à l'heure venu se draper aux alentours du donjon du château de Hikone. »
Ce nuage blanc apparu dans le bleu du ciel évoque une image vivifiante de l'été.

15

僕は、自分の中の夢想児を責め苛《さいな》んだ。つまり、窓を破壊したのだ。しかも僕の元来の綽名《あだな》は「奇態な空想家」ではなかったか。詩を捨てた時以来、僕は自分の首から絶えず血が流れるような気がした。

19

少年の日。――今の僕より、どれだけ勇ましかったことか。

十七歳の詩
俺の涙が出ないから
お前を一つひっぱたいて
お前の落とす涙に酔おうと
そう思って俺は――

十八歳の詩
……………………
ひとり怒りに耐え
かの遠き秋をゆかむ
……………………

28

Ô saisons, ô châteaux !
このごろ、ランボオのこの詩を誦する時、決まって脳裡に浮かんでくる、もう一つの「城」の姿はこうだ。
鮒《ふな》ずしや彦根の城に雲かかる
――蕪村――
僕の幼い魂が綴った城の形はどうだったろう。
……………………
夜明けの海はまだ暗く
夢のなかに　幻の城は聳えていた
……………………

Aphasie — Si l'état actuel de mon cerveau continue d'évoluer, je ne pourrai sans doute plus rien dire. Combien est pauvre mon vocabulaire maintenant.

Alors que par moment, un mot extraordinaire surgit dans mon esprit sans crier gare, l'instant d'après je ne sais plus moi-même ce qui est quoi.

Une âme qui se contemple constamment. Une telle âme n'existe pas, et dans la vie, nous sommes appelés à être anéantis par la mort, nous régénérer et nous transformer. [...]

Tozo Haraguchi. — L'homme qui à vingt ans avait perdu son ambition, à vingt ans avait perdu sa jeunesse, à vingt ans avait perdu la mémoire, à vingt ans avait tout perdu, enfin à vingt ans, l'homme qui avait perdu la vie.

« Il faut être absolument moderne. » une saison en enfer

Sans doute suis-je le seul à avoir compris par son expérience propre la sévérité de ce vers de Rimbaud.

32

失語症。――現在の脳の状態が進行すれば、僕は全く何も喋れなくなるに違いない。今の僕の語彙の貧弱なこと。

時おり、突っ拍子もない、すばらしい単語が浮かぶのに、次の瞬間には、自分にも何が何だかわからないのだ。

33

絶えず自己を見つめる魂。かかる魂は存在しないし、人生においてはたえずわれわれは死滅し、再生しては変身してゆくものである。〔…〕

35

原口統三。――二十歳にして野心を喪失し、二十歳にして青春を喪失し、二十歳にして記憶力を喪失し、二十歳にしてありとあらゆるものを喪失し、ついに二十歳にして人生を喪失した男。

38

Il faut être absolument moderne.

身をもって、このランボオの一句のきびしさを理解したのは恐らく僕独りであろう。

この作品は、原口統三『二十歳のエチュード』から一部を抜粋し、仏語訳したものです。
なお、翻訳はボランティアで行われました。
掲載にあたり、角川文庫版および青空文庫作成ファイルを参照しました。

【青空文庫作成ファイルについて】
底本：「二十歳のエチュード」角川文庫、角川書店
1952（昭和27）年6月30日初版発行
1969（昭和44）年5月30日24版発行
1975（昭和50）年4月20日改版18版発行
入力：蒋龍　校正：伊藤時也
2010年9月7日作成　2011年5月16日修正
青空文庫作成ファイル：
このファイルは、インターネットの図書館、青空文庫（http://www.aozora.gr.jp/）で作られました。入力、校正、制作にあたったのは、ボランティアの皆さんです。

生きることはアンラッキー

狩野萌

18歳。1305号室。13階にあるあの部屋から飛び降りたかった。いつもベッドの上でそう願っていた。そうすればすべての苦痛から逃れることができる。生きていることがつらい。毎日一人で過ごす。一人は苦じゃないのに、どこに行っても馴染めない自分が苦痛だった。誰ともわかりあえない。誰かとわかりあう気もない。一人の毎日がただひたすら過ぎて行った。あのとき死ねたら、今の自分はどこでなにをやっていたのだろう。命を絶った者たちの世界で毎日楽しく生きていただろうか。わからない。実際に死ななかった私にはわからない。死ねなかった。私の中のなにかが「死ぬこと」を邪魔する。死にたいと思うのに、死ねないのはなぜだろう。誰が、私か、私が自分の意思で「死ぬこと」を阻害するのだろうか。どうしてだろう。死にたいのに。飛び降りたい。飛び降りたい。飛び降りたい。早くここから飛び降りたい。そう強く願ってやまないのに、体は微動だにしない。衝動的に動くことさえしない。なにもできないのなら、それは死ぬことと同義なのだろうか。息をしていても、私は死んでいるのだろうか。考えても考えても答えは出ない。そんな日々を過ごしていた。

ある日、適当にインターネットで探した新宿の雑居ビルに入っている精神科へと赴いた。誰かに救いを求めたかった。「医者」というなんでも治してくれそうな存在にすがってみたくなった。狭い待合室。陰湿な雰囲気。医者は淡々と決められた質問を私にしてくるだけだった。まるでロボットのように表情を変えず、こちらをちらりと見ることもなく、チェック項目に記入していく。私の存在は無視されていた。「うつ病ですね。薬を出しておきます」。最後にそっけなく結果を伝えた。その瞬間、私は悟った。私はうつ病ではない。ヤブ医者め。薬など一錠も飲まずにすべて捨てた。おまえのために自分を薬漬けにしてたまるか。怒りが心の中に宿った。その反動で私は元気になった。しかし、ある程度時間が経つとまた死にたくなる。些細なことで傷つき死にたくなる。その度、本を読み、自分を奮い立たせ、あんなヤブ医者の元へ二度と行かないように、と元気な振りをする。元気な振りは、ただの振りである。私の根底にある苦しみはいつまで経っても消えることはなかった。やはり違う病院へ行ってみよう。そう思い、何度か病院へ行ってみた。だが、なぜだかいつも怒って通うのをやめてしまう。誰も私のことなどわかってくれず、この世にはヤブ医者があふれていることを知った。

そして、私は寂しさで人との関係に溺れた。付き合っては別れ、付き合っては別れ、名も知らぬ人と体を重ねた。寂しさは加速していくばかりだった。抑えきれない感情が常に心と頭の中に渦巻き、毎日が自分との葛藤だった。〝普通の私〟と〝普通じゃない私〟。それを知っているのは、私とごくわずかな人たちだけだ。いつもは〝普通の私〟を演じている。別に苦じゃない。周りを気にしなければいいだけ。感情を表に出さなければいいだけ。それなのに、そんな自分に嫌気がさす。心を許せる人に出会えたと思ったら、みんなどこかへ消えていった。私に怒りを向けて、「君は普通じゃない！」と言い放つ。何人も消えていった。そのたび私は〝普通じゃない自分〟に苦しんだ。頭が割れそうだった。考えが右と左に行く。どっちにも行きたいとわがままを言う。私はそれを必死で抑える。真ん中の考えになれ、極端はいけない。それでもどちらかに振れてしまう。そうして、人を傷つける。この頭さえなければ、と壁に頭をぶつけて破壊したかった。できなかった。壁を殴るのが精いっぱいだった。ほんのり赤くなった拳は心の痛みを少しだけ和らげてくれた。しかし、完全ではない。私はなにをやっているのだろう。ふと我に返る。そんな日々を繰り返していた。

空は雲で覆われ、隙間から太陽の光がほんのり漏れでていた、なんとも微妙な天候の日。不完全な関係を築いていた人に別れを告げられた。ものすごい不快感が混ざった軽蔑の目で見られ、「あぁ、私のことが本当に嫌いなんだな」と思った。しかし、その人の顔は美しかった。私は恍惚とした。異常なものを見るような視線を向けられているのに。それは今でも脳内にこびりついて落とせない。明らかな修羅場であるにもかかわらず、そんなことを思う自分に不覚にも笑った。やはり、私はおかしな人間なんだな、と。それと同時に人をそこまで追い詰めてしまう自分の心の何かを治療しなければ、と思った。今回こそ本格的に治療しよう。そう決意した。ネットで有名なカウンセラーを探した。信頼でき、私のことをしっかり見てくれそうな人を発見した。カウンセラーだから、ヤブ医者ではない。きっと大丈夫。信じていた。ちょうど満員だったカウンセラーの予約枠に一つだけ空きができた。タイミングがばっちりだ。すぐさま予約のメールをした。初回のカウンセリングで私は、「普通になりたい」と慟哭した。涙があふれて止まらなかった。人にそんなことを直接言うのは初めてだった。高額なお金を毎月払い通い続け、素直な気持ちをたくさん吐露した。しかしそのカウンセラーでさえ、私を〝普通〟にはできなかった。普通になる必要なんてなかったのに、私は〝普通〟にこだわりすぎてしまった。あるとき、カウンセラーを怒らせた。私も心の中にかつてないほどの怒りを溜め、目の前が霞んだ。この人はどうして私をこんなにも怒らせたいのかわからなかった。頭が働かない。「そうですね」などと話を流し、カウンセリングの時間はちょうど終わりになった。最後に寂しそうな顔でカウンセラーは私を見送った。きっと、もう私がここに通うことはないと悟ったのだろう。そう、私はもう関係を断ち切ることを決めていた。家に帰りメールをした。返信がきた。それで終わりだ。人との関係などメール一通で断ち切れる。一年間毎週通っても本当の意味では心を開くことができなかった。私はもう誰にも頼れない。そう思った。自分をわかってやれるのは自分しかいない。それがわかるまでに約十年かかった。混沌とした年月だった。たまにはいいこともしたけれど、人には言えないこともたくさんした。「死にたさ」が常に私の周りを漂っていた。ただそれも徐々に薄れてきた。今もまだ生きたいとは思わない。けれど、死にたいとも思わない。たまにマンションから飛び降りたくなるが、本当にたまに、だ。そういう気持ちさえ、少しは制御できるようになってきた。

ありきたりな男女の三角関係の映画で、登場人物の男性が「屋上に上るとそこから飛び降りたくなるんだ」と言っていた。いかにもありきたりな映画に出てくるありきたりなセリフである。しかし、その言葉がいつまで経っても私の頭の中から離れない。きっと私もそう思っているからだ。死ぬなら飛び降りだと思う。この苦痛に満ちあふれた世界から解放されたい。一瞬だけでも、宙を舞う解放感が味わえるのなら、飛び降りも悪くないと思う。しかも、一瞬で死

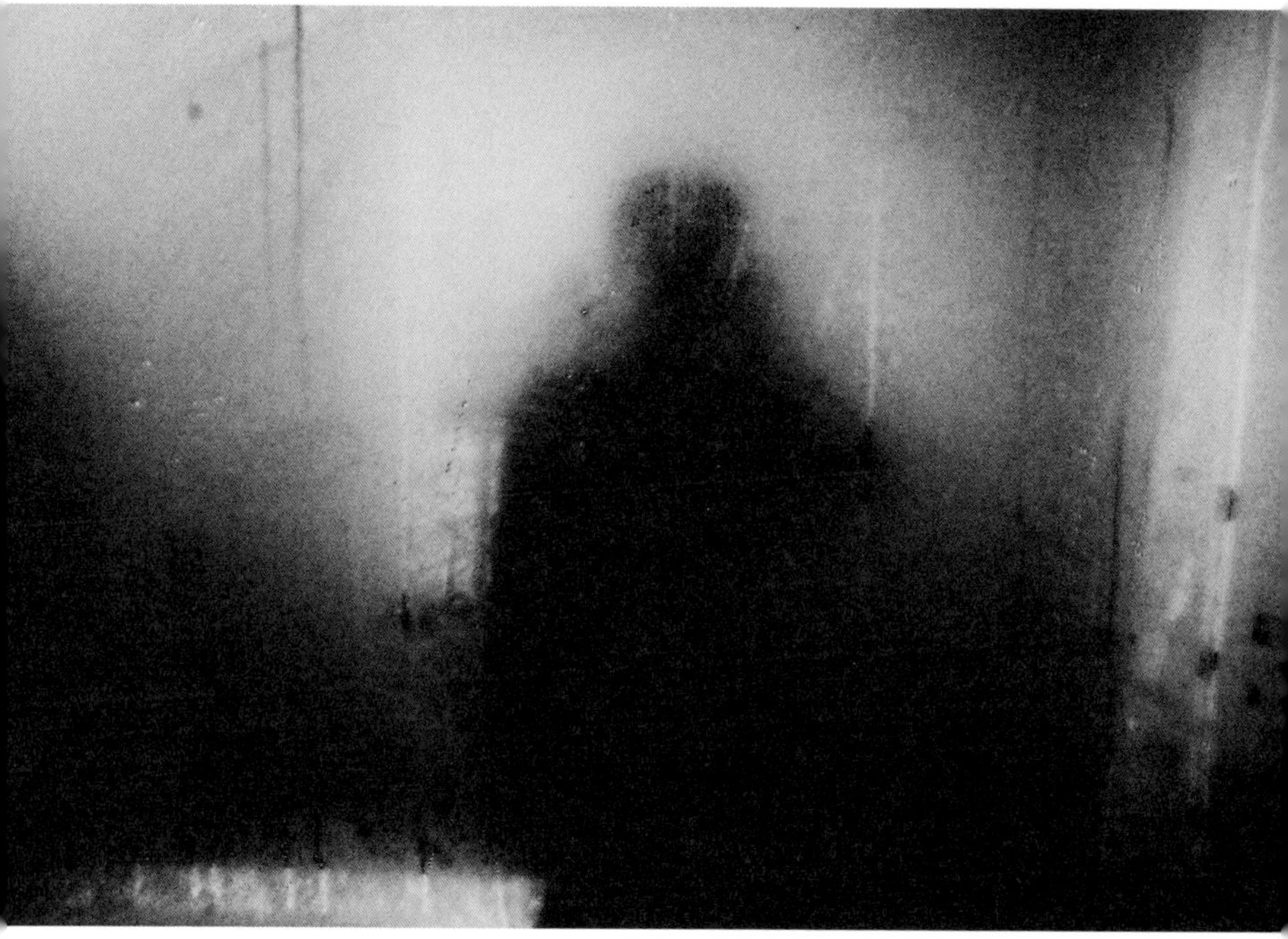

ねる。地面に直撃する苦痛はきっと一瞬だけだ。それでジ・エンド。その後のことはなにも考えなくていい。私はこの世界から解放される。それをたまに夢見る。だから、私はいつまでたってもふらふらした生き方で、ふらふらとどこかへ行ってしまう。いまだになにかを探し求めている自分がいる。なにも手には入らないのに。自分でやらなければダメなのに。無意味な決意と覚悟をして、生きるしかないのに。頭ではわかっている。しかし、頭と心と体がバラバラで、みんな仲良くはしてくれない。あっちに行きたい、こっちに行きたい、そっちに行きたい、ここはイヤだ、逃げよう、意見が一致することはない。一人の人間であるのに、何人もの人格が私の中にいる。みんなもう好きなようにやってくれ。私は私で好きなようにやるから、みんなも好きなようにやればいい。そう思う。仲良しこよしなんてできやしない。結局、人は孤独である。それを心の中に抱えながら生きるほかない。どうあがいたって、「突然死」がやってこないかぎり、どうしても生きてしまう。毎日を無駄に過ごしても、それでも生きてしまう。生きてしまうんだよ、人は。だからこそ、「死」にあこがれる。人が死ぬと悲しいが、自分が死んでも悲しくはない。たまたま死ねたらラッキー。たまたま生きられたらアンラッキー。世の中、そんなもんだ。アンラッキーが続く限り私は生きなければならないようだ。

狩野萌
Megumi Kano

Megumi Kano
狩野萌

Traduction | Théorie | Création | Essai

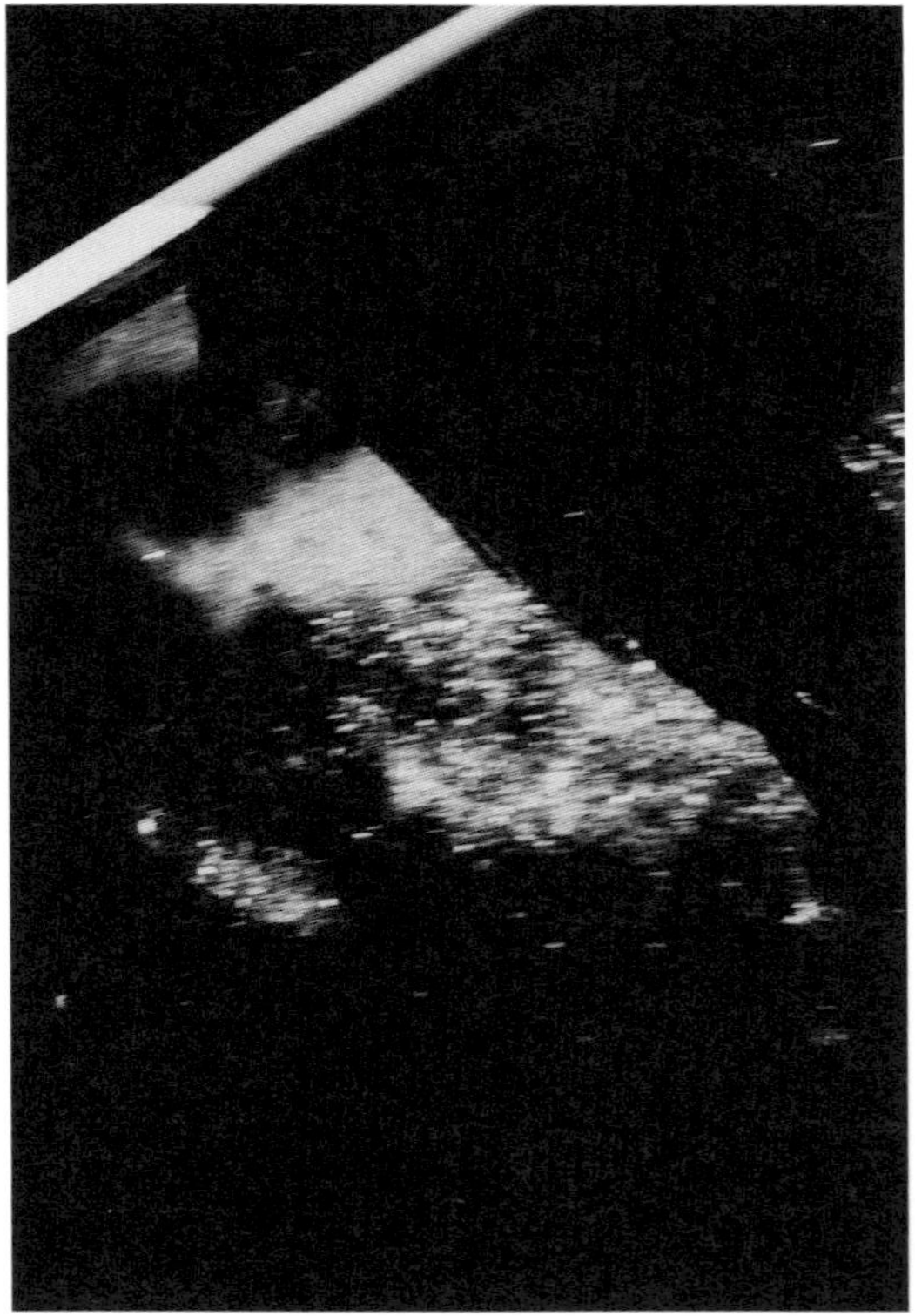

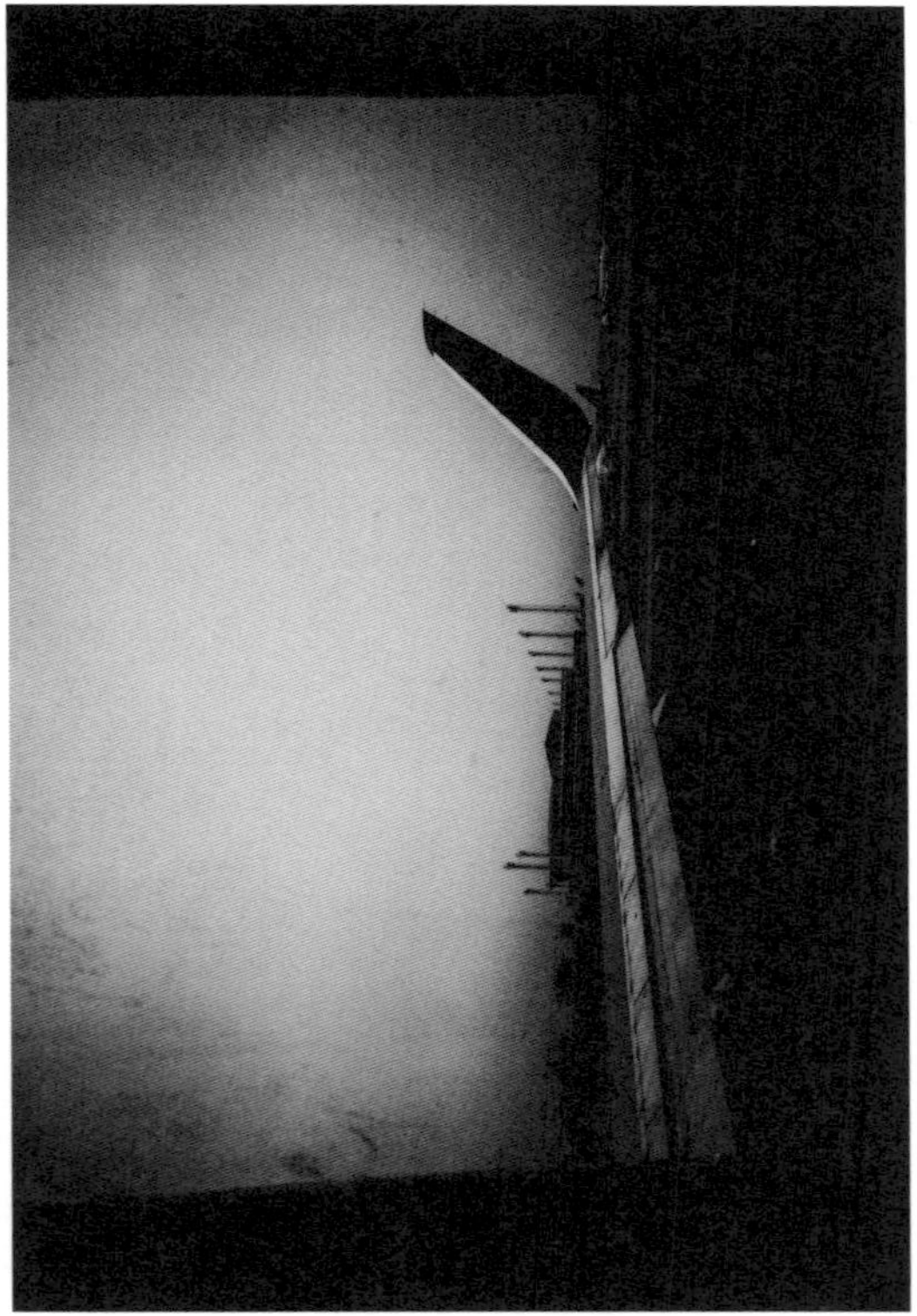

狩野萌
Megumi Kano

Traduction | Théorie | Création | Essai

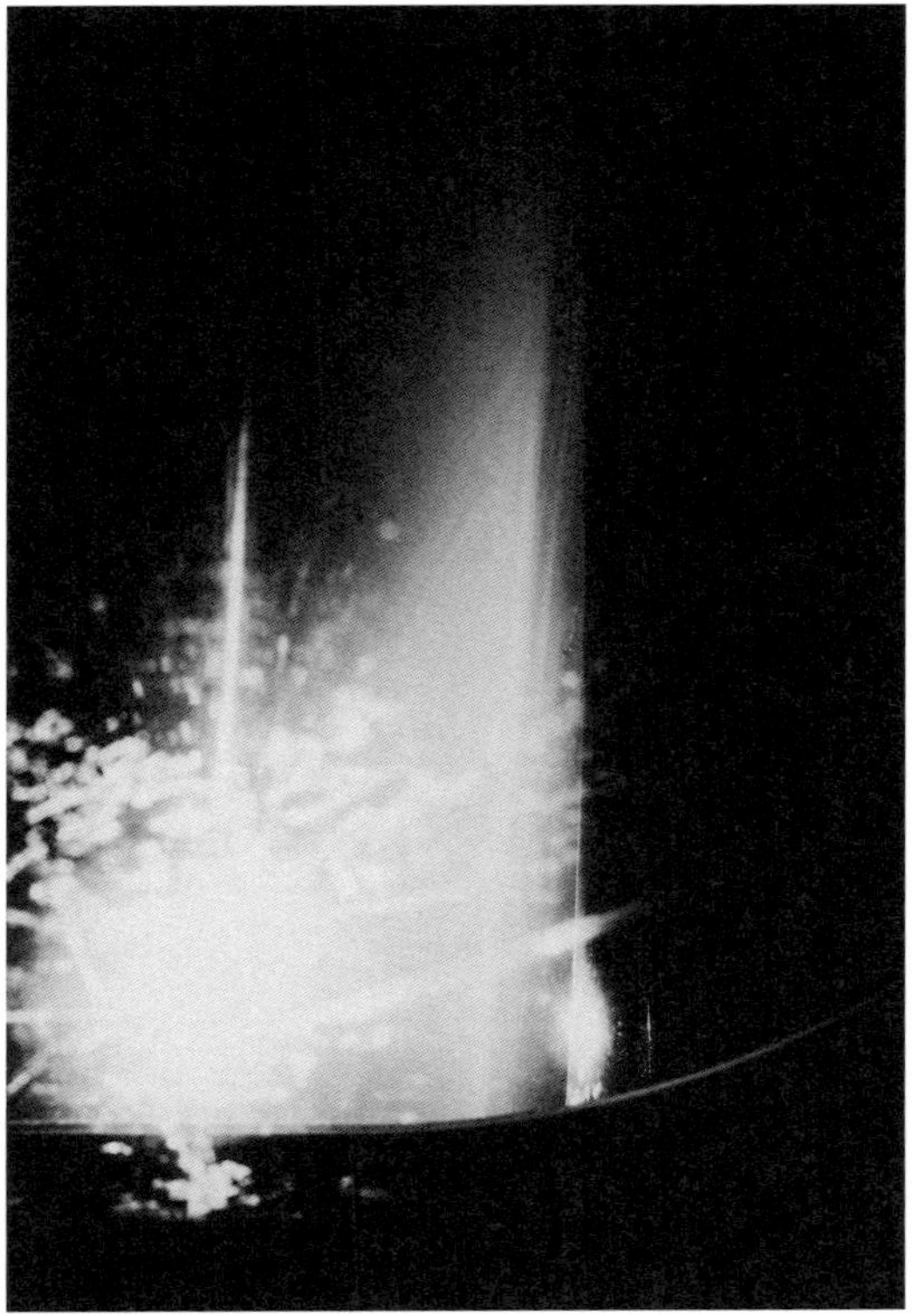

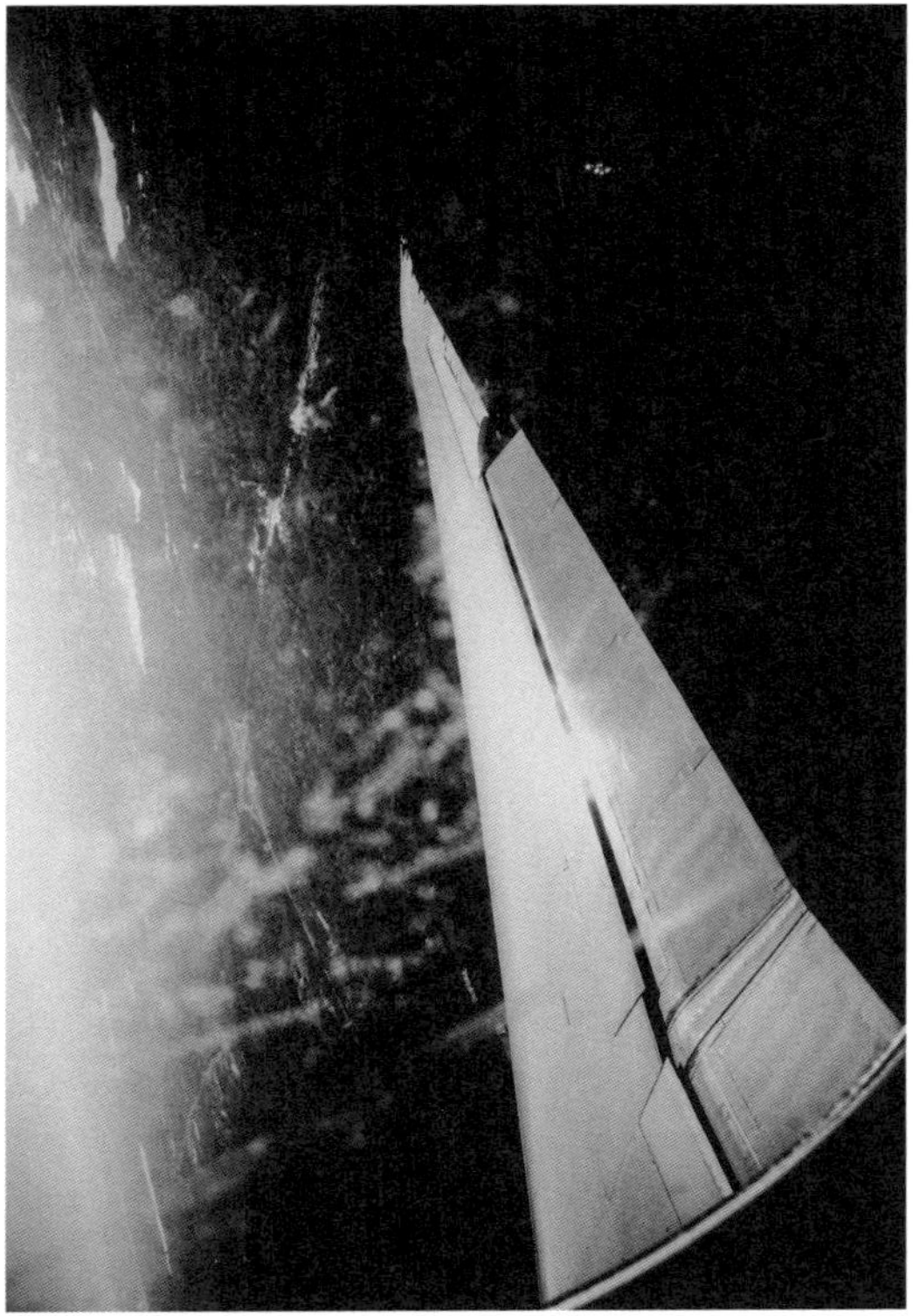

自画像

エドゥアール・ルヴェ

原智広 訳

AUTOPORTRAIT［部分翻訳］
Édouard Levé

ティーンエイジャーだった頃、私にとって生きることは諦めと無限の可能性を狭める背徳行為であり、自殺は生きる方法を見出すための一つの手段だった。自殺することを想像すると少しだけ私は元気になった。私は三年と三ヵ月海外にいながらも、この世界と一切の関わりを断って過ごしていた。私はこの薄汚い世界の遥か彼方にある歪んだものを見ることを好んでいた。ある友人の一人が生を裏切り、自殺を肯定するという私が産み出した反逆行為に加担した。それは同時にこの小説の終わりでもあり、ある悲劇から生まれた美しきざわめきでもある。ある種の幻覚状態でありながらも現実という試練の最中に未だに私は閉じ込められている。私は自分がこの社会の環境に適合出来ない人間であることをすっかり忘れていた。私は喋ることなんぞ全く出来ない人間だ、誰かが殺した誰かを犠牲にしない限りは。この狂った社会の狭間で何度も苦境を味わった。それは永遠に繰り返された。生に終わりがあることが私に何かを生み出させることはなかったし、終わりがあることにむしろ安堵さえ感じたのだから、死に恐れなんぞ感じるわけがない。私は私に語られた、真実を聞くことは決してないし、耳も目も塞ぐ、何も見ない、何も聞かない、何もかもがすぐさま崩壊してしまうから。私はいつの間にか与えられた好きでもない異名に茫然としていたし、ある日、世界が割れる音を聞き、それが自殺を肯定した天罰であることを知った。私は生きる方法を理解するのが遅かった。誰かが私に不道徳を教えた。気づけば奇妙な場所に到着していた。私は自らが置かれている環境に驚愕し、不道徳とは現実には存在しない何らかの悪意に満ちた場所であった。気づけばそこに辿り着いていたのだ、引き返すことの出来ない泥沼に。サルバドール・ダリと二歳の時に話したが、彼の生存を巡っての争いに加担する気もないし、刺激されることもなかった。私の肌が滑って、この世という泥沼に堕ちることがないように、脚の上にある我が麗しき空想の天空に忍び込む。私は二人の女性を騙した。彼女たちにこのことを話した。一方は無関心だったが、もう一方はそうではなかったので、自殺について冷やかすように彼女に言った。「私は私自身を愛していない」と。だが、自分を嫌悪しているということではない。悪魔の存在を信じていないし、私の犯罪歴は列聖された神に仕える処女のようなものだ。私は主観的に自分が体感している時間が血の週間という名で（少なくとも一週間）その季節が続くことを望んでいる。自分の人格が二人ではなく常に一人でいられるならどんなに素晴らしいことか！二人でいることは常に私を苛立たせるからだ。私は空虚な舞台を大股で歩き回り、寂れたレストランで朝食をとる。食事に関しては、私は砂糖、熟成されたワイン、柔らかいチーズ、冷たくて熱いもの、香りのよい臭いが好きだ、冷蔵庫の中に何も食べるものがないと落ち着き払って書くことが出来ない。平静さを失ってしまい、大量にアルコールとタバコを消費してしまう。外国では、私は会話している間、ローマ控訴院にいるかのように静かにし、対話している相手に冗談をいうのを躊躇ってしまう。そして、年齢という概念が存在しない白髪の男たちを注視する。私は自分の著作に医学的な技術のような細工を絶対に描写しない。そう、ありのままを、独自で切り開いた通り道をすり抜け、確信に満ちた変質や熱狂、執着を用いて描写する。私は死の瞬間から実存を見て、私自身の中にある、狂気を見極め、覚醒させ、その感覚を増殖させる。戦争は私にとって現実には存在しないと思っていたが、私は父が実行したその悪夢のような出来事を信じるようになった、父なら人殺しもやりかねないと。顔の左半分が別の次元の何かを、そして真理を表現しているのを体験したからだ。何故ニューヨークという都市を愛しているのか？さっぱり分からない。一例をあげると、Ａという対象とＢという対象があったとする。そうなると、私はＡがＢよりも優れていると言った覚えはないし、理屈では分かっているはずなのに、何故か、ＢよりもＡを好んでいるのだ。それでも私は比較することをやめることはない。私が旅から戻る時、落ち着くのは空港でもなく、家でもなく、帰り道である。タクシーに乗る道のりは二つの対象の記憶を追体験させ、私は感慨に耽る。そのことは私の中では旅なのであるが、実際にはそうではない。私は罪を歌う、それ故、私は歌わない。私は奇妙な自分自身に溶け込むように、幸せを本当だと信じ、放牧地で耳が絶対に見つからないことを願っている。私は螺旋状の器具や金槌以外の言葉が好きではない。私はあの蒼白な、青臭い少年たちを知らない、私は一体どこから生まれ、どこで育ったのか？アングロサクソンが牛耳る世界のガラス窓から、「卑劣」というフランス語を読んだ。私は身動きしたり、いびきをかいたり、ぴんと張られたシーツの上で眠ることが出来ない。私は誰でもいいので、動かない人を抱擁すると眠ることが出来る。私は夢想の中の幻のような美術館の着想に日々助けられている。私はある意図があって、言語の使用法の都合のよさから人々を「友人」と命名しているが、誰もそのことは知らないし、私は自分が知っている人々に「友人」以外にふさわしい別の言葉を見つけることが出来ないので、私はこの習慣を好んではいるが、人々と特別な関係性を築いたことは一度もない。列車に乗ると、歩かないので感覚が遮断される、私は、到着すると、そして立ち去ると、現実という醜悪さを私自身が目撃する。私は隠遁する真理を暴く覚悟がまだ出来ていない。私は常にまどろみの中にいる。私にとって最も尊重すべきなのはポリ公に対抗し、反逆の専門家となることであり、銀行の預金残高にお金が幾らあるかどうかなんぞどうでもいい、気にもとめないが、預金残高がなくなることは滅多にない。*Shoah, Numéro Zéro, Mobutu roi du Zaïre, Urgences, Titicut Follies, La Conquête de Clichy* といった映画は読んだ小説の数々よりも際立って私に影響を及ぼした。とりわけ、Jean-Marc Chapoulie によって制作された映画はどんなコメディよりも最高に私を笑わせてくれた。私は一度自殺をしようと企てた、自分自身を殺すために、四回も悪に誘惑され、心を駆り立てられた。夏の芝刈り機の遠くから聞こえる音は少年時代の美しき思い出を想起させる。私は苦難の末にそのことを走り書きした。ある創始者は死に対して異常とも言える奇癖や偏愛があり常にその状態を維持している、そして、日々、創始者は新たな死を見出す、極めて適切な見事な文体で書くのだ。「終末を操るこの世に張り巡らされた糸は断じて切れることはないし、機能することはもはやない。」私は賢者のような美徳や全知、良識が、失われたとは思わない。私は美術館にある本の草稿を固有のエクリチュールで書き写した。それは全く世に知られていない写本であり、それをすることは私の使命だと感じた、途轍もなく奇妙な本だった、失われた動物の広告、フロントガラスの上の正当化された広場にある術策、打ち捨てられたパーキングメーターにもう支払うことはない、人跡未踏の多種多彩な目撃者に呼びかける、有産者の構造変化の兆し、机の上の伝言、飼い慣らされた使命、彼の住所に届けられたメッセージ、私は老人たちが物語るのを聴衆たちが聞くことを思案する。「人間はそれ自体が美術館のようなものである。」私は黒人の活動家とフランス人の社会学者が聴衆の息子たちに話しているのを思案する。「人間は芸術的オブジェ（マルセル・デュシャンが語る意味において）である。」私は艶やかな明るい見者の死を思案する。「彼は彼自身の亡霊でもある。」毎週金曜日の夜になると、両親は映画に出かけ、部屋は暗黒に包まれ、テレビを観ることは出来なかった。私は紙で出来たフランク族の粗衣を愛し、ポリウレタンの袋を持ち、小刻みに体を震わせながら、私は見るのではなく、枝から落ちた果実の音を聞くことに全神経を集中させていた。その汚れのない呼応は私を魅惑した。何故なら、私はその意味作用について無知であるからだ。私に友人がいた時、彼は家での夕食に私を含めた大勢を招待し、テーブルの上に直接食器を置かないで、小皿を持ってきて、レストランのように盛り付けてくれと命じ、彼は何故だかその命令を疑問に思わず、黙って従った。私は社会から一切守られることなく何年もの間、人生を体感していた。ああ、私に話しかける何者か、本当に鬱陶しい、私は誰かのお節介も嫌悪していたし、悪意のある誰かの見せかけだけの親切も同様に唾を吐きかけた、ますますこの世は息苦しいという確信が芽生え、不快に感じるだけだ。人生という果てしない旅の醜悪で、奇妙な思い出の数々を良いものとして私は改竄した。どこかの子供に「ムシュー」と呼びかけられると私は酷く狼狽した、私なんぞどこにもいるはずもないのに。スワッピングを行うクラブでの出来事だった、私は初めて人々が自分の目の前で性交するのを見た。私は女性の肉体に興奮して自慰行為をすることはない。私はイマージュや思い出の霞を頼りに自慰行為をする。それは常に私の眼前にある。例え改竄されていようとも、一体誰がそれを確かめる術があるのか？私が事実であると認識したことに関して、行ったことに、後悔など一度たりともしたことはない。しかし、愛の物語なんぞそんなものあるのか？あるにしろ、ありふれた酷く退屈なものだろう。私は断じて薄っぺらいロマンチックな愛の作り話なんぞほざく気はない。私は過去交際していた女性たちについてあまり話すことはない。私が愛しているのは私の声に耳を傾けた友人たちであり、彼らのことはよく話す。ある女性は私のもとにやってきたが、一か月半の別離の後で、はるかなる世界の中で再び一緒になり、彼女は喪失感だとかこの世に対する呪詛だとか、一切の欠落がなく、私は数秒でこの結末が見えていたし、もう彼女を愛することは決してないだろうと分かった。インドでは、見知らぬスイス人と一緒に、夜の間だけ旅をし、私たちはケララ州の何もない沈黙に満ちた平野の数々を横切り、私はほんの数時間なのに、何年もの間でやっと分かち合った素晴らしき友人たちと同じくらい自分自身について彼女に話し、二度と会うことはないだろうと勿論知っていた、夢想に耽っていたわけではない。何の結末も目的もなしに、彼女はただの聞き手となった。不思議なこともあるものだ。その体験は今でも事実であったのかどうか疑わしい、自分が生きているのかさえ疑わしいということと同様に。肉体も肢体も進化したのだと信じ、それが決定的な何かを生み出したのだ。古代人がかつて壁画を彫ったようにその光景は常に私の目の前にある。私は自分自身を非難していることを非難する。私は道標と誇りと義にかなったことだけを信頼し、私は守銭奴ではないが、全員が公平に税金などを払うことをとても不可思議な現象だと感じている。人間どもは単調な生活に耐えられないとほざくが、私はこの世に投獄されたような単調な生活を好む。だが、それには規則正しい飲酒が必要不可欠だ。私が愛していることに関わりのある新しい知らせが直接肉体を振動させ予言じみた出来事が起こり、その出来事が執着し、私の身体に纏わりつき、何も考えることの出来ない茫然自失の状態であることを私は悟った。私は名士であり、金持ちの両親がいることをこの上なく憎んだ。私は美しさを知らない。私は汚れを知らない。実在する天使たちの下で、黒い腰巻壁に包囲された後で、私は自身の美しさを見つけることが出来る。私は自身を深くまで回想すると美しさなぞなく、それは幻、私はただ醜く、恥ずべき存在であることを自覚する。私が美しいと感じる瞬間は私が愛している自身の幻想の肖像と全く一致せず、存在は常に放置されたままである。私は顔の側面が途轍もなく醜く、見苦しいものだと感じる。私が愛しているのは目、手、額、臀部、二の腕、皮膚、愛していないのは、大腿、ふくらはぎ、あご先、耳、反り曲がっている首の後ろ、私は自身の性的問題について何の意見もない。私は醜い欠点のある顔だ。左の顔のある部分は歪んでいて、私の顔つきの右側は正常であり、私は何らかの救いを求めているのだが、そのような思惑は私には似つかわしくないというのも分かっている、アルコールに救いを求め、流行性感冒に疾患している間はずっと散々な有様だった。常に視界がぼやけて、私は自分の声に唯一安らぎを感じ、その声をとても愛している。私には欲望というものが存在しない。Birkenstock の入り口で誰かが誘惑するようなささやき声を私の耳に直接伝達したが、私は思い出すことなど何もない。私は足指を好まない。たとえ動物であろうと人間であろうと爪のあるものは酷く嫌悪してしまう。私が仮に信じようとしても破壊尽くした殉教者（父親ディオスコロスの手で斬首された）を愛することはもうないだろう。私はもはや良心や道義心を思い出すこともないし、身分の違いや気品、優雅さに敬意を払うことは一切なく、私は名誉や恩恵、敬意に全く無関心であり、例え改竄されたとしても（あり得ないだろうが）無感動《アパシー》のままだろう。私は冷淡で、超然とした時空で生きていて（最も生きているかどうかは確証もないので、疑わしいが）いずれ果てしない災いが我が身にふりかかるだろう、不幸な人々に共鳴し、私は庇護を装った干渉や父性主義が好きではない。私は若い人々と一緒にいるよりか年寄りと一緒にいたほうが安楽さを感じ、再会することは決してない、多種多様な人々に対して、無数の質問に回答することは出来る。ある日、私は、ベルベットのスーツを着て、黒いカウボーイブーツを履いた。液肥の香りは古くからある特別な時代を私に想起させるが、湿った大地の匂いはある古代の奇妙な時代を思い出させることはないのだから。私は紹介されても誰の姓も記憶に留めておくことが出来ない。私は家族を不名誉だと思ったことはないが、自分の展覧会には誰一人招待することはなかった。私は回想や思い出を愛することで、少なくとも、私が愛したことがない私を愛することとなる、私が愛したという事実に私は茫然とはしたが。ある美しい女性が私の中に自分自身を見つけたと発言したときには、その言葉を断じて信じることはない。私とは一貫性がなく、聖職不適合者であり、不道徳で、無秩序な、破壊された知性そのものである。私の愛情に満ちた状態は何らかの状態と類似関係にある、また別の何らかの情感とも一致しているが、私の仕事には何も似ているところはない、これらのものとは全く異なっており、そこに私は自分自身を見出すことは困難だ。私は不幸な出来事の中から好ましい何らかの情感を見出す、完全なある不可避の愛と言うとでも？私は誰とも関係性を形成する気はない。そんなロマンチシズムに浸るとでも？実に滑稽だ。ある友人を私の家に招待した時に彼は突如訪れた空気の澱みに気づき、同時にある創造された暗く身体を突き抜ける何らかのものが到来する予感がし、彼は感受性が鋭かったので、すぐさまその場から立ち去った。私は自身の精神の堕落を、自らの命を絶つ前に、果てしない仕事に着手せねばならないだろう。私は人々の集団にいると、私が語る言葉のすべてを無視して透明人間のように扱うのが容易に思い浮かんでしまう。私にはあまりに退屈で憂鬱にさせる対話者との話をどうやって遮ればいいのか分からない、私を孤独にさせ、うんざりさせる。やがて、私に吐き気を催させ、表情に嫌悪感が浸透すると、慌ただしくビュッフェまで私は駆けていき、その異物を消化する。私は夏の雨が好きだ。他者たちの挫折は私を心底悲しませるし、表情や身振り、風采、顔色は青ざめていくし、たとえ私の敵対者の挫折であっても、私を喜ばせることはない。私は彼らがほんの償いのつもりなのか、自分自身に対する懺悔なのか、私に馬鹿げた贈りものをするのを目の当たりにすると本当に気分が悪くなる。とりわけ、安易な贈りものは私を途轍もなく不快にさせた。

死の系譜学

——〈パンデミック—来るべき民衆〉の傍らで——

江川隆男
Takao Egawa 江川隆男

系譜学は、ニーチェ以来、哲学においてもっとも革命的な方法論となった。それは、単に革命のための方法論の一つなどではなく、あらゆる革命論が必然的にもつべきものである。意味の変形や価値の転換といった諸々の非物体的な出来事が一つの総体をなすことのできるトポス、それがまさに人間精神である。この限りで系譜学は、真の革命的な唯物論、つまりこうした非物体的なものの唯物論そのものを形成しうる思考様式である。唯物論は、もはやすべての物体を身体として思考し欲望する考え方でなければならない。物体としての人間身体なしに成立する唯物論などもはやありえないのだ。人間身体なしに成立しているような唯物論は、実はまったくの悪しき観念論にほかならない。唯物論は、すべての生、あらゆる様態についての考察でなければならない。しかし、ここであえて考えたいのは、こうした唯物論的な意味での生に関する死、あるいは様態の生成に対する死滅の問題である。死について思考することは、つねに固有の困難さをともなっている。死は、われわれにとっての対象とはならないからである。それは、われわれにとって或る対象性を有するだけであろう。〈死〉という一般概念、〈死体〉という生者の身体の消滅、〈死者〉という各個の人間様態の人格性だけが保持されたもの、これらについての批判的論究を通して、われわれは死の対象性についての系譜学を形成することができるであろうか。あるいはこの対象性のエチカは、いかなる実践への配慮を含むのであろうか。いずれにしても、これらの問いは、依然としてまったく無規定なままである。

I　死の倫理学——局所的民衆とは何か

生も死も、つねに特異なものの生であり死である。生にも死にも、一般性など存在しない。これらに一般性があるとすれば、それは、生と死が特異なものの対象性から分離されたときである。つまり、われわれは、絶えずこうした分離をし続けているので、生と死を一般概念として有することができるのである。ということは、死の観念の方は、特異なものの対象性ゆえに各個の人間のうちでまったく異なることになる。では、何故、〈死〉という一般概念は、上述したような分離という仕方で人間のうちで成立するのであろうか。そこには、おそらく二つの理由があるように思われる——（1）死という概念は、人間が有する比較の技法の最大の効果の一つであろう。物を評価するための比較という方法は、われわれにとっては、物の最良の理解の様式として信じられている。人間は、まさに比較に長けた動物なのである。というのも、人間の本性は、根源的にニヒリズム性に存する以上、比較によって相互の間に欠如や否定を見出すことに長けているので、これによってそれらの物の認識が進捗すると容易に信じることができるからである。つまり、比較による肯定は、つねに否定や欠如を媒介することなしには成立しえないということである。人間は、物を比較する度に、実はこのような仕方で生の欠如としての〈死〉についての一般概念をつねに形成し続けていることになる。（2）死の概念は、身体の多様な触発から精神において一様に形成されるものである。これは、言わば（1）における比較という精神の作用を今度は身体の触発についての観念の側面から言い直した事柄でもある。人間身体は有限な存在であり、同様に身体の触発によって形成される表象像も有限である。ということは、判明な表象像を形成しうる触発以上の変様を受けた場合、人間精神は直ちに混乱し始め、それゆえ些細な差異を表象することができず、例えば、そこから人間全体の一致点のみを表象しようとするであろう。〈死〉の一般概念も実はこのように形成されたものである。すなわち、生成から〈生〉の一般概念が成立するのと同様、今度は消滅から〈死〉の一般概念が形成されるわけである。こうした人間精神と並行論的関係にある人間身体は、もはや自らのそれぞれの変様に対して無差異となり、したがってここでは区別なしに不活発なものによる触発しか生起しないような単なる〈受容体〉となるしかないであろう。つまり、こうした意味での悪しき抽象概念の発生的要素は、まさに消滅する身体にあるのだ。[1]

さて、死体は、それがこうした〈死〉という一般概念のもとで知覚されるなら、その〈生〉の持続上の同一性やその完結性を伝えるものにしかならない。死は、生が有するさまざまな可能的なものの消尽であり、したがってそれらを媒介として必然性の様相をともなうことになる。例えば、サルトルは、次のように述べている――いくつかの積木の破壊に例えられる死は、「[……]私のあらゆる可能性の無化として、つまりそれ自体もはや私の諸可能性の一部をなさないような無化として把握されうるのである。それゆえ死は、世界における現前をもはや実在化しないという私の可能性ではなく、むしろ私の諸可能な事柄についてつねに可能な、つまり私の諸可能性の外にある一つの無化（néantisation）である」[2]。この言説は、スピノザの死滅の理解、すなわち「いかなる物も、外部の原因によらなければ、滅ぼされることができない」という言表にきわめて近いであろう[3]。それは、その本質に存在が含まれずに存在するもの、つまり様態の絶対的な必然性である。この様態の概念が、後のサルトルのような、〈実存〉の理解の仕方の基礎となりうるのである。死についての必然性の現働化が、まさに〈死体〉である。この意味で死体は、間違いなく〈死〉以上のものである。というのも、死体は、一つの物の状態である限り、死を必然的で決定的な〈出来事‐効果〉として産出するからである。では、こうした必然的な〈死〉を媒介せずに生だけを考えて、生きることができるであろうか。このことは、たしかに死を恐れることなく、より多くの喜びの諸経験のもとでの生の充実をもたらすであろう。しかし、そんな経験だけから一つの生が成立し続けることなどありえない。というのも、一つの生には必然的に悲しみや憎しみ、恐怖や絶望などの諸感情に刺激されうる無限定な時間が存在するからである。こうした感情の増大は、実はそれらの反対感情――喜びや愛、希望や安堵、等々――が有する度合の減少とともにしか成立しえないのだ。すなわち、こうした感情の度合の増大とともにその都度多様な死の観念が、しかし非十全な形相を有する分子状の死の観念が形成されるのである。

では、つねに死を媒介にして生を考えること、これは何を意味するのであろうか。それは、言わば死を絶えず目的化して、生をその結果にすることである。死の表象は、実は人間にとっての生の表象の仕方の一つである。こうした意味での死の価値は、一つの生の表現である限りにおいて、その生を構成するものとして考えられうるであろう。しかし、たとえそうであったとしても、死は生の目的ではなく、つねに生こそが目標そのものでなければならない。例えば、「生物多様性」とよく言われるが、これと同様に人間の一つの生もたしかに多様でなければならないであろう。というのも、生物といら概念のうちには多様性という特性が必然的に、つまり分析的に内含されているからである。同様の仕方で、生成もその消滅も、生もその死も、実は多様でなければならないのだ。すなわち、死の観念のうちには、多様性という特性が必然的に含まれているのである。言い換えると、それは、死に方の多様性であり、また同時に多様な外部の原因による消滅の仕方を意味している。自己の死を考えることがより少なければ、人間はそれだけより多く自由で幸福であると言える。言い換えると、死を媒介にして生を考えることと死の媒介なしに生を考えることとの間には、単なる逆比例の関係以上の、共立不可能な関係性があるように思われる。死は、生物だけにあるのではない。空間や時間も死に関わりうる。例えば、多様な場所が一様に死せる場所となって、はじめて空間が成立するのである。

　場所については、ダンサーの田中泯の次のような言説が思い起こされる――「私は、場所で踊るのではなく、場所を踊るのである」[4]。この言表についてまず考えられるのは、一般的には次のような事柄であろう。〈場所で踊る〉こと、それは、場所からも空間からも自立したもっぱら〈身体‐主体〉を前提としている。そこにあるのは、実際には身体の単なる空間上の運動、つまりどの場所で踊っても実現可能な、その意味での単に独立自存する身体運動だけである。そこには、或る既知の見えるものの移動しかないであろう。そこでは、私という一人称の主体性がこうした自己の身体を支配するが、それと同時に場所は死せる空間へと変化してしまうのだ。これに対して〈場所を踊る〉こと、それは、その局所的な場所なしには成立しえないような身体によるその場所の表現そのもののことである。そのとき身体は、まさに場の〈触発‐分子群〉となるであろう。それは、その場所と分離不可能な〈身体‐自己〉の表現である。要するに、場所を踊る身体とは、その感覚不可能な場所を部分的に知覚可能にし、その限りでその場所なしには存在しえない身体の触発を表現することにある。〈場所で踊る〉がダンスの個別の〈身体‐例〉を示しているのに対して、〈場所を踊る〉はまさにダンスの特異な〈身体‐事例〉になる。場所は絶えず局所的であり、そこでの身体における出来事はまさに事例の生起である。場所はけっして大域的なものではなく、それゆえ〈場所‐踊り〉は大域への経路上で実現されるようないかなる身体運動とも必然的に異なるものとなる。先の田中の言表は、例えば、「〈園庭〉（jardin）の倫理」を表現しているとも言える[5]。というのも、〈園庭〉とは、まさに非‐空間としての一つの場所のことだからである。田中泯のダンスがエピクロス派の思想に近いものであるかどうかはここでは考察しないが、〈園庭〉でのダンスには、いずれにしても、悪しき外延性に対する防御が本質的に内含されていると言えるであろう。こうした局所的な場所からの問題提起あるいは大域に反する解答提示は、大域的なものにおいて改めて〈非‐局所的〉という仕方で身体の表現回路のうちで見出されるべきものとなる。これは、局所性がむしろ脱‐大域的なものの積極的な表現へと生成し、それ自体が大域とはまったく異なる非‐局所性そのものになることである。ここにおいて場所は、非‐局所化されて、すべての場所を覆う〈気象‐大気〉の表現へと身体によってもたらされるであろう。これが、田中泯が言う人間身体についての「身体気象」という観念である。[6] 何故なら、場所は、空間を媒介にしなくても大地へと直接に接続されうるが、しかし同じような仕方で、海洋へと、あるいはそれ以上に大気へと単位や尺度を変化させつつ結合されうるからである。身体気象は、こうした変化をともなったダンスを実現するのである。

身体の変様は、自己の身体を中心とした諸々の事物の間の諸力の流れによる触発を表現している。それは、大地における個体間の関係というよりも、むしろ大気を介することによって思考可能になるような諸力の強度的な流れである。それゆえ、この限りで〈身体は気象である〉という言明も成立しうるのだ（これは、より正確に言うと、〈身体に気象現象になりうるような出来事が生起する〉ということである）。また、こうした〈身体気象〉に対応するかのような、言わば〈精神気象〉という考え方も現われてくるであろう。ジョルジョ・アガンベン門下の一人であるエマヌエーレ・コッチャは、次のように述べている——「気候は、地球を覆うガスの総体ではない。それは、コスモス的な流動性の本質、われわれの世界のもっとも深い顔であり、世界を現在、過去、未来のあらゆる事物の無限な混合として明らかにするのだ」。[7] ストア派に近いこうした思考がここから展開するのは、まさに〈混合の形而上学〉である。つまり、これは、精神気象を一つの形而上学の本質に位置づけようとする試みである。言い換えると、これは、混合する自然に対して、超自然学的な位置に大気の思考を反‐大地中心主義として定位しようとする試みである。たしかに興味深い展開ではあるが、それにしても、どうして〈精神‐身体〉気象という並行論的な思考の仕方をしないのであろうか。何故、相変わらずの〈自然学的／形而上学的〉という二階建ての思考法を展開するだけなのであろうか。何よりも、コッチャは、植物をまさにその身体の側面から考察すべきだったのではないだろうか。そのためには、批判と臨床の平面を形成するような一つの倫理学が不可欠となる。

いずれにしても、こうした別の仕方で思考することによってわれわれは、はじめて大地中心主義から解放されることになる。しかし、その解放の方位は、けっして形而上学の方向に、つまり〈自然学的／形而上学的〉という従来の道徳的な二分法にあるのではなく、むしろ〈自然学＝倫理学〉（＝エチカ）という問題を構成することにある。大気あるいは気候は、人間の思考の秩序においては、たしかに地球という巨大分子を構成する大地と海洋の後で遅れてやってきたものであるが、しかし、そうだからと言って、けっして価値の低い劣った構成要素などではない。今や大気は、人類がもっとも配慮すべき平面なのである。むしろ気候変動こそが、この巨大分子における流動性という本質をもっともよく示していると言える。重要なのは、気候についての形而上学的空間を打ち出すことではなく、気候変動の自然学的平面を問題構成することである。身体気象とは、人間身体に限ったわけではなく、すべての個物における身体性を気象現象のように、つまり諸力の流れの触発的部分として理解する仕方であり、それによって既存の人間精神における個体性は、完全に崩壊し、新たに気象化されることになる。身体気象によるダンスは、大気の流動的要素――気温、気圧、湿度、風速、降水量、等々――に固有の境位を表現する身体変様なしには存在しえないであろう。ダンスとは、反‐目的論の身体、脱‐共通感覚の身体を形成する物質的過程のことである。ダンスの問いは、この意味でつねに一つである――すなわち、いつもとは異なる仕方で自己の〈身体‐物質〉からこの過程を引き出すことができるであろうか。ダンスの身体は、一方では外延化された人間身体の運動からなるが、他方ではこれに必然的にともなう仕方で、内包的な触発によって意味の変形や価値の転換さえも可能にするような速度を表現するものとなりうるのだ。身体気象におけるダンスは、この限りでむしろ非身体的なものとしての情動の身体、つまり強度の身体になりうるのである。ダンスの〈身体の孤独〉は、まさにその完全性のうちに存立する。あるいはそれは、〈身体の独学〉と言うべきかもしれない。

死とは何か。死についても、このように形式的に問うことは容易である。しかし、この問いに対して、〈死とは〜である〉という仕方でその本質について十全な観念を形成する仕方で定義することはきわめて難しいように思われる。というのも、死に本質は存在しないからである。それにもかかわらず、われわれは、死についての定義を絶えず求め続けている。ところで、死について次のように一般的に言えるだろうか――身体がその生体から死体へと具体的に生成変化すること、それが死である、と。しかし、これは、死と死体とを同一化することで成立する言明である。何故、こんな混同が生じてしまうのか。死の多様性とはいったいどこにあったのか。それは、死の原因についての具体的な多様性であろうか。たとえ死の原因が多様であったとしても、人間は、それらを一般概念としての〈死〉のもとに包摂して一様に解することができるであろう。個々の事例として現われうる特異な死は、人間が有する規定可能で一般

江川隆男
Takao Egawa

的な〈死〉の概念のもとに容易に還元されてしまう――戦死、事故死、病死、他殺、自殺、自然災害による死、等々。ここでの問題は、死はすべて外部の個別原因によるが、しかしそれら外部の原因はつねに一般性のもとで理解されるしかないという点にある。つまり、〈死〉は、一つの生の理解に届かないし、一つの生の認識にけっして達することがない。ということは、多様で特異な死があるとすれば、それは、一つの生のなかにしかないということになる。ここには根本的な逆説があると言える。それは、こうした死についての観念を人はけっして所有しえないということである。

この問題をさらに考えてみよう。無神論者、唯物論者、反道徳主義者、生の哲学者と称されるスピノザは、自由な人間は死について思考することがほとんどないと述べていた[8]。では、このもっとも偉大な哲学者は、死についていったいどのように考えていたのか――「私は、身体の諸部分が異なった運動と静止の割合＝比を相互に取るよう身体が置かれる場合に、身体を死んだものと理解する。つまり、血液の循環やその他、身体が生きていると認められる諸特徴が維持されている場合でも、人間の身体がその本性とまったく異なる他の本性に変化しうるということを、私はあえて否定しない。何故なら、人間の身体が死体に変化する場合に限って、身体の死を認めなければならないようないかなる理由もないからである。それどころか、経験そのものは反対のことを教えているように見える。というのは、人間にはほとんど同一の人であると言えないほどの大きな変化を受けることがしばしば起こるからである」[9]［強調、引用者］。スピノザは、まず〈死〉(mors) と〈死体〉(cadaver) とを明確に区別している。或る人間の自己に同一性が想定されるとしても、それは、自己の身体の多様な触発に基づいており、またこうした触発に対応する人間身体の諸部分を構成する諸々の運動と静止の割合＝比が維持されることに完全に依拠している。同一性とは、自己の身体の多様な変様の、しかもその変様がかなり縮減された限りでの一つの効果でしかないのだ。スピノザは、或る身体の消滅まではその人間の自己同一性が結果的に維持され続けるなどと考えない。身体の諸部分が相互にこれまでとは異なった運動と静止の割合＝比を取って、別の本性を構成するほどまでに変化するとすれば、それは、目的化された死ではなく、あえて言えば、媒介することのできない死の生への作用、つまり一つの生成変化だということである。いずれにしても、身体が死体にならなければ、身体の死を認めないということにスピノザは異議を唱えている。言い換えると、ここには〈死体〉以前の死の認識が、正確に言うと、生における差異としてしか認識されえない死の観念があると言える。

これについてのスピノザの最初の事例は、同じ人間とは思えないほどの変化を受けた或るスペインの詩人についてである。これは、たしかに明快な事例である。その詩人は、病気に罹り、その後で回復したが、しかし過去の記憶を失い、自分の作品の見分けもつかないほどであった。さらに彼がもし母国語さえ忘れていたとしたら、それはほとんど「大きな子供」にしか見えなかったであろう。言い換えると、これは、〈それ以前〉と〈それ以後〉という〈間《あいだ》〉――ここでは、病気――の発生による変化が大きければ、それだけ死体になる前に死によって一つの生がより多く構成されうることを意味している。第二の事例は、今度は子供についてである。「年をとった人間」の本性は子供時代の頃の本性とはおよそ異なっているので、自分がかつては子供であったことを、他人の子供を見て推察するほどである。スピノザは、この事例のもとで何を表現しようとしているのか。幼児期の身体の本性と大人の身体の本性とはあまりに異なるので、幼児期の身体における死後を生きるのが成人の身体であるかのようである。第一の事例は大人の死から子供への変転であり、これはより大きな力能からより小さな力能への移行であるが、これに対して第二の事例は子供時代の死から成人への変容であり、これはより小さな力能からより大きな力能への移行である。この二つの異なる方位は、どちらも単なる可能性の枠組以上のものではないかもしれない。しかしながら、その変化する実在性の度合あるいは力能の連続的変移が原因からの認識のもとに存するとき、その現実はまさに必然性とともに存在することになる。可能性とともに諸様相を焼尽すること、それがもっとも重要なことの一つである。

例えば、希望は未来に対する喜びの感情であるが、恐怖はこの同じ未来に対する悲しみの感情である。希望は恐怖なしには存在せず、また恐怖は希望なしには存在しない。この〈希望／恐怖〉は、言わば成人たちの人間精神を覆い尽くす〈可能性 - 様相〉に対応した諸感情の基本体制である。まさに〈可能性／不可能性〉に感染した動物、それがとりわけ大人と呼ばれる人間である。ということは、可能性の消尽は、この感情の体制からの影響をより少なくすることにある。ドゥルーズ＝ガタリは言う――子供とはスピノザ主義者のことを意味する[10]、と。子供たちは、人称に無頓着であり、それ以上に様相の思考に感染していない。子供たちは、何よりも可能性についてけっして語らない。つまり、子供たちの人間身体は、様相についての声も言葉も発しないということである。子供たちにあるのは、身体の触発に基づく非十全な実在性だけである。言い換えると、彼らにはそうした必然性しかないのだ。子供たちこそ、こうした意味での局所的民衆そのものである。大人の人間精神の存在根拠は、そこに原因からの認識を現働化させるだけである。

Ⅱ　死の自然学――パンデミックの傍らで

さて、この新型コロナウイルス禍に固有の恐怖とは何であろうか。それは、端的に言うと、一様の死に対する感情である。この死の一様性あるいは死の全体性が、すなわち一つの原因による死しか存在しえないことがわれわれにとっての最大の恐怖となる。死は、生と同様にたしかに多様でなければならない。逆説的ではあるが、これが実は生の充実を表象する一つの側面であるように思われる。外部の多様な原因あるいは多様な病因による死は、むしろ充実した生の多様性を表現しているのではないだろうか。人間は、自らを死せる存在であると理解する動物であるから、予め死を想ってよりよく生きなければならないと言われる。つまり、生のうちに死の観念を織り込んで生きることが大事であるということである（メメント・モリ）。しかしながら、これは、やはり愚鈍な弁証法的思考の一種にほかならない。そうした生は、最初から死と比較された生でしかないからである。それでは、問題は、いったいどこにあるのか。

生存の様式に多様性があるように、たしかに無数の死に方がそれに対応して存在しうるであろう。考えるべきことは、かつてよく言われたような、死の経験不可能性などではなく、むしろ死の実在的多様性である。すでに述べたように、死体になる前の死はたしかに経験され、身体の変様として存立するのではないだろうか。死は、単に生の否定や欠如ではなく、まさに実在的無力能として理解されるべきではないのか。あるいは死とは、むしろこの実在的無力能の一つの象徴にすぎないのではないか。そして、これが実はスピノザの考える死ではないのか。ここで考えられる死は、けっして神秘化されたり非経験化されたりしない。これは、つねに死の概念やそのイメージを媒介にして〈よりよく生きよ〉といった道徳的命令とはまったく異なる意味での死についての思考である。例えば、国家の諸装置のなかに配分された戦争機能は、端的に言うと、可能的には人間の一様な死を、つまり戦死を強制し肯定するだけのもの、あるいはむしろ潜在的にはこうした一様な死をサポートするような生の体制である。それは、ニヒリズムにおけるまったくの灰色の午後の時間を過ごすような、一様な生き方を強要されることなしには成立しえない。しかしながら、もし人類が歴史的に変化（あるいは進歩）してきたと言えるなら、それは、一方では人類が多様な生の形態を生み出してきたからであるが、逆に言うと、他方ではそれによって多様な死に方の外部原因を同時に産出し発明してきたからである――交通事故死、墜落死、脳死、被曝死、焼死、病名の細分化、等々。多様な死に方は、多様な生の実在がなければ不可能である。さて、戦時下という理解のもとで、現在、新型コロナウイルス禍において一様な死に方への恐怖——そして、これを回避する手段（ワクチン、治療薬、等々）への希望——が最大の問題となっている。このコロナ禍においては、いかなる哲学も〈パンデミック〉という無際限な大域的様態の原因について思考せずに済ますこと、つまりこれについて無差異であることは不可能であろう。何故なら、それは、或る未知なる不確実なものが内含されているがゆえに形成された、本性的にも時間空間的にも指定不可能なものだからである（これは、すぐ後に述べる「無限判断」の問題にもなる）。というのも、哲学の思考がこうした未知なる決定不可能なものに積極的に触発されなければならないのは、それがつねに哲学の存在根拠の諸要素にほかならないからである。それは、あたかもまったく別の仕方で大地へと浸透してきた非‐局所的な大気現象、人間の主に呼吸に関するだけの気象現象のようである。ここでは、例えば、「思弁的」といった形容詞の逃走線などもはや何の意味ももたないような、それゆえまったく無害なものとなるであろう——思弁的であるがゆえに、その発話行為がたとえ飛沫をともなうとしても。この指定不可能な或るものは、実際には、一方では一様な死への恐怖を生み出すが（＝生命の意識）、それと同時に他方では相変わらずの固着化した習慣や記憶の秩序のもとで絶えず掻き消されることになる（＝経済への意志）。それにもかかわらず、それは、たしかに群衆の間に離散の諸価値、可変的な距離の必然性、局所の絶対性をもたらしている。気候変動の先触れとしてのこのコロナ禍におけるわれわれの対応は、すべて来るべき決定不可能な諸命題に対する予行練習となるであろう。これは、言い換えると、無限判断が剥き出しになり、自由意志による〈肯定／否定〉の判断が不可能となり続ける不毛で愚劣な過程であろう。この形相的過程は、人間身体が必要とするものがいかなるものとも交換不可能であると認識することと不可分になる。ここから気候変動の最初のエチカが発生する——世界を優越的に大地に還元しないこと、大地をモデルとして海洋と大気を支配しないこと……。

各個の人間の傍らには、つねに来るべき民衆が存立する。身体を有する限り、その〈傍ら〉に存在するのは、絶対に物の諸力の流れである。この民衆は、各々の人間のうちに多様な様態の力能の総合として現働化しうる。これと同様に、各個の人間は、絶えずパンデミックの傍らに存在しうる。すでに論及したスピノザにおける分子的な死——欠如なき無能力——についての観念は、たしかにパンデミックにおいては、身体が一様に死体になる恐怖をともなうが、しかし来るべき民衆とともに死の有害さをより多く減算することにもなるであろう。感染症によるパンデミックは、それが離散性の諸価値を人々の間に発生させる限り、たしかに異なる生成変化の分子的なモーメントとなりうるように思われる。パンデミックにおいては、その原因が細菌であれウィルスであれ、一方ではいかなる〈園庭〉も大域化した死の一様性とともに溶解していくであろう。しかしながら、他方でパンデミックは、文明が有する野蛮な継続性を断ち切る作用を有してもいる。そこでの死の観念は、ニヒリズムの動物たち、つまり人間という超越主義者たちにとって自然に内在し直すことの欲望にならなければならない。人間において死の本能あるいは死の欲動があるとしても、それらは、まさに自然に内在し直すことの衝動や欲望に転換される必要がある。では、自殺とは何か。それは、けっして〈自死〉といった言葉で理解されてはならない。何故なら、自死は、絶対に不可能だからである（先に上げた、スピノザにおける物の死滅の理解を思い起こされたい）。もし自死が可能だと考えるなら、それは神だけに妥当することである。というのも、無限な神は、自らの〈生／死〉を自らの意志によっておこなうことができるからである。しかしながら、これでさえ、実はもっぱら擬人化された神だけに言えることである。こうした〈神‐自死〉の可能性は、人間のとりわけ自殺をモデルにした限りでの、出来の悪い擬人化を介した理解でしかない[11]。しかし、これは、少なくとも有限な人間における自殺を無限に完全化して〈自死〉として考え、これと同時にこの死に対応するような誕生あるいは発生を〈自生〉――すなわち、自己原因――として考えただけである。われわれは、自己を原因として誕生したのではなく、例えば、親を原因として存在している。神についても、その親や子を考えるのであれば、それは完全に擬人化の極致であることがここからもわかるであろう。しかし、絶対に無限な神あるいは内在神、すなわち能産的自然は、無力能を介して認識されることなどない。人間も含めて、すべては所産的自然における様態であり、したがって様態はその誕生あるいは発生の仕方――外部の原因による――とは異なる仕方で死あるいは消滅を迎えることは絶対にできない。これらの論点について哲学的にかつ本質的に考え抜くことがなければ、人間は、どこまでも傲慢で愚鈍な超越願望から解放されることも、或る別のものに生成変化することもできないであろう。

自死は、自己原因によるものではない。それゆえ自死とは、外部の原因による他殺とまったく同じ意味での自殺のことである。というのも、もし自殺ではない自死が成立するとすれば、それは、そもそもその誕生自体が自分を原因として生まれること、つまり自分だけで発生することを意味していなければならないからである。自生とは、親も含めていかなる他者も介さずに、自分自身で誕生することである。それは、人間という様態にはありえないことである。〈自殺〉を〈自死〉と言い換えることには、こうした意味での一つの根本的な欺瞞が隠されている。外部の原因によって発生したものは、必然的に外部の原因によって消滅するのである。アントナン・アルトーは、次のような言説を特異な〈声‐気息〉のもとで成立させている――「私が命を絶つとすれば、それは自分を破壊するためではなく、自分を再構成するためである。自殺とは私にとって、力ずくで自分を取り戻し、自分の存在に容赦なく闖入して、神のあてにならぬ前進を追い越すための一つの手段であろう」[12]〔強調、引用者〕。これは、言わば自殺についての自然主義である。それは、外部の原因から少しでも自己の力能を取り戻すことである。これこそが、まさに自殺についての本質とその意義を明確に規定していると言える。人間を含めた、すべての有限な様態における生誕と死滅、生成と消滅は、絶対に外部の原因なしにはありえない。人間の自殺も例外ではない。死滅の原因は、つねに自己のうちにはなく、その外部にしかありえず、またその手段も外部にしか存在しえないからである。この限りにおいて死の存立の仕方は、生の存在の仕方と唯一同一のものである。現在、広い意味での哲学的思考がこの問題について試されていると言える。つまり、哲学は、〈パンデミック〉という一つの可能的経験が無限判断とともにそのまま実在化したなかでまさに固有の試練に晒され、また自然の篩に掛けられているのだ。このコロナウイルス禍においても、相変わらずの内部性の形式についての維持や改革しか言及できないような思想、あるいはパンデミックの意義についての言表を構成することのできない無能力な思考、自然という外部性の力能について無差異な思考を曝け出すしかない哲学、これらは、まったくの反動的な〈人間的、あまりに人間的な〉所作でしかない。パンデミックとは、第一に個々の人間のすべてが〈大地‐海洋‐大気〉の子供たちあるいはそれらの様態であることを意味している。パンデミックは古代ギリシア語の〈パンデーモス〉を語源としているが、これは言わば〈すべての民衆〉という意味である。われわれは、これを、例えば、ニーチェが共感するヘラクレイトスの〈万物流転《パンタ・レイ》〉と総合することができるであろう。つまり、パンデミックにおいては、すべての民衆は一つの多様な流動体となるのだ。これがその総合命題である。この流動性は、定住民の特性としての大域化や観光にともなう移動をまったく意味しない。移動するにしても、それは、もっと内包的で、しかも風や光のような推移であり、その都度単位が変わり、また意味や価値が変質するような旅、差異を経巡る過程である。したがってそれは、遊牧民の諸特質のむしろ非‐局所的な実現であり、観光のような同一性の強化ではなく、まさに差異の肯定に多様な強度を具体的に与えることである。〈パンデミック〉においては、あらゆる差異が露呈するが、その限りにおいてまさに〈来るべき民衆〉のもとで差異の強度についての倫理学が形成されるのである。

　ところで、デリダがかつて批判の対象として問題提起した〈ロゴス中心主義〉という概念があったが、これはより本質的には〈大地中心主義〉と言い換えることができるであろう。ロゴスとは、そもそも大地を地層化する囲い込みや線引き、境界線や城壁、等々に相応しいものである。革命も同様である。これまでの革命論は、第一に地層化された大地を大前提として、第二にそうした大地を嗅ぎまわるようにして、革命のための何らかの主体性を探しまわり、またその動作主を発見しようとする歴史であり、まさに大地の造成法であった。しかし、神の代理者のごとき主体など、地球上のどこにも存在しない。大地が人間化された諸地層からの脱化の運動を獲得するのは、砂漠や海洋、そして大気の流動体と不可分な仕方で存在する自然内在の平面においてである。死者は、死と死体との間で振動し震えている。身体を有して存在していた様態は、自然においてすべて完全に登録されている。同様に死体となった様態も、自然のうちによりよく内在する。また死は、その生者に生起する出来事であり、これも自然において観念として完全に保存されている。死者は、実は数えられないのだ。というのも、死者とは、死体になる前に生起する出来事の未完結な部分のことでもあり、その限りで一つの死体に死者は複数存立すると言えるからである。つまり、それは、端的に加算不可能なものである。これに関して数えられうるもの、辛うじて加算的なものは、ただ死体のみであろう。ところが、それにもかかわらずわれわれは、実は〈死体〉を数えることができないと言えるだろう。つねにその数える行為は中断され、また何度も数え直され、最後にはその加算行為の不可能性に遭遇することになる。これは、まさにベルクソンが述べている事例の本質であると言えるだろう。[13]正確に言わなければならない。すなわち、死者とは、無数の〈死〉の潜在性と、一つの〈死体〉の特異な現働性との間ではじめて存立する言わば擬態《ミミック》のことである。しかし、それは、さらに正確に言うと、自然のうちに登録された〈被観性態〉(subject)の擬態化のことである。[14]それは、その限りで記憶のなかで振動し続けるもの、死と死体との間に流れる言わば或る人格的なものである。

　パンデミックとは、すべての人間に関わる或るもののことである。この言葉にはもともと否定的な意味は含まれていないように思われる。それは、むしろヘラクレイトスの「万物は流転する」（パンタ・レイ）の部分であるとさえ言えるだろう。しかしながら、パンデミックをともなう〈パンタ・レイ〉は、実在化した無限判断の裂け目から或る知覚不可能なものが噴出する事態を示している。このもとで人々は、自分たちが有する従来の判断の諸形式——とりわけ〈肯定／否定〉の判断——を機能させることができなくなる。

すべてが宙吊りのなかでの仮の判断、例えば、後件なき仮言命題となり、その結果としてこれまでの惰性の現実はむしろ可象の実在へと非物体的に置換されることになる。何故なら、〈パンデミック〉とは、無限判断に対応する非汎通的規定性という非歴史的な〈雲‐カオス〉が落下して、とりわけあらゆる都市の表面を覆うことになるからである。それは、言い換えると、感染や疫病や伝染による別の増殖の仕方を帰結することになる。「吸血鬼は、系統発生するのではなく、感染していくのである。感染症や伝染病が、完全に異質な複数の項を、例えば、一人の人間、一匹の動物と、一つの細菌、一つのウィルス、一つの分子、一つの微生物とを動員することにある」[15]。さらにスラヴォイ・ジジェクは、こうした「吸血鬼」について次のように述べている。「吸血鬼と生きている人間との間の差異は、無限判断と否定判断との間の差異である。死んだ人間は生きている存在者の述語を失うが、それでもなお、彼あるいは彼女は依然として同じ人格のままである。非死者(undead)は、反対に、ただ一つ、同じ人格であることは除いて、生きている存在者のすべての述語を保持し続けるのである」[強調、引用者]。無限判断が開く領域は、可能的経験の裂け目であり、まさに異様な〈間《あいだ》〉領域、つまり怪物的な亡霊が住む「実在的なもの《リアル》」の領野である[16]。日常において、つまり記憶と習慣の秩序のなかで、無限判断(非‐P)の全様相が顕在化することなどほとんどない。というのも、それは、通常ただちに肯定や否定の判断形式に変換されてしまうからである。しかし、人々は、いまや実在化した無限判断の領域のなかで宙吊りにされ、またこの判断の裂け目から侵入してきた今度の微細な怪物たち——ウィルス、細菌、微生物、等々——によって目的論のない絶対的過程を歩むことを強制される。これは、まさに自然の内在的過程の一つである。ここにおいてわれわれは、より多くの決定不可能な諸命題によって自分たちの意識が穿たれるのを知ることになる。

〈大地を分割すること〉、これを大前提とするような生の様式は、その限りで必然的に定住民の人間精神へと収斂していく。それは、自由意志を最大限に発揮するために、あらゆる意味での移動域と選択肢の絶えざる増大を欲望するもっとも愚鈍な民衆である。何故なら、何であれ相対的な境界線を乗り越える感覚につねにより多くの喜びを見出すのがこの種の人間だからである。これらの群衆は、経験や体験をつねに過剰に求める。というのも、彼らは、たしかにそれらを現実化させているが、しかしそのことによってむしろ自分たちの生の実在性あるいは完全性の欠如をより多く感じることになるからである。つねに大域的なもののなかに求め続けられるこうした過剰さは、しかしながら一気に感染の速度とともに群衆の離接化へと反転する。否定的な意味を帯びた〈パンデミック〉は、まさに万人にとっての一様な死への流転の表現、こうした群衆の死のイメージとなる。しかし、それは、他方では〈差異の肯定〉に強度を与えうる機会ともなりうるのだ。この新型のウイルス禍のもとで、例えば、人種差別に対する圧倒的な抵抗運動――差異を肯定しようとする外延的運動――が起きるのも必然的である。しかし、それは、単なる外延的な運動にとどまるのではなく、同一性という〈差異の否定〉に対して、一義性という〈差異の肯定〉の内包的限界にまで至らなければならない。「社会性の能力の超越的対象、それは革命である。この意味において、革命は、差異の社会的力能、社会の逆説、社会的〈理念〉の固有の怒りである。革命は、けっして否定的なものを経由しない。〔……〕実践的闘争は、否定的なものを経由するのではなく、差異とその肯定する力能とを経由するのである」[17]〔強調、引用者〕。革命と称されてきたものは、より具体的に言えば、社会における差異の力能についての一義的存在の現働化であり、またこの力能が有する情動とこの現働化にともなう言表作用との獲得にある。死も同様にこの力能に帰属するものであり、それは、同一性を伝達するのではなく、むしろ差異を肯定することにあるのだ。

　ソクラテス以前の自然哲学者の一人であるヘラクレイトスは、「闇の人」と呼ばれ、火を宇宙の生成変化の原理に据えた。〈万物流転〉とは、すでに述べたが、自然という生成変化についての存在のことである。火はこうした万物の絶対的な発生的要素であり、万物はこの限りでの火の「交換物」、つまり〈火‐始原〉を多様な度合で含みうる諸様態である。また万物は火の「転換物」であり、世界は二つの道から、すなわち〈火→水→土〉という下降の道と〈土→水→火〉という上昇の道からなる。前者は〈火‐始原〉の濃密化による言わば世界の形成であり、後者は反対にその希薄化による世界の溶解である。この後者の過程をつくる蒸発物は、海洋からの場合は「純粋で明るい」が、大地からのものは「暗い」と言われる。大地からの上昇物によって世界は、ほぼ暗い大気に覆われる。[18] しかし、〈始原《アルケー》〉としての火は、こうした大気のもとであるいは大気によって、より本質的な〈非‐始原《アナルケー》〉としての力能で大地を覆うことができるであろうか。火の存在転換は、「まず海になり、海の半分は大地に、半分は雷光になる」だけでなく、雷光現象の背後に存立する或る交換不可能なものの限界に至ることで、真の生成変化の〈非‐始原《アナルケー》〉になる。これこそが、パンデミックをともなう万物流転の本性である。大域的なものは、単に延長的で空間的な一様性だけのものではなく、むしろ非‐局所的で無限な平面域という仕方で存立し、またそのように理解する仕方によって無化されるであろう。局所的なもの（＝場所）と大域的なもの（＝空間）との間の差異、あるいは前者から後者への移行は、どちらも実際には定住民の問題であり、具体的には、貧富に基づく格差（＝優劣）の違いを前提とした問題にほかならない（このコロナウイルス禍におけるブラジルでの感染症拡大などは、この典型的な事例である）[19]。高台にある局所的な園庭ではなく、非‐局所的な或るマイナーなものの平面圏が問題なのであり、この問題こそがあらゆる民衆に現前する唯一の〈来るべき民衆〉の問題を構成することになる。それは、先に述べた第一の〈大地→海洋→大気〉という大域化の過程に抗する〈大気→海洋→大地〉の移行を非‐局所化の過程として肯定することである[20]。古代ギリシアの万物流転の思想は、今や暗い蒸発物からなる大気の内容についての、つまり地球高温化あるいは気候変動についての自然哲学のなかで書き換えられていく。それは、具体的に言うと、感染症による非物体的変形と異常気象による価値転換とを必然的にともなう気象哲学である。

現代の広義のスペクタクル社会が依って立ってきたものは何か。このパンデミックにおいて、それがまさに愚鈍で偽の陶酔以外の何ものでもなかったことが暴かれたのだ[21]。同様に、こうした群衆が実は一様な死と無関係でなかったことも露呈したと言える。というのも、群衆という大きな量、過密状態、記号の支配に必然的にともなう諸運動は、経済の流れであれ感染の経路であれ、実は同じ速度で欲望されているからである。ウイルスによる感染症の現働化もその拡大も、実は人間の欲望が外延的な諸形相をともなって表現されたものである。恐怖は希望なしには成立しえず、また逆に希望も恐怖なしには存立しえない。この〈希望／恐怖〉は、あらゆる感情が生起する際の時間上の基本体制でさえある。ここには、つねに演劇的な死が成立しえる。言い換えると、ここには、雑多な日常的文脈のなかで生起する死が、つまり諸個人が有する日常のストーリーに対して差異的な死が存在しうる。ここでのわれわれの感情は、もっぱら受け取るだけの結果の表象に貶められる。もちろんその結果に対する原因の探求は、たしかに開始されうるであろう。それは、一様な死を差異化して、何とか特異なものにしなければならないという欲望に基づいている。言い換えると、これは、大域的なもののなかでの〈死の死体〉を局所的な場所における〈死の死者〉として葬ろうとすることに等しい。この〈死の死体〉から〈死の死者〉への反転こそが、いかなる生の様式であれ、その生の実在性を肯定しようとする本質的な儀式である。さて、この死体から死者への反転の場所は、はたして園庭なのだろうか。ミシェル・セールは、こうした一様な空間と特異な場所との差異をストア派とエピクロス派との違いとして、つまり大域的なものと局所的なものとの違いとして改めて論じている[22]。これは、すでに歴史化されたストア派とエピクロス派との対立に基づく差異である。つまり、この差異の問題は、残念ながら対立の言説に還元されてしまっている。セールは、ルクレティウスの『物の本性について』から見事に気象哲学の重要性を抽出したにもかかわらず、何故ストア派の思想をもっぱら否定的に大域的なものに結びつけてしまったのであろうか。気象哲学のもとで非‐局所的な特異性領野――あるいは指定不可能なもの――を思考しているのに、何故それを、現代の多くの人間と同様に、一般性の領域としてしか考えなかったのであろうか。大域的なものとは、おそらく果てしなく愚鈍な概念であるだろう。これは、まさに〈場所‐局所的なもの〉の単なる等質的な一元化という死と暴力の意味しかもちえない。こうした大域など、われわれにとっては存在しないに等しい。存在するのは、大域的なものの全体ではなく、非‐局所的なものの総体である。とりわけパンデミックにおける局所的なものの外部は、たしかに外延的な暴力と死――感染化――で一様に覆われた大域的な世界でしかないのかもしれない。しかしながら、場所は、これらに抗して外延化も一様化もされえないものであるが、そうだからと言って、固着した非物体的なものの集合体が住まうような園庭でもない。そこには、端的に初期ストア派における非物体的なものの非‐局所的変形の観念がほぼ欠落していると言えるだろう。〈局所的（local）／大域的（gobal）〉という二つの水準の違いで思考する限り、こうした一種の理性的な快楽主義あるいは身体なき自然主義は、具体的には〈ペスト‐外延〉を積極的に定立する力能がほとんどないと言えるだろう。パンデミックの大域性は、たしかに非物体的なものの変形を含む限り非歴史的なストア主義の思想そのものである。ペストは、アテナイの人々の信仰と習慣を破壊し、アテナイに暴力と死をもたらすことで、大域的なものをこのような災禍で充たすことになる。ここでは、たしかに〈クリナメンなき原子〉しか存在しないであろう。[23] しかし、注意しなければならない――この大域は、他方では〈原子なきクリナメン〉という非‐局所性の原初的平面のもとでしか存在しえないということを。重要なことは、〈局所的／大域的〉という歴史化された思考が有する二項性などではなく、これら双方が実は参照し続けてきた言わば〈非‐局所性〉の方にある。

　気象身体についての思考は、こうした〈局所的／大域的〉とはまったく異なる論理や原因をおそらく見出すであろう。悪しき外延に包囲された園庭は、必ずしも解放された領域ではない。本質的なことは、局所性を或る非‐局所的なものへと解放することにある。いずれにしても、エピクロス派とストア派の思想をもっぱら〈局所的／大域的〉という特徴のもとに配分する根拠はいったいどこにあるのか。その真の問題はどこにあるのか。それは、原因と結果についての配分の違いにある。「真の問題は、諸原因の間に統一性は存在するのか、〈自然〉の思考は諸原因を全体に統一すべきなのかということである」[24]。ドゥルーズは、こうした問題の観点からストア派とエピクロス派の違いを以下のようにまとめている——（1）「ストア派は、物体的原因とこれらの非物体的結果との間の本性の差異を肯定することで、原因は原因へと差し向けられて、統一性を形成するのに対して、結果は結果へと差し向けられて、活用を形成する」、（2）「エピクロス派は、反対に、物質的な諸原因の系列に影響を与える偏角によって、こうした系列の複数性の独立を肯定する」。前者には原因の統一性があり、したがってそれは、物体的なものの言わば水平的な大域を形成することになる。これに対して後者には因果系列の落下の複数性があり、したがって因果系列は相互に独立しているがゆえに、局所的なものあるいは園庭を作りだすことになる。気象哲学は、言わばこの二つの思想——つまり、平面と落下——の総合にあるとさえ言えるだろう。ベルクソンもドゥルーズも、またセールも、依然としてルクレティウスの『物の本性について』のとりわけ第六巻の意義を肯定できていないように思われる[25]。

　死を主題として精神と身体について考えることは、現代においてますます重要なものとなっている。というのも、それは、近代的な主体性についての硬直した概念を解体するからである。近代的主体性とは結局はもっぱら大地の子、その大地をより多く支配しようとする動物性のことであり、またそこで前提となっている大地の方は灼熱でも極寒の地でもなく、程よく温暖な地域でしかない。大地から相対的に、そして大気から絶対的に分離し抽象化された人間主体は、局所的な場所で育つが、いずれ大域的な意味と価値に飲み込まれて群衆を形成する要素となっていく。この意味での場所を単に大地の表層的部分に囲い込まないよう注意しなければならない。場所とは、むしろ大気の流れと気候変動の平面とを必然的に含むことなしには存立しえないもの、逆にその非物体的なものの変形にもっとも配慮した領野でなければならない（これなしに〈自己への配慮〉は、もはや成立しえない）。園庭という内部での呼吸は、その外部での身体の気息と何が違うのであろうか。呼吸すること、それは、すべての〈パンデミック〉における共通の身体の活動能力、身体の基本動詞の一つである。つまり、これについてのドラマを最初に形成しうる人間は、まずは呼吸器系の障害を有する者たちであろう。しかし、それ以外の多くの者たちの、とりわけ呼吸をもっぱら発話行為の声として発揮することは、決定的に制限されることになる。しかし、これによって人間身体の活動力能は、果たして減少していると言えるであろうか。ここで生起していること、それは、むしろ非身体的なもの（意味、価値）の変形のために自己の声を言葉の形相から分離することである。パンデミックの傍らで人間は、何よりも〈気息-声〉の別の形相を見出す必要がある。大地の主体性に代わる身体気象は、まさに気候変動における非-局所性のうちに存在する。人間身体の変様は、〈身体場所〉の園庭での刺激から、大地の足、海洋の腸、大気の肺からなる〈身体気象〉の絶対的触発へと変異するであろう。それとともに死者の舞踏は、器官なき身体という非有機的な身体の舞踏にとって代わられるであろう。しかしながら、器官なき身体は、その舞踏によって死者の代わりとなるわけではない。死者の舞踏は、依然としてそれ自体が有機的なものに帰属する特徴——擬人化（〈骸骨-死体〉の踊り）、道徳（死を想え）、等々——を有しているからである。それでもこれが、ペストとの関係で成立したことはたしかである。（1）器官なき身体は、発話行為を前提とした〈ダンス-身体運動〉ではなく、言表作用に対応した〈触発-身体速度〉からなる。（2）この新型コロナウイルス禍のもとで人間は、どのような〈死-死体-死者〉の文化を生み出すのであろうか。はたしてそれは、新たな文化の形成に間に合うものであろうか。（3）このパンデミックは、気候変動の暗い先触れにほかならない。（4）死についての系譜学は、倫理学と自然学から形成されなければならない。（5）非十全な〈死-観念〉は、実際には多様な認識を具体的に与えてくれている。或る特異な事例とともに死そのものは、まさに死者（精神）と死体（身体）との並行論のもとで表現されるのだ。ここには、複数の器官なき身体が存在することになる。

1——この二つの理由については、スピノザの『エチカ』（畠中尚志訳、岩波文庫、一九七五年）を参照することができる。すなわち、ここで述べた（1）の〈比較〉による人間精神における否定や欠如の作動化については第四部の「序言」を、また（2）の人間身体の触発に由来する無差異な一致点の発生、つまり一般概念の形成については第二部の「定理四〇・備考一」を参照されたい。

2——Jean-Paul Sartre, *L'Être et le Néant, Essai d'Ontologie phénoménologique*, Gallimard, 1943, p.706（『存在と無——現象学的存在論の試み』松浪信三郎訳、ちくま学芸文庫、二〇〇八年、第三分冊・二七二頁）。あるいは「[……]死の存在そのものは、われわれ固有の生において、他者の利益のためにわれわれをそっくりそのまま疎外するのだ。死者であること、それは、生者たちの餌食になることである。したがって、このことが意味するのは、自己の未来の死の意味を捉えようと試みる者は、他者たちの未来の餌食として自己を発見しなければならないということである」（*ibid*, p.714（同書、同分冊・二八八頁））

3——スピノザ『エチカ』、第三部、定理四。

4——フェリックス・ガタリ、田中泯『光速と禅炎』、朝日出版社、一九八五年、六頁、参照。

5——Cf. Michel Serres, *La Naissance de la Physique dans le Texte de Lucrèce, Fleuves et Turbulences*, Minuit, 1998, pp.229–230［以下、*NP* と略記］（『ルクレティウスのテキストにおける物理学の誕生』豊田彰訳、法政大学出版局、一九九六年、二八八―二八九頁）。

6——「僕は身体と気象ということを基本的には並置するものではなくて、ほんとうはいっしょにしちゃいたいんです。だから僕は身体であり気象であるというふうになってしまいたい。[……]「僕は気象です」というところまで行きたいなと思うんですよ」（田中泯、松岡正剛『身体・気象・言語』、工作社、一九七九年、七〇―七一頁）。

7——Emanuele Coccia, *La Vie des Plantes, une Métaphysique du Mélange*, Rivages, 2016, p.41［以下、*VP* と略記］（『植物の生の哲学——混合の形而上学』嶋崎正樹訳、勁草書房、二〇一九年、三七頁）。「植物のおかげで、大地は、決定的に気息の形而上学的空間になる」。あるいは「思考は、このようにしてもはや最終的な運命を規定するような同一性を実在に与える力ではなく、反対にコスモスの残存部分と出会う点、世界と混合し、その混合によって触発されるような形而上学的空間、存在のもっとも深い同一性を変形する偏差の力である」［強調、引用者］（*ibid*, pp.53, 136（同書、五三、一五〇頁））。

8——「自由な人間は、何よりも死について考えることがない。そして、彼の知恵は、死についての省察ではなく、生についての省察である」（スピノザ『エチカ』、第四部、定理六七）。また、こうした自由な人間は、悪い感情から働きを受けることが少なく、またそれだけ死を恐れることが少ないとも言われる（同書、第五部、定理三八、定理三九・備考、参照）。

9——スピノザ『エチカ』、第四部、定理三九・備考。本論文のこの部分についての考察は、拙著『死の哲学』（河出書房新社、二〇〇五年）のなかのとりわけ「死を分かつもの——ドラマ化の線」という節で展開したスピノザの「死」についての考え方の再解釈あるいは再挑戦という意味がある。

10——「子供たちは、スピノザ主義者である。[……] スピノザ主義とは、哲学者が〈子供に‐なること〉である」（Gilles Deleuze, Félix Guattari, *Mille Plateaux*, Minuit, 1980, p.313［以下、*MP* と略記］（『千のプラトー』宇野邦一・他訳、二〇一〇年、河出文庫、中・一九六―一九八頁）。

11——「〈存在しないことができる〉のは無力能(impotentia)であり、これに反して〈存在することができる〉のは力能(potentia)である」(スピノザ『エチカ』、第一部、定理一一・別の証明)。神は、全知・全能であるから、自らを存在しないようにすることもできると考えられてきた。しかし、スピノザは、このように考えられた神は実は無力能なもの以外の何ものでもないと批判する。例えば、人間はどこかの時点で存在し始めたので、必然的にどこかの時点でその存在の仕方も終焉する。しかし、神は、存在し始めることがない以上、存在し終えることもない。これを肯定的に言い換えると、神とは絶対的に存在するもののことである。つまり、無限意志を有する神を考えることは無力能の神を定立することであり、これに対して存在する力能の必然性のもとで神を認識することは擬人化された無限意志を神の本質のうちにもち込むことなどけっしてないということである。

12——Cf. Antonin Artaud, "Sur le suicide", 1925, in *ARTAUD, Œuvres*, Gallimard, 2004, pp.124–126(「自殺について」宇野邦一訳、『ユリイカ』、一九九六年一二月号所収、青土社、七八—八〇頁、参照)。

13——ベルクソンは「羊」を数えるという有名な事例を上げているが、ここではあえて死体を数えるという場合を考えると、何をそこで考えることができるであろうか。例えば、戦時下の攻撃によって多くの死亡者が出たとする。そのなかに幼い子供たちの死体も含まれていたらどうなるのか。人は、子供たちの死体を見出したとき、その攻撃での死亡者の数を数えることができなくなるのではないだろうか。数える行為は、まさに上位の問題を提起し構成する力があると言える(Cf. Henri Bergson, *Essai sur les données immédiates de la conscience*, in *Œuvres*, Edition du Centenaire, PUF, 1959, pp.51–54, 56–59(『意識に直接与えられたものについての試論』合田正人・平井靖史訳、ちくま学芸文庫、二〇〇二年、九〇—九四頁、参照))。

14——スピノザは人間の認識を三つの様式(情動、概念、直観)に分けたが(『エチカ』、第二部、定理四〇・備考二、参照)、同様の仕方でドゥルーズ=ガタリはこうした対象性の位相——言わば、観念の対象性の差異——を〈被情動態〉(affect)、〈被概念態〉(concept)、〈被知覚態〉(percept)として規定した(Cf. G. Deleuze, F. Guattari, *Qu'est-ce que la Philosophie ?*, Minuit, 1991, pp.21–37, 154–188(『哲学とは何か』財津理訳、河出文庫、二〇一二年、二九—六四、二七四—三三六頁、参照))。しかし、この後者では観念における被観性のこうした三つの様態は、哲学、科学、芸術が批判的に区別される際の諸要素としてもっぱら考察されるだけであり、それゆえ改めて内在性の哲学において、これら三つの基本特性としての〈被性〉が明確に脱-主体的で非-表象的な〈被観性〉(あるいは被表現態)として把握されるべきであると思われる。

15——G. Deleuze, F. Guattari, *MP*, p.295(中・一六七頁)。

16——Cf. Slavoj Žižek, *Tarrying with the Negative——Kant, Hegel, and the Critique of Ideology*, Duke University Press, 1993, pp.108–114(『否定的なもののもとへの滞留——カント、ヘーゲル、イデオロギー批判』酒井隆史・田崎英明訳、太田出版、一九九八年、一七三—一八一頁、参照)。また、拙著『死の哲学』(「偽の分身——〈吸血鬼であれ、人間であれ〉」、一一六—一二一頁)も参照されたい。

17——G. Deleuze, *Différence et Répétition*, PUF, 1968, p.269(『差異と反復』財津理訳、河出文庫、二〇〇七年、下・一一〇頁)。

18——Cf. *Die Fragmente der Vorsokratiker I*, Hermann Diels, Walther Kranz (Hrsg.), 1951, Berlin, pp.141, 143, 158, 171(『ソクラテス以前哲学者断片集第一分冊』内山勝利編集、岩波書店、一九九六年、二八六—二八七、二九一、三一七—三一八、三三五頁、参照)。

19——「文化は、別の諸手段による野蛮の継続である。ペストは、この暴力的な延長の正確なモデルである。その伝染病は、諸々の街角を薪の山で満たすことで、街全体を占拠するまでに、蔓延し、増殖し、人を殺すのだ。園庭は何よりも防御的であり、それは水とパンデミックの増大に対して科学によって要塞化した高い場所にあって、ペストを閉め出している」（M. Serres, *NP*, p.235（二九五頁））。

20——これについては、例えば、拙論「自由意志なき〈自由への道〉——行動変容から欲望変質へ」（『思想としての新型コロナウィルス禍』所収、河出書房新社、二〇二〇年、一六四—一七一頁）を参照されたい。

21——「私はここで、この演劇的スペクタクルという表現を、寄り集まった大衆の前で身体に行為させるスペクタクルのあらゆる形式——劇的行為、ダンス、パフォーマンス、パントマイム、等々——を含めて用いている」［強調、引用者］（Jacques Rancière, *Le Spectateur émancipé*, La fabrique éditions, 2008, p.8（『解放された観客』梶田裕訳、法政大学出版局、二〇一三年、四頁））。階層的に一様に方向づけられた〈単一体‐群衆〉として寄り集まった解放されていない観客は、〈パンデミック〉下においてはもはや存在しえないであろう。これに対して解放された観客とは、離散しつつも分子状に結合すると同時に、つねに多様な方位と可変的な距離とを有する群れのことである。〈パンデミック〉が肯定されるとすれば、それは、まさにこうした解放を実現しうる外部の原因となり、またこうした群れの発生的要素となりうることにある。「群衆」と「群れ」の差異については、G. Deleuze, F. Guattari, *MP*, pp.46–47（上・七九—八一頁）を参照せよ。

22——「〈柱廊〉〔ストア派〕が支配者であったところに、〈園庭〉〔エピクロス派〕が戻ってくる。大域的なものが理由であったところに、局所的な解が戻ってくる」（M. Serres, *NP*, p.234（二九四頁））。ルクレティウスをめぐっては、つねにその評価が対立する場面がある。『物の本性について』のとりわけ第六巻の最後のアテナイの疫病についての記述に関するベルクソンとドゥルーズとの解釈の対立については、拙著『アンチ・モラリア——〈器官なき身体〉の哲学』（河出書房新社、二〇一四年、二四〇—二四四頁）を参照されたい。

23——「断絶によって厳密に定義される死は、まったく反対に、〈クリナメンなき原子〉のようである」、「というのも、〈クリナメンなき原子〉は、純然たる死、カオスへの回帰、あるいは誕生以前のカオスだからである」（M. Serres, *NP*, pp.228, 230（二八六、二八九頁））。

24——Cf. G. Deleuze, *Logique du sens*, Minuit, 1969, p.312（『意味の論理学』小泉義之訳、河出文庫、二〇〇七年、下・一六四—一六五頁、参照）。

25——この問題については、拙著『アンチ・モラリア——〈器官なき身体〉の哲学』（河出書房新社、二〇一四年、「道徳と気象——ペストの力能について」、二四〇—二四四頁）を参照されたい。

アルチュール・クラヴァンは生きている

谷昌親

三月はじめとはいえ、肌寒い日だった。二月中も季節はずれと言っていいほどの穏やかな陽気が続き、むしろ暖かさを感じさせる陽ざしが降りそそぐことが多かったのに、この日は朝から細かな雨が断続的に降りつづき、気温がほとんど上がらないまま日が暮れて、時計の針はすでに十時すぎを指していた。ちょうど前日から、妻が自分の仕事の関係で便宜をはかってもらえるキャンプ場に他の仕事仲間たちと子連れで出かけていて、わたしは家にひとりでいた。夕方近くになって、高原地帯にあるキャンプ場の雪景色の写真がスマホに送られてきて、そのキャンプ場の夏の風景しか知らないわたしは、一面の雪に埋もれるなかに妻たちが投宿しているバンガローが点在するさまを、なにか神秘的に感じたりもしたものだ。そんな写真を眼にしていたせいか、冷たい雨が降る東京の夜をひどくわびしく感じていた。

そうした底冷えするような陽気やわびしさのせいで、ふとパリの冬を思い出した。緯度で言えば北海道よりも北に位置するパリは、雪こそあまり降らないものの、身体の芯から冷えるような寒さになることがよくあり、しかも冬は日照時間が東京以上に短く、ものがなしさにとらわれがちになる。大学院生のときに留学し、同じ留学仲間からあいつはあんなに遊んでいてだいじょうぶなのかと心配されるほどパリでの生活を満喫しながらも、冬になると東京が懐かしく感じられたものだ。もちろん隣の庭は青く見えるといったところが多分にあったのだろうが、鈍色の空模様が毎日のように続くと、空気が澄みわたったように感じられた快晴の日の東京の青空が記憶に蘇ってきて、パリの暗い冬が恨めしく感じられた。だが逆に、そんな冬を体験したからこそ感じられるようになってくるものもある。まだフランス文学を専門に勉強しようと思わないころにすでに知っていた詩のひとつに、ポール・ヴェルレーヌの「感傷的な対話」があるが、この詩でつづられるわびしさはある意味普遍的なものであるものの、パリの冬を体験すると、いっそう身にしみて感じられたものだ。ひさしぶりに夜間にひとりで家にいたので、少しは自分の仕事でもするか、普段読めないでいた本でも読もうかと思っていたのに、急な冷え込みで気分まで醒めたようになって、開いた本のページも意味らしい意味を伝えずに眼の前に広がるだけといったありさまだったが、そういえば『ヴェルレーヌ詩集』が家にあったはずだと、普段はあまり覗き込まない廊下脇の書棚が見えるように明かりをつけて探していると、お目当ての思潮社の訳詩集シリーズの一冊が見つかった。目次を開いてみると、複数の訳者によるヴェルレーヌの詩を集めたものになっていることがわかり、そうか、そういう作りの本だったと思い出し、「感傷的な対話」を探すと、窪田般彌さんと野村喜和夫さんの訳で載っている。それぞれのページを開いて冒頭部分に目を通してみる。窪田般彌さんの訳ではこうなっている。

人気なく凍りついた廃園を、
今し方、通り過ぎた二つの影。

その眼は死にたえ、唇はゆるみ、
話す言葉もほとんどきこえぬ。

そうか、般彌さんは「廃園」と訳していたのか、とまずはそこのところが気になる。同じ冒頭を野村喜和夫さんは「ひと気なく凍りついた古い公園を」と訳している。こちらのほうが原文に添っているとは言えるだろう。「古い公園」と訳せばすむところをあえて「廃園」としたのは、なにか荒んだ感じのあるこの詩の雰囲気にはそのほうがふさわしいと般彌さんが考えたからだろうか。たしかに詩の最後で二人は「燕麦のなかを歩いていった」とされるのだから、ほとんど公園として機能を失った場所であるのはまちがいないだろう。ところで、さきほどから般彌さんなどと妙に親し気な呼び方になってしまっているが、窪田般彌さんはわたしたちが大学生だったときに仏文科の教員であり、学生はだいたいにおいて彼のことを

「般彌先生」あるいは「般彌さん」と下の名前で呼んでいたのだった。自身も詩人である般彌さんのフランス詩についての授業は当然ながら人気があったのだが、天邪鬼のわたしは、みんながそろって般彌さんの授業を取るというので、あえて別の教員が担当するフランス詩の授業に出たりしていたので、結局、般彌さんの授業は体験しないままになってしまった。なぜそういう性向になったのか不思議な気がするが、メジャーとマイナーがあると、いつのまにかマイナーなほうへと流れていこうとしている自分がいる。みなと同じ流れに乗っていると、眼にするものがどうしても月並みに感じられてしまいそうで、避けてしまうのだろうか。いまから思えば、もちろん結果的に出ることになったフランス詩の授業もおもしろかったものの、意地をはらずに般彌さんの授業も出てみればよかったと思うのだが、悪癖というのはなかなか治らない。結局、自分が研究対象にしたり、興味を持って読んだりする作家や詩人も、どちらかといえばマイナーな存在が多くなってしまう。そのせいで、自分自身も袋小路のようなところに入り込んでしまったのではないか。

いつのまにか考えが脇にそれてきてしまったが、「感傷的な対話」の訳文を確認しているところだった。凍てついた古い公園（あるいは廃園）に姿を見せた二つの影は、題名どおりの「感傷的な会話」をかわす。片方が、かつて自分たちが体験した陶酔感や二人で過ごした幸福の日々を思い出させようとするのに対し、相手は冷淡なままで、往時の記憶を蘇らせようなどとはしない。そして最後に次のような会話を交わす。今度は野村喜和夫さんの訳で引いてみよう。

――なんと空の青く、希望の大きかったことか。
――希望は逃げていったわ、空しく破れて、黒い空の方へ。

そしてさきほど触れたとおり、二人は燕麦のなかを歩いているとされたうえで、「彼らの言葉を聞いたのは夜ばかり」（窪田般彌訳）となり、二人が会話を交わしていたのは夜だったことがわかる。しかも、途中、冒頭の二行を繰り返すように始まった三連目で、「二つの影」は「幽霊」（窪田般彌訳では「幻」とややぼかされているが、ここはわたしならはっきり「幽霊」と訳してしまいたい）だと明かされてもいたのだ。

わたし自身もこの「幽霊」（あるいは「幻」）のようなものだ。それこそパリに留学していたころは、なにか大きな夢があったわけではないにしろ、鈍色の空を眺めつつも、希望の広がりを感じられていたように思うが、それから多くの歳月が過ぎ去り、「希望は逃げていった」と言わざるをえない気持になっている。こんなにも流れていってしまった時間にみあうだけの何かを自分はしてきただろうか。

冷え込む陽気のせいか、ひさしぶりにひとりで夜を過ごしているせいか、わたしの思いはそうした暗い淵へと引き寄せられていた。するとそのとき、インターフォンが鳴った。反射的に壁にかかった時計のほうに眼をやると、十時半近い時間になっている。こんな夜更けに誰がといぶかしく感じ、ふと、また酔っ払いが迷い込んだのかと考えた。ちょうど一年前の同じころ、そのときはもう日付が変わろうとしていたころだったが、やはりインターフォンが鳴ったのでモニター画面を覗いてみると、見知らぬ若い男の顔が映っていた。男はなにやらよく聞き取れぬことをぶつぶつ言ったかと思うと、踵を返して後方の階段まで行き、段を腰かけ代わりにして座り、今度はかなり大きな声で愚痴めいた口上を長々と述べたてはじめた。わたしの住んでいるマンションは、向いにもうひとつ建物があるだけの袋小路にあり、通りすがりの人間などはまずやって来ないのだが、その一方で、古い建物のせいでオートロックがなく、誰でも簡単になかに入れてしまう。したたか酒を飲んで方向感覚を鈍らせた男が普通なら入り込まないような路地に足を踏み入れてしまい、寒さから逃れるために建物のなかに入り込んだだけでなく、酔いにまかせ、日ごろの鬱憤を言葉にしたくなったようだ。

今度もまたどこかの酔っ払いが紛れ込んだのかとインターフォンのモニター画面を覗きこんだわたしは、ぎょっとして上体を思わず後ろにのけぞらせた。画面には大きな熊のように見える黒い影が映っていたのだ。最初の驚きがおさまってからよく見直すと、それは黒い毛皮のコートをまとい、黒い山高帽をかぶった男の姿だった。玄関前の廊下の天井には照明が設置されているが、男は扉から少し距離を置いたところに立っているうえに、山高帽の鍔の陰になって、顔はよく見えないが、西洋人のようだ。それとも、山高帽などかぶっているからそう感じてしまうのか。それにしても奇妙ないでたちだ。いまどき山高帽をかぶっている人間に出会うことは、たとえヨーロッパに行ったとしてもあまりないし、男の着こんでいる毛皮のコートも、何の毛なのか、とにかく盛り上がるほどの豊かな黒い毛でできていて、男物でこの種のものにはあまりお目にかかったことがない。舞台俳優が衣装のまま外に出てきてしまったのだろうかと疑いたくなるが、とにかくそんなおかしな格好で、しかもやたらに図体の大きい見知らぬ男が玄関先に深夜に立っているのだから、こちらは心中が穏やかではない。このまま居留守を決めこんで、男が諦めて立ち去るのを待つしかあるまい。そう思っていたとき、男が口を開き、わたしの名前をフルネームで挙げながら、話をしたくてやってきたと英語で来意を告げた。玄関には表札がかかっているが、漢字で名字が書いてあるだけで、男が漢字を読めたとしても、下の名前まではわからないはずだ。わたしのことを知っているのだろうか、知っているとしたらどこで知ったのかと、好奇心が不安をうわまわるようになり、いつのまにか自制心を振り払って、男にやはり英語で訊ねていた。「わたしのことを知っているのですか。それにしてもずいぶん遅い時間の来訪ですね」

応対があったことで男は安堵した様子で、少し扉に近づき、今度はフランス語で説明しだした。

「たしかにずいぶんと遅い時間になってしまい、すまないと思っている。おれはいろんな国や地方を放浪したことがあるが、日本は初めてで、さすがに勝手がなかなかわからなかったし、あんたのすまいはやけに見つけにくいところにあるんで、迷ってしまい、そうこうするうちに日も暮れて、こんな時間になってしまったんだ」

夜更けにいきなり訪問してきた理由を説明するには少し馴れ馴れしい口調だったが、嫌みのない素直な話し方のように感じられた。それでこちらもフランス語に切り替えてつい問いかけてしまったが、それは、男の言うとおりわたしの住むマンションは細い路地の奥にあってわかりにくく、車やスマホのナビでも正確には表示されないので、配達員のような人間でも見つけきれずに電話をしてくるといったことがときどきあるため、迷ったという男の言葉が信じられるように感じられたからでもあった。

「夕方前からずっと探していたのですか。こんなに冷えるなか、それは大変でしたね」

すると男は軽く笑い、駅前にある定食屋の名前を挙げ、白状すると、実はそこで少し暖を取りつつ腹ごしらえをしていたのだと説明した。店に来ていた客のなかに英語ができる者がいて、いろいろと説明してくれて、焼き魚やもつ煮を食べたという。さらに、その客が勧めるので、日本酒や焼酎も少し飲んだという。

「焼酎というのはスピリッツみたいだね。日本酒のほうも熱燗というのを試してみたし、焼酎もお湯割りというので飲んでみたが、こんな寒い夜にはぴったりだよ。ホットワインを思い出すね」と男が言うのを聞いて、たしかにフランスにいたころ、寒い夜にカフェでホットワインを飲むときに感じた暖かな感触が蘇ってきた。そんな話をインターフォン越しにするうちに、男に対するわたしの警戒心は少し薄れてきたが、それでもやはり不信感はあった。

「うちがわかりにくくてご面倒をおかけしたのは申し訳なかったですが、こんな時間ですし、明日また出直してもらうわけにはいきませんか」そう提案してみると、男はさらに扉に近づき、それまでとはちがってきまじめな様子になって言った。

「おれは図体がでかいし、実は腕っぷしも強い。昔はいろいろと騒ぎも起こした。だがあんたに危害を加えたり、迷惑をかけたりするつもりはない。むしろ逆だよ。おれはあんたに感謝しているんだ。

だからわざわざ会いに来たんだ。明日出直せるならそうするが、事情があって明日は来られない。今夜しかないんだ。こうして顔も見ずに立ち話を続けるのもつまらないし、少しだけでいいので、中で話をさせてくれないか」

わたしはさすがに迷ったが、家族がいればその安全も考えねばならないものの、その夜はひとりだったので、自分の身のことだけなんとかすればいいのだし、こうしてインターフォン越しの会話を続けては近所迷惑にもなりかねない。少し話をすれば男も満足して帰ってくれると考え、扉を開いた。

予想はしていたが、男がその大きな身体を中に入れてくると、思っていた以上の威圧感で、こちらは反射的に少し退いた。すると靴をはいたままで中に進もうとするので、慌てて両手で軽く押し戻し、「すみませんが、日本では家の中に入るときには靴を脱ぐことになっているのです」と説明した。

「そうか、これはすまなかった」と素直に謝り、いかにも慣れない様子で男が靴を脱ぐと、そのひときわ大きく感じられる靴のせいで、玄関の靴置き場が急に狭苦しく感じられる。スリッパを出してやりながら、「照明が暗くて申し訳ありません」と言い訳したが、玄関の照明は調光式になっていて、夜分でもあり、そのときはかなり暗めに設定してあったのだ。

「いやかまわないよ。むしろこのほうがいいくらいだ」と返したうえで、男は、「本当にこんな遅い時間にすまない」とまた謝り、さらに続けた。「そのうえ、あんたを驚かせることになるから、余計にすまない気持だよ」

「驚かせる、というと？」と訊き返すと、男は右手を差し出しながら、「どうしたって驚かずにはいられないだろう。おれはフェビアン・ロイドだ。よろしく」と言った。

差し出された手を無意識に握ると、思いがけないほどの強さで握り返され、そのせいでこちらの身体もびくりと反応したが、同時に、男が口にした名前がどうにもすぐには呑み込めず、思わずおうむ返しにつぶやいた。「フェビアン・ロイド……」

「そう、フェビアン・ロイドだ」と男が繰り返すのを聞きながら、そんな馬鹿な、という思いが湧き上がってくる一方で、どうりでその姿かたちにどこか見覚えがあるような気がしていたと思い当たってもいた。

それほど長いあいだではなかったはずだが、なにをどう考えていいのかわからないまま、わたしはその場に立ち尽くしてしまい、空白の時間が流れた。ようやく気を取り直し、明かりを強くしてもいいか、あなたの顔をしっかりと見たいから、と男にこちらの希望を伝えた。「もちろんかまわないよ。ここはあんたの住まいなんだからな」と言い、そして「失礼」と言いながら山高帽を脱いで手に持った。

　玄関の調光を操作して明るくすると、そこに写真で何度も見たあの顔が浮き上がってきた。短めに刈ってはあるもののくせ毛が広い額に垂れている髪は、ブロンドというよりは栗色だろうか。面長でこころなしか下ぶくれ気味の四角張った顔の中心を、太い鼻梁が縦に走りぬけて、その下で軽く結ばれた薄い唇は少し冷たい感じを抱かせる。しかし、鼻梁が形を成しはじめるあたりで眉が左右に大きくおおらかな弧を描き、なかばすまなさそうに、なかばおもしろがるようにこちらを見ている大きな瞳は澄んでいて、どこか夢見るようなまなざしになっていた。

　いつまでもわたしが見つめているのに閉口したように、このまま立ち話というのも窮屈だから、もしかまわなければ座って話さないかと男が言った。そう言われて自分たちが玄関に突っ立ったままでいたのに気づき、わたしはあわてて男を中に案内し、食堂を兼ねた居間の奥のほうの窓際にあるソファーに座らせた。

　古いマンションにしてはそれなりに広い部屋ではあるが、そもそも書籍やCDやDVDなどがあちこちの隙間を侵食するかのように置かれて手狭になっているうえ、日本の家屋の作りだと天井も低いので、いま眼の前にいるような大男がひとり入っただけで、いかにもゆとりがない感じになってしまう。ソファーも、空いた空間にかろうじて入るように選んだ小ぶりのものなので、男が座ると家具というよりは玩具に見えてきて、わたしはふと、ミニチュアの家のソファーに座らされた熊の縫いぐるみを連想してしまい、笑いを噛み殺した。

　脱いだコートと帽子を受け取り、玄関のコート掛けにそれぞれ掛けてから戻ると、好奇心を抑えきれないように部屋のなかを見まわしていた男に、なにか飲むかと訊ね、答えが返ってくる前に、アルコールならビール、ワイン、ウィスキー、そして男がさきほど飲んできたという日本酒や焼酎と挙げていき、ブランデーもあると付け加えた。男が「ほう……」と反応を示したので、いまあるブランデーはコニャックとカルヴァドスだと告げる。

「カルヴァドス……、日本にカルヴァドスがあると思わなかったな」と不思議そうに言うので、「フランス人の友人でノルマンディー出身のやつがいてね、最近はおたがいに忙しくてあまりそんなことはしていないけれど、以前はときどきフレンチ・レストランで一緒に夕食をとり、帰りに家に寄ってもらっていたんですよ。そうなると食後酒としてカルヴァドスを飲んだりするので、買ってあるんです。ぼく自身もカルヴァドスはわりと好きでね」と説明し、「じゃあ、カルヴァドスを飲みましょうか」とこちらで決めてしまい、台所の棚からカルヴァドスの瓶とストレートグラスを二つ出して注ぎ、ひとつをソファーの前の小さなテーブルに置き、もうひとつのグラスを手にしてわたし自身は食卓――食卓と言っても、表面に木目模様がきれいに出ている重量感のあるテーブルで、かなり面積もとるので、引っ越しのたびに処分しようと思いながら、その前に座ると落ち着くこともあり、いまだに手放せないでいるしろものだ――の椅子にかけた。

男がグラスを手にしたのを見て、「乾杯」とつぶやくように言ってひと口飲むと、男も同じ言葉と動作を繰り返し、「日本酒や焼酎も悪くないが、カルヴァドスはやはりうまいな」と、わたしにというよりは、自分に向ってささやくように言った。

凍てつくような寒さの戸外から暖かい室内に入って安堵し、さらにカルヴァドスで身体の内側も暖まってきた様子の男の顔を見つめながら、「アルチュール・クラヴァンなのですね」と、フェビアン・ロイドが名乗っていたペンネームをわたしは口に出した。男はあえて肯定するというふうでもなく、軽く頷いただけだった。わたしの頭のなかは混乱していたが、それでもまずはいくつか確かめなければいけないと考えていた。

「クラヴァンさん、いや、あなたの書いたものやあなたについての資料はいやというほど読んできたのだし、いまさら敬称をつけて呼ぶのも違和感があるので、この際、アルチュールと呼んでいいでしょうか」。

すると男はまた軽く頷いた。

「アルチュール、あなたはさっきわたしに感謝しているというようなことを言っていましたが、あれは私が書いた『詩人とボクサー』という本のことですか」

「そのとおり。ヨーロッパからもアメリカからも遠く離れた極東の島国でおれのことを本に書いたやつがいるというので、会ってみたくなったのさ」

「それでわざわざ来ていただいて恐縮です、しかし……」とさすがに訊きづらくていいよどむと、アルチュールがうながした。

「しかし……?」

「そもそもあなたは一九一八年ないし一九一九年にメキシコ湾で消息を絶ち、亡くなったということになっているんじゃないですか」

「そうだな」

「そうだなって、いったいそのあなたがどうしてここに現れることができるんですか。三年前には、あなたの没後百年だということで展覧会が開かれてカタログが書籍化されたり、あなたを主人公にしたマンガまで出版されたりしたんですよ。ジャック・マニーニという人が描いた『アルチュール・クラヴァン』というマンガ、読みましたか?」

「眼は通してみたよ。おれはマンガというのはよく知らないが、絵と言葉でおれの人生を語ろうとしているのはわかったよ。なかなかおもしろかったね」

なにかひとごとのように話すので、こちらはかえって興奮してきた。

「没後百年の企画があってまもないのに、実は死んでいなかったとでも言うのですか? だいいち、あなたがメキシコ湾で命を落とさず生き延びていたとしても、あなたは一八八七年の生まれだから、いまは百三十歳を超えていることになってしまう。そんな年齢まで生きる人間がいるとは思えないし、万が一いたとしても、あなたの姿かたちはそんな年齢には見えませんよ。せいぜい三十代で、あなたが消息を絶ったころの年齢のままじゃないですか」

「たしかにいまのおれは、あんたたちのような肉体はもう持っていないよ。いわば霊的な存在といったところでね」

「霊的存在って……」あまりに突拍子もない説明に思われて、アルチュールには見られないように顔を横に向けたもの、わたしはあきれたような表情を浮かべていたはずだ。しかし、そうした言い方でもしないかぎり説明のつかない存在が眼の前にいるのも事実だった。

「霊的存在といっても亡霊というわけじゃないんだ。生きていたときの思念のようなものが集まってかたちになったというか……。ほら、寒いと水蒸気が結晶化して雪になるだろう、あの雪みたいなものと思ってもらってもいいかもしれない。気温が上がれば結晶が崩れてまた眼には見えなくなってしまう」

「なんだかわけがわからなくなってきましたよ」と思わず苦笑した。

「世の中にはわけのわからないことなんて、いくらでもあるさ」アルチュールのほうは、妙に諭すような調子になっている。

「そう言えば、死んだはずのオスカー・ワイルドが訪ねてきたという話をあなたは書いていましたね。一九一三年でしたかね。このころならワイルドが生きていたとしても十分人間の寿命の範囲だし、あなたの証言では、ワイルドは一般に死んだとされていたときよりもさらに年をとっていたと言うのですよね。本当にワイルドに会ったんですか?」

するとアルチュールは、いたずらっ子のような笑みを浮かべて答えた。「さあな、昔のことなので忘れたよ」

「あの「オスカー・ワイルドは生きている」という文章は、あなた得意の売名行為のひとつだと見なす人もいるようですが」

「売名行為というなら、おれのやってきたことはどれもこれも売名行為だよ。おれはたしかに有名になりたかったからな。だが有名になりたいというのは、たんに名前を知られたいということじゃない。いろいろな人と交流したいということなんだ。おれは自分というものをひとつの枠にいれることができない。そのときどきでいろいろな存在になってしまう。それはさまざまな人と関係を持つことでもあるんだ。その関係性の網の目のなかでこそ、おれは生きてきたんだからな。おれとあんただって、おれが少しは有名になったから、こうして関係を持てているんだろ？」そう言ってわたしの顔を覗きこみ、喉の渇きを思い出しでもしたかのようにグラスを手にしてまたひと口飲んだ。

「なんだか詭弁のようにも聞こえますが、まあいいでしょう。「オスカー・ワイルドは生きている」という文章はあなたをそれなりに有名にしたのは事実でしょうし、アンドレ・ブルトンが『黒いユーモア選集』であなたのことを紹介するときに取り上げたのもこの文章だったわけですからね。ブルトンのことは知っていますか？」

「ああ、おれについて書いた文章は読んだがね」

「ブルトンは、『黒いユーモア選集』ではあなたのことを「ダダの先駆者」と言っていますが、それ以前に、雑誌『ディス・クォーター』の一九三二年九月号に「シュルレアリスム、昨日、今日、明日」という文章を寄稿した際、「クラヴァンは挑戦においてシュルレアリストだ」と書き、一九二四年の『シュルレアリスム宣言』で披露していた「誰だれは何々においてシュルレアリストだ」という文のリストにあなたを加えた格好になっています」

アルチュールはあきれたとでもいうように軽く首を振った。

「おれはダダもシュルレアリスムもよくわからん。だいたいグループを作って群れるというのは性に合わないんだ」

「そうなんでしょうね。若いころからひとりで放浪していたわけですし。でも、関係性は作りたいわけですよね」

「関係性を作るのはグループに属するのとはわけが違う」

「そうですか、でもブルトンが「挑戦」という側面に注目したのはおもしろいと思いませんか」

「挑戦ね、挑発ならしょっちゅうやっていたけどな」

「「アンデパンダン展」という文章なんてその最たるものですね」

「そうだな、アポリネールお気に入りの画家たちをくそみそに言って、そのうえアポリネール本人をユダヤ人呼ばわりしたせいで、アポリネールから立会い人を送られて、あやうく決闘になりそうになったからな」

「あなたはあっさりと釈明し、まあ釈明と言っても、かなりお茶らけたもので、よくアポリネール側があれで納得したものだと思いますが、とにかくなんとかおさまったわけでしたね」

「お茶らけたといっても、アポリネールをユダヤ人呼ばわりしたことは取り消したからね。「アポリネールはユダヤ教徒などではまったくなく、ローマカトリック教徒だ」と断言したんだから。たしかに、以前はアポリネールと恋愛関係にあった画家マリー・ローランサンのことはだいぶからかったけどね」

「それだけじゃないでしょう。アポリネール本人についても、ユダヤ人あるいはユダヤ教徒云々のあと、こう付け加えているじゃないですか。「将来にも起こりうる誤解を避けるために付け加えたいのだが、でかい腹のアポリネール氏はキリンよりはサイに似ているし、顔はライオンというよりむしろバクの親戚で、長いくちばしのコウノトリよりハゲワシに近い」と。アルチュール、あなたはいつもひと言多いんですよ」

「まあな、だがそれがおれのやり方だし、このあとそれなりにアポリネールとの関係ができたわけだ。バルセロナに行ってからは、マリー・ローランサンとだってつきあいがあったんだ。それもこれも、おれがまずは挑発したからさ」

　たしかにこの男は、さんざん挑発しておいて、その挑発した相手と昔からの仲間のようにつきあったりしてしまえる。それもひとつの才能なのかもしれない。

「たしかにあなたには独特の挑発の才能があるのかもしれない。それに、あなたの挑発にはどこかユーモアがありますよね。さきほどのアポリネールを動物にたとえた言い方も、たしかにひと言多い感じではありますが、同時になんともいえないユーモアをかもしだしている。あなたは攻撃的になったときでもユーモアを忘れないから、ただの諍いにならず、交流が生まれるんじゃないですか」

「そうかもしれないな。それにおれは、他人のことばかりじゃなくて、自分のこともこきおろすからな。おれが行方をくらませてからだいぶあとにブルトンがニューヨークの雑誌に載せてくれた「覚書」という文章のなかでも、たしか、「主よ、おれの頬ひげは野草のようで、足は臭いのです」などと書いたはずだよ」

　そう言ってアルチュールが愉快そうに笑っているすきに、前のテーブルに置かれたままのグラスを覗き込むと、すでに空になっていたので、カルヴァドスの瓶を手で持ち上げてみせると彼がうなずいた。わたしは彼のグラスに注いでやり、やはり空になっていた自分のグラスにも注いだ。

「おなかのほうは大丈夫ですか。たいしたものはありませんが、簡単なつまみなら出せますよ」

「いや、大丈夫だ。さっきしっかり食べてきたからな。カルヴァドスだけで十分だよ」

　そう言いながらグラスを口に運ぶアルチュールを眺めながら、この男にとって挑発というのは一種のあいさつのようなものなのかもしれないという考えが浮かんだりもした。

「挑発と言えば、のちにミナ・ロイの義理の息子になったジュリアン・レヴィが彼女宛の手紙におもしろいことを書いていたのを思い出しましたよ。あなたは、パリ時代に友人と有名なカフェのクロワズリ＝デ＝リラに行ったとき、店にいた連中がどいつもこいつも堕落した顔をしていると言い放ち、文句があるなら向ってこいと挑発したというじゃないですか」

「まあ、そんなことはしょっちゅうやってたね」

「とにかくその日、クロワズリ＝デ＝リラでは、あなたの挑発のおかげで派手な喧嘩が起き、警察までやって来るはめになった。ところが、いざ警察がやってきて張本人のあなたをつかまえようとすると、あなたに殴られた連中が口々に「そいつはクラヴァンだ、いいやつなんだ」と言って、連れていかれないようにしてくれた」

「そうだったかな。どっちにしろ、おれにとっては殴り合いも交流のひとつなんだよ。ジャック・ジョンソンとの試合だってそうだ。あいつのことを認めていたからリングの上でグラブを合わせてみたいと思ったんだよ。アポリネールの場合と同じさ。まずはこちらから少し突っかけてやらないとね。ユダヤ人呼ばわりしたのだって、そう言えばアポリネールが腹を立てるかもしれないと思っただけのことで、ユダヤ人がどうのと思っているわけでもない。人種的な偏見があるなら、そもそもジャック・ジョンソンに関心を持ったりしないさ。あのころは、黒人ボクサーと同じリングに上がるのを嫌がる白人ボクサーが少なからずいたけれど、おれはなんとも思っていなかったからね。むしろ、そこらのふやけた白人よりもジャック・ジョンソンのほうがはるかに人間らしいと思っていたよ」

「そういえばあなたは、美術批評家のフェリックス・フェネオンとの手紙のやりとりで、フェネオンの名前や敬称を使わずに、「親愛なる人間」と呼びかけていましたね」

「あれは、フェネオンの真似にすぎないけれどね」

「あそこでわざわざ「人間」と呼びかけるのは、なんらかのカテゴリーとか身分とかに縛られていない存在だと示すためですか」

「まあ理屈はそちらで適当につけてくれ。たしかにおれにとって、カテゴリーや身分はまったく意味がない。職業とか専門とかもいらないね。詩を書いたら詩人、ボクシングをしたらボクサー、そんなふうに決めつけるなんてつまらないじゃないか。そんな枠にはまったやつが書く詩がおもしろいわけがないし、ただきまじめにボクシングのトレーニングだけしているやつのボクシングに躍動感などあろうはずもない。だからおれは例の「オスカー・ワイルドは生きている」に書いたんだ。「文学なんてみんなタ、タ、タ、タ、タ、タだ。芸術、芸術、おれは芸術などどうでもいい！くそったれ、ちくしょう！」ってな」

「そうでしたね。さっきの話に戻りますが、ブルトンの言う「挑戦」というのは、むしろそういうことを指すのかもしれませんね」

そう言いながらふと見ると、アルチュールのグラスがまた空になっているので、カルヴァドスを注ぐと、彼は壁にかかった時計のほうに眼をやり、「もうこんな時間か」とつぶやいた。たしかに時計の針はいつのまにか十二時近くにまで回っていた。「これをいただいたら失礼することにしよう」とわたしに眼をやり、それからグラスに口をつけた。

「うちならかまいませんよ。ちょうどひとりだし、泊っていってもらってもかまわない」

「いやいや、いくらおれが図々しいからって、そういうわけにはいかないだろう。それにおれにもいろいろ都合があってね」

「都合ですか……」

「そう、おれたちみたいな存在にもそれなりに事情があるのさ。そんなことより、ブルトンの言う「挑戦」について、あんたの考えを聞かせてくれ」。

「そうでした。「挑戦」の話でしたね。ブルトンは、一九三二年十一月三日付で書いたベルギーの収集家ルネ・ガフェ宛の手紙で、あなたがひとりですべてをこなして出していた雑誌『メントナン』には「大きな歴史的価値」があるとしたうえで、それは「文学を超え、場合によっては反文学的でさえあるいくつかの関心事がそれ以外のものにまさった」はじめての出版物だからだと書いているんです」

「たしかにおれは、さっきも言ったように、なににせよカテゴリーに入れて満足するというのは好きじゃない。行儀よく枠におさまった文学なんて、くそおもしろくもないだろう」

「少し酒がまわってきましたか。口が悪くなってきましたね」

「口が悪いのはもともとさ」

「とにかくわたしが言いたいのは、文学であっても文学を超えたり、それどころか反文学的だったりするというあなたのその姿勢をブルトンは「挑戦」とみなしたのではないか、ということです。もちろん彼は、ことボクシングに関しては、あなたがジャック・ジョンソンに文字どおり挑戦したことを指摘してもいますが」

「そうかもしれんな。だがブルトンはボクシングのことはあまりわかっていなかったみたいだがな。ジャック・ジョンソンの名前をまちがえて、「ベン・ジョンソン」などと書いているからな」そして、ブルトンがここにいれば、この間違いを取り上げてからかってやるのに、といった調子でアルチュールは笑ってみせた。

「まああれはご愛敬というところでしょう」

「いずれにせよ、ブルトンはおれみたいに、「たとえばだが、文学などよりボクシングのほうがはるかに好ましい」などとは口にはできないわけだ」。

「それはそうでしょうね。だからこそ彼は、あなたが体現する「挑戦」に惹かれていたんだと思います。そしてその「挑戦」は、あなた自身が「不吉な複数性」と呼ぶ状態にあなたを導くことになった……」

「でもおれにはむしろそれがあたりまえのあり方に思えるのさ。人間なんてものは、ひとつレッテルを貼ってそれで方がつくといったもんじゃない。いろんなあり方を抱え込んでいるんだ。それが「人間」だ。おれがフェネオンのことをそう呼んだような意味でな。それなのに、後生大事に「芸術」を祭り上げたりすれば、それだって結局、本当の意味での「人間」らしくはなくなることにつながる。「アンデパンダン展」という文章で書いたように、「まもなく通りでは芸術家の姿しか眼に入らなくなるだろうし、人間の姿を見出すことがひどくむずかしくなるだろう」ってわけだ。「人間」と呼ばれるべき存在のなかには、もっと有象無象がまじりあっているんだ。「……臆病者、英雄、黒人、猿、ドン・ファン、女衒、英国貴族、農民、狩人、実業家／動物相と植物相／おれはこれらすべてのものであり、すべての人間であり、すべての動物である」、そうは思わないか？」

「わたしにはなかなかあなたと同じように感じたり考えたりはできませんけど、あなたがそうした複数性に惹かれるというのはなんだかわかる気がしますよ。うらやましくも感じます」

「うらやましいなんて言ってちゃだめなんだ。もっとみずからを解き放つんだよ。あんたもボクシングを少しやってみたらどうだい」

「わたしはもう年ですから、遠慮しときます。とにかく、いわゆる文学の枠を超える複数的なあり方で、あなたはあなたなりの文学を実践した。そうした「挑戦」の結果、同時代の先端を走っていたはずのアポリネールやサンドラールといった詩人をある意味では先導することになったわけです」

「別にアポリネールやサンドラールのペースメーカーになってやったわけじゃないがな」

「いや先導というのは、むしろ先んじた、という意味です。あなたが『メントナン』の創刊号に発表した「汽笛」は、サンドラールの「ニューヨークの復活祭」、その「復活祭」が影響を与えたとされるアポリネールの「ゾーン」に先行していたことに注目している人がいるんですよ。「復活祭」や「ゾーン」はまさにモダニズムを代表する詩であるわけですし、特に一九一三年に発表された「ゾーン」は文学史には必ずといっていいほど出てくる作品ですが、あなたの「汽笛」はそれ以前の一九一二年四月に発表されていて、同じ年の十一月に発表された「復活祭」よりも早いわけですからね。さらに、「急げ〔ハイ〕！」はサンドラールのあの画期的な作品「シベリア横断鉄道」に先んじているという指摘もあります。でもわたしは、たしかに発表の時期としては「シベリア横断鉄道」のあとになるけれど、「詩人でボクサー」という作品がやはり群を抜いておもしろいと思いますよ。ロンドンでまずはタクシーに乗って駅に向かい、乗り込んだ列車がリヴァプールに到着するところで終わる作品で、たしかにサンドラールの「シベリア横断鉄道」に較べると移動のスケール感は小さいわけですが、散文から韻文、韻文から散文へと移行しつつ続くという独特の形式のせいもあって、なんとも不思議なスピード感がある。これはまさに、「オスカー・ワイルドは生きている」のなかであなたがその可能性をほのめかしていた「散韻文詩《プロゾポエム》」なのではないですか？「散文で始まり、いつのまにか、最初は距離を置いていて、段々とその距離を縮めていく反復――脚韻――によって純粋な詩へと開花していく作品」とあなたは説明していましたね」

「そうだな、たしかに「詩人でボクサー」は「散韻文詩《プロゾポエム》」を試みた作品だよ。でもアルチュール・ランボーだって散文詩のなかに韻文を入れこむようなことをすでにやっているけどな」

「そういえば、さきほどあなたが自分を茶化した文を引いてきていた「覚書」には、「ランボーの詩が口笛を吹きながら通り過ぎる」という一節がたしかありましたね。あなたの名前もランボーゆずりだというし、あなたの書くものにはたしかにランボー的なものがあります。でも、あなたの詩のスピード感はランボーにはなかったもので、むしろ未来派的と言えるような気がします。あなたは、ダダのことにはまったくふれなかったけれど、マリネッティの名前は何度か書き記していますね。それに、あなたがニューヨークで出会い、最終的には結婚した詩人ミナ・ロイは、イタリアにいたときに未来派の詩人ジョバンニ・パピーニの愛人だったということですよね」

「ミナが昔だれの愛人だったかなんて、どうでもいいことさ。惚れた女の過去に興味はない。おれにとって大事なのはいまこの瞬間だけさ」

「そうなんでしょうね。要するに、あなたの詩には未来派的とも言えるスピード感があると言いたいんです。「シベリア横断鉄道」の躍動感は、自由韻律を駆使したサンドラールの文章もさることながら、ソニア・ドローネの絵やあの折りたたんだかたちから縦に開いて読む形式に負うところが大きいですが、「詩人でボクサー」はあなたの文章だけでそれに匹敵する躍動感を生み出していると思いますよ」

「あんたも少し酔ってきたんじゃないかい。身にあまるお褒めの言葉にあずかって光栄だよ。サンドラールもおれも若いころから放浪を繰り返していたから、そうした移動の感覚が身体に沁み込んでいるということじゃないかな。あいつとおれは若いころの経歴が似ているんだ。ふたりともスイスで生まれ、学校にはなじめず、十代後半からスイスを飛び出している。あの山に囲まれた妙にきれいな風景のなかにいると、なんだか嫌気がさしてきて、逃げ出したくなるんだろうな。おれたちはそれぞれあちこちとさまよい、その土地、その土地でやらせてもらえる仕事をいろいろとこなした。だから自然と「複数性」を身に付けたのさ。ブルトンが「挑戦」と言ってくれるのはありがたいが、おれにとっては、そしてサンドラールにとってもそうだろうが、区切りとか仕切りとかにとらわれずに、次々に境界を越えていくのはあたりまえのことで、それがおれたちにとっては生きるということなんだ」

「なるほど、そうかもしれませんね」そうした話を聞かされると、若いころのクラヴァンやサンドラールがさまざまな場所を放浪した姿が想像できるような気がしてきて、そうした日々があったからこそこの二人は「シベリア横断鉄道」や「詩人でボクサー」のような詩が書けたのだろうと考えると同時に、彼らにとって別の生き方など考えられなかったにちがいないと思えて、わたしはそうあいづちを打った。

「さて、大層なお褒めの言葉もいただいたし、時間も時間なので、そろそろ失礼しよう」

アルチュールはそう言って、掛け時計のほうを眼で示した。たしかにすでに十二時半を過ぎている。

「パリのメトロと違って、東京だともう終電にはまにあいませんよ。泊まっていったらどうですか。このソファーをベッド代わりにすることができるので、これがあなたに狭すぎるようなら、あなたにはベッドに寝てもらい、わたしはこのソファーを使いますから」

「いやいや、お言葉はありがたいが、そうもいくまい」

そう言って、アルチュールはその巨体を引きずるようにして立ち上がった。するとテーブルの上の明かりが彼の身体を照らし、その背後にどこまでも広がるかのような影を映し出し、室内の空気の密度が急に濃くなったように感じられた。わたしは、「アンデパンダン展」でシャガールをこきおろしたあとでアルチュールが書きつけていた、「天才とは身体の常軌を逸した表現にすぎない」という言葉を思い起こさずにはいられなかった。

「東京で飲むカルヴァドスもなかなかおつなものだったよ」

空になったグラスをわたしに返しながらそう言い、ゆったりとした足取りではあるが、玄関に向かう。あきらめきれないわたしは、なおも食い下がった。

「電車もないというのに、慣れない東京の街でどうするつもりですか。泊まっていってください。まだあなたに訊きたいことがいくらでもあるんだ。ニューヨークでの交流やメキシコでの暮らしのこと、そしてあなたが行方不明になったときのこと……」

するとアルチュールは振り返り、心なし憐れむような表情でわたしを見て言った。

「たしかあんたの国では、「秘すれば花」などと言うんじゃなかったかい。なにもかも明るみに出せばいいというもんじゃないだろう」

「それはそうですが……」

玄関前のフローリングの床の上で立ちどまり、またこちらを振り向いたアルチュールの顔を眼にすると、その意志が固いのがわかった。それでもわたしはあきらめきれず、つい彼に訊ねてしまった。

「さきほども話題に出た、あなたが最後に書き残していた「覚書」、あれは大事な文章だと思っているのですが、題名のとおりあくまで覚書なのか、ああした断章形式としての作品なのか、ずっと気になっていたのです。いったいあれは……」

そこまで言いかけたところで、アルチュールは大きな身体を少しかがめ、わたしの眼を覗き込むようにして言葉をはさんできた。

「そういったことは、あんたたちが考えてくれればいいよ。覚書だろうが断章形式の作品だろうが、おれにはあまり変わりがない。どっちにしろ、たとえ一度印刷されたものでも、おれの書くものはいつだって現在進行形なんだよ」

そう言われてしまうと、なおも彼に問いかけることなどできない気がした。わたしは彼のコートを取り、着やすいように広げてやった。アルチュールは後ろ向きになって袖をとおし、さらにわたしが手渡した帽子を受け取ると、ふたたびわたしのほうに向きなおった。最初に見たときはなにやら異様にすら感じられたその黒い毛皮のコートにむしろ一種の懐かしさの感覚を抱いてしまい、わたしは言わずにはいられなかった。

「また会えますよね」

アルチュールは考えこむようにして少し間をおいてから、

「たぶんな」と答えた。

「あんたに会えてよかったよ。おれには日本語はわからないのであんたの本は読めないが、あんたがおれの書いたものやおれについて書かれたものをちゃんと読んだうえで本を書いたらしいということはわかったからな。おれの書くものが現在進行形でありつづけるのは、あんたみたいに読んでくれるやつがいるからなんだしな」

そう言いながら、アルチュールは右手を差し出してきた。その手を握ると、またしても驚くほどの握力で握り返され、あらためてその力強さに驚いていると、彼がなにか短い言葉をささやくように言ったのが耳に入った。よく聞きとれなかったが、別れの言葉を言ったのだろうと思い、わたしもフランス語での別れの言葉を、もともとは再会を期する意味合いが込められていた別れの言葉を口にした。アルチュールの右手に一瞬だけさらに力が込められたあと、わたしの手を離すと、振り向いて扉の把手を押し下げて、そのままあっさりと外に出て行った。少し遅れて、ゆっくりと扉が閉まった。

考える力を奪われてしまったように、わたしはそのまま玄関に立ち尽くしていたが、ふと、アルチュールが傘を持っていなかったことを思い出した。玄関の傘立てに入れてあったビニール傘を手に取り、サンダルをつっかけて、わたしは表に飛び出した。建物の玄関口を通り抜けてマンションの前の路地に出てみると、雨はすでにやんでいる。駅に向かう通りへと出る方角に瞳をこらしてみたが、人影はなかった。わたしが玄関に立ち尽くしていたのはそれほど長い時間だったとは思えないし、路地はそれなりの長さがあるので、まだ彼は通りに出ていないだろうと想像していたのだが、周囲の建物の投げかける暗い影が落ちているだけで、アルチュールのあの巨体はどこにも見えない。雨がやんでいるのに拍子抜けしたこともあり、わたしは通りまで走っていって彼を追いかけてみようという気持にもなれず、小さくため息をつくしかなかった。ふと見上げると、雲の割れ目から星がいくつか見えていた。まだまだ寒いこの季節ならではの澄んだ空気を感じさせるその小さな輝きを眺めていると、玄関でアルチュールが最後に口にした言葉が何だったのか、急に思い当たった。彼は、フランス語ではなく、英語、というよりもむしろ米語で別れの言葉を述べたのだ。なぜだかそれがアルチュールには似つかわしいという気がした。そこでわたしは、夜空を見上げながら彼の言い方にならった別れの言葉をあらためてそっとつぶやいた。

「ソーロング、アルチュール」

［参考文献］

Arthur Cravan, *Œuvres: poèmes, articles, lettres*, Éditions Gérard Lebovici, 1987.
Arthur Cravan : le neveu d'Oscar Wilde, Édition des musées de Strasbourg, 2005.
Bertrand Lacarelle, *Arthur Cravan, précipité*, Grasset, 2010.
Arthur Cravan : Maintenant?, Le Museu Picasso, Barcelone, 2017.
Jack Manini, *Arthur Cravan*, Bamboo Édition, 2018.
『ヴェルレーヌ詩集』野村喜和夫編、思潮社、《海外詩文庫》、一九九五年。

谷昌親
Masachika Tani

山の娘—完全性に向かって霊感に照らされた時代—

アンリ・ミショー

宮脇諒 訳

FILLE DE LA MONTAGNE
VERS LA COMPLÉTUDE
L'ÉPOQUE DES ILLUMINÉS
Henri Michaux

山の娘—FILLE DE LA MONTAGNE

娘は子供のまま
花開くことは無かった
日々はひと鎖になって
夜明けは無かった

風も吹かない小屋で
牛馬の世話をし

娘は窓を夢みた
広く、大きな窓
清算を終えた
死者たちが
また現れる窓

芽吹きの季節がまた来る
外では季節が
ヤギたちに草を食ませる
そうして山の頂に立った時、身に覚えのない

無限の広がりが彼女の前にあった
無限の広がりが彼女の周りにあった
山を駆け上り
駆け下り
また登った

しかし彼女の故郷から遠くはなれた国々
遥かな大陸では
神々は
諸天に在って、空もすぐそこだった

神々はいたる所にやって来た

山々は勇敢な者に勇気を与え
粘り強い者に粘り強さを与え
上昇を望む者に上昇を与えた

全ての空間が
幾瞬間にも異なった
全ての部分を迎え入れる
魅惑と激情と
期待

期待で
満ちた無限の空間

頂から頂へ
高原と傾斜による
天上の沈黙の舞台

死んだ者たちが現れ、消え
そしてまた現れる、その向こうへ

平原はこのようにものを運ぶことを知らない

幾週間が過ぎた、幾月が過ぎた
移民であるかのように、長い月が移った

ある日
その朝
人々から遠くはなれ、径を外れ
急に現れた
存在が、そこに在った、透明な
極まった、美、そのもののような

山
絶壁のふもとで

それがそのまま陶酔であるような美
無垢の魂がそれを見つけた、無垢の前にそれは姿を現した

祖国からはなれた
貧しい娘の処
現れた
あらゆるものより完全で、最善の美

石に囲まれた祈り、空想、霊魂の憧憬
——これが彼女の本当の経験だった——
彼女が祈っていたとき、それは何物への祈りであったか
おそらく、空の開くところ

空はかすかに開いた
聖アウグストゥスは貧しい人の許に来た

目立たない、控え目な
山の娘に
現れたのは、人か
女神か？

とりわけ　光
ただ　光
光と同じように、それは宿る

同時に
火山の傾斜した地面が裂けるよう、目を覚ます
全ての留め具は外れ、彼女の内部と周囲で
何物とも比べようもない
奇妙な、所在ない要塞が築かれた

・・・・・・・・・・

もの思いに耽った頃の記憶は重くなった

幼少期は消え失せ
もう二度と戻ってこない
かつての時期、幼い容貌
もうひとつの領域

ただ光り輝くばかりではない

霊による美を彼女は見た
彼女は目撃したものに
ただ至福を感じるばかりではなく
ただ栄光を預かるばかりでもなく、ただ称揚するのでもない

彼女がもう二度と口を開かないとすれば
それは未知の美に対する
畏敬による
その姿が彼女には与えられた

彼女はそれとひとつになり、結びついた

美はどこから、自らの姿を教えにやって来たのか

叡智に似た美
上層の知

若く、無垢の顔、悟った者の眼差し
智慧を映し出すもの
他を忘れた、真の瞑想

人生は別なように続いた

救い、救われる
〈光〉に
照らされて

追うべき〈光〉

改宗の言葉なく
それは彼女に訪れた

人々の顔を横切る
娘の眼差しのもとで
人々は重荷を解いた

漠然として、はっきりとしない彼らの生を
彼女ははっきりと見分け、個々を解き放ち、予見した
事件が起こる道の上の、まだ到来しない事件を、予見した
それは彼女にとって、過去であった

娘の死の数ヶ月前
娘はそれを預言した
日付を、時間を、状況を
彼女がじきに担ぎ込まれることになる、家の応接間で

向こう
冷たくなってゆく身体の傍
不可能が歩み寄ってくる、未知の感覚
死に瀕した者は食べ物をせがむ
寝たきりの者は生気を取り戻そうと手足を擦り合わせる
そしてあ然とする目撃者たちの前、彼女は身を起こす

味わったことのない無の感覚に近づいて、娘は
救世主の面影を宿す

人は生命を探して、ここにやって来る

完全性に向かって｜VERS LA COMPLÉTUDE

人は受けとる
人は受けとる
人は受けとることの秘密を得る
尽きることなく、隠された
「形を持たないもの」を授かる

無限ノ誕生スル日

もうひとつの世界がわたしを受け容れ
迎え入れ
飲み込んで
許す

感情の休戦

光の作業台たち
隠れていた
だがもっとも完全な

存在することの湧出
存在することの拡大
存在することの苛烈、岬

ついにわたしは完全性に到着する
瞬間は存在を上回り
一個の存在は多数の存在を上回る

そして、全ての存在は尽きることがない

わたしは押し寄せてくるものに出くわす、逃走だ
昇っていく、幾つもの階層に分かれた時間
過去と未来の全景が見渡せる
定点を持たない時間

不可視の乗り物がわたしを連れ去る

響き
あらゆる方位からの響き
現存たち
わたしは高らかに予言する
その言葉を聴く

道
糸の上の道のり

意識というものの鈍さが
無意識の速さに対抗する

分別など退け
本質を採る

ひとつの円形の意識が
わたしの意識のうえに
生まれ
重なる

わたしは二重に存在する

〈天と地〉のふたつの線のあいだで
微生物にも似た一匹の人間が選ばれる

落盤
不意に訪れる落盤

拡大による幻視
透明による幻視
過剰による幻視

炎のなかでふたたび読まれる言葉
流刑のなかでふたたび読まれる言葉が、どこまでも

広がっている
壮大で、神聖で、本物の言葉
発光し
発芽する言葉

無限
もう威圧することのない無限

わたしは読む
わたしは見る
裂けた空に開かれた福音書を

光
わたしは来る
わたしは光に住まう

無力な上昇は

〈全て〉に至る

……ようにすら思える

揺籃による赦し
ひとつの奇跡の中の無数の奇跡

波紋がわたしの上を伝う
わたしは際限なく引き伸ばされる

モザイク
より細かく
一層と細かくなる
より見分けは付きがたく
細分化されていく

コロイド

瞬間は叫ぶ
確かな長い喇叭の音

諸器官は動くことを辞める
わたしはかつて脚を持っていた
手も放たれた

言葉が割り込んでくる

わたしを通過しようと
わたしは千里眼を飛び越え
もうひとつの千里眼に飛び乗る

充足した聴覚
三十年前のことだった
それが今だ
思い出の彼方から呼ぶチャイム

草花がわたしに耳を傾ける

半月形をした鎌の表面が
わたしに身震いさせる

諸元素内部での痙攣

わたしの心臓は沖に出たいとせがんだ

永続する黄金が集まる

流入

統合した事物たちがなだれ込む
大勢がひしめく
最後に〈ひとつ〉が
集合の果て
〈ひとつ〉だけが残る、全てを含んだひとつが
広大な
聖の
至高点の余白
美の先端の余白

贖罪
世界は痙攣へのめり込む
そこへ言葉は連れていけない

固体と堅さがそれを築き上げる
形の無い、軽さによって揺すぶられて

〈永遠〉は人間を追い払い、否定する
〈崇高〉は凡庸を拭い去り、荒廃させる
聖域を脱走した〈崇高〉が

無限の広がりの中での痙攣

残響
存在が住まうところ
存在以上のものが住まうところ

静かだ

求める
一つの比較がわたしの為に探し求める

わたしは前に出る

続ける為
永遠に続ける為に

門が門番を作る

圧力のかかった分厚い幕

身をゆだねて進むこと
一貫性は新たに解かれる
補足的だったものが主となる
だが折悪しく、黒い穴……

胸部が放たれ
新たに、多くのものを、わたしは手放す

もう占拠はない
枯葉に埋もれた骸骨
それが再び地表に現れるまで、どれだけの時間がかかるだろう

ひとつの思考が失踪する
意味は飛び去った

断片が出発する

暑さに凍えて
別の場所に向けて

理解の場所
昂りの場所へはもう二度と戻らない

感じたことのない未知の意図たちの感覚

ふるえ

鞭——ふるえ

暗闇からやって来たひとつの音は
あっという間に形をとる、球体へ
納屋へ
集合へ
大群へ
〈無数の宇宙〉の中のひとつの宇宙へ

わたしは醒めた
日常的なものがもたらす酔いから、完全に
対立し対立して対立した
繋がれ解かれ
息が詰まり破裂し
断言され密閉される
どこにも風穴はない
一　百　千の
喪失
いたるところで

わたしはもう闘争しない
わたしはひとつになる

無限とはひとつの地帯だ

そこへ

悪の現れるところ
善の現れるところ

突如
不透明な
無数のベールから織られた一枚のベールが
被造物と対置される一枚のベールが
剥がされる

天球の中心の野営地

根源
もう明日などない
もう使命などない
わたしは出生地を持たない
わたしはもう自分の肩を思い出さない
長い旅の後で
意思する為の機械はいったいどこにあるのか

無

ただ無のみ
〈無〉が暗礁を乗り越える

寺院より大きく
神より純粋な

〈無〉が全てを満たす
無は取るに足らないものを
驚くべきものを、本当らしくないものを
均一化する凡庸さを
その残滓を打ちのめす
永遠の為の
〈無〉による祝福
全てに降り注がれ
心を愉しませる
〈無〉

机はわたしによって生きる
わたしは机によって生きる
何が本当に異なるのか？
全面的に異なるものなど
どこに存在するだろうか

上着　机　織物　菩提樹
丘　猪
全てはただほんの少し異なっているに過ぎない
なぜなら、全ては似ている

全ての上から
全てを消し去る
全ての存在は
完全に
ひとつ
全てに通じる存在の世界
何てことだろう

知性の湖は
世界に氾がる
動かず
静まりかえり
争わず
傷もつかない
こうなりたいという願望もない
邂逅の只中で

世界を
包み、包まれる
世界に

道具は失われた
世界の発端を見つけた

頂点
頂点がわたしを呼ぶ
頂点だけがわたしを呼ぶ

宇宙の腕が、結びついた全てを抱く

与えられた宇宙
剥ぎ取ることで与えられた宇宙

切除
奉納
根源での結び付き

誘惑
より高みを目指そうとする傾向

傾き
真に受けることのできない高み

境界によって切り離され
わたしは痙攣で満ちた
全体の内に生きた

開け放たれた百の扉で出来た肋骨

幾艘かの小舟がわたしたちの元から出てゆく
全ての元から出てゆく

困窮の最中、授けられる
鋭さが、平面が、大きさが、視野が
軽さが、単一性が、面積が
巨大が、施しが
目には見えないが、教えてくれる

全ての場所から切り離された時
ひとつの場所が与えられた

誰にも

どんな物にも
人はもう、憧憬を持たないだろう

回転が眠り込ませる
宝石が残る

呆然と剥奪

満ち潮
なだれ込む
魅惑的な流入

記号による妨害

目眩する波
転がり落ちていく傾斜の上
天啓者たちよ

視界を埋め尽くし
満ちる至福は
礎となる空間
抹消する空間を

全ての空間を欲する

事件の巡歴は終わる
忘却が生まれた瞬間、矢は手放される

悦ばしく
途方も無い
生命の恩恵

放心し
時間の中で宙吊りになる

〈知の樹〉

全意識に跨がる全知が
永遠を知覚する……

霊感に照らされた時代—L'ÉPOQUE DES ILLUMINÉS

裏切り者であるペンが、最早裏切り者でなくなる時
乞食の口が、光と真実で満たされる時

自動車が、永久に路肩で埋め立てられる時

驚異的な物事が、「2+2=4」といった常識のように見なされる時
獣たちが、より理解に富んだ、比類を絶する咆哮で人類を黙らせる時
印刷術やその類似物が、糸巻き棒やアウグストゥス帝時代の硬貨のように、無用の長物でしかなくなった時

巨大なスポンジが通過し、そして……
いや、こんな事はもうやめにする。だから遊んでいたのだ。それに、もしわたしがこの列挙をやめたとしても、君が続けてみたらいい。

マッチ棒を折るのにわざわざ腕まくりをする必要はない。道路標識は道路標識であり、道路標識が道路を作ることはない。すでに二十六年を反故にした者にとって、もう人生の替えはきかない。堅くなった頭からは、髪の毛があっという間に抜けていく。労働に一段落がついた時だけ、涙は出てくる。そして文学的な様式とは、もし君が処女作でそれを無視した場合、今後とも君を見過してくれない敵となる。

常に、信じるという状態に身を置いてはならない。白黒つけることに始終囚われている紳士諸君。不信であることを宣誓せよ。そして、毎日、作業台の前でその誓いを立て直せ。一息などついてはいけない。己の心臓の全ての鼓動をその制作の中に叩き込め。気晴らしの為についたたったひとつの鼓動は、後に続く幾千もの鼓動を乱す。

過去、人がそれを懲らしめる。未来、それはわたしが振りまいた嘘だ。

君は、未来のことばかり考えている連中がほとんど全員、革命家じみていることに気がついただろうか。未来は本当に素敵なはけ口だ、そこには我が物顔の過去が座り込んでいると想像出来ない人にとっては。——全てが変わることはない——おそらく、ここには二つ

の未来がある。一つは、何も齎しはしない。それは単なる延長であり、未来は末端の袖の部分で直ちに過去と連結する。しかし、それでも時として、その待ち焦がれた本当の未来は到来する。それは今すぐにでもやって来て、常識や世間を反故にする。そして幾許かの偽革命家連中をこき下ろすのだ。そいつらは未来との距離を測る判断力にすら恵まれなかった。ただ大声で騒ぎ立てるだけのこんな奴らは要らない。しかし、一つか二つの本当の思想、残った全ての変革可能な事柄、そして腸や腺組織のように送り出し、排出するものが必要である。毒薬が街のなかで配られることになる。その時、受け取るや否や、一盞見事に傾けよ。我々が生まれ変わった所を見せてやるのだ。人々が、揺るぎない不滅の人類と出会うのは、その時だ。わたしは何年も待っていた。わたしが考える新しい人類が、人間を驚かせる、その時を。

人生は短い、わたしのかわいい子どもたち。

人生はまだあまりにも長い、わたしのかわいい子どもたち。

君はこの人生には追い立てられる、わたしのかわいい子どもたち。

君はこの人生から自由になる、わたしのかわいい子どもたち。

全ての人間が、予見者として生まれついたわけではない、

ただ、多くの人間は角刈りになる為に生まれついた。

全ての人間が、窓を開けるよう生まれついたわけではない、

ただ、多くの人間は窒息させられる為に生まれついた。

全ての人間が、光を見る為に生まれついたわけではない、

ただ、多くの人間はサラリーマンになる為に生まれついた。

全ての人間が、小市民になる為に生まれついたわけではない、

しかし、多くの人間は肩をすくめて生きる為に生まれついた。等……まだ自らの分類を知らない者も、いずれはそれを見出し、魚が水に住むように、そこへはまり込んでいくことだろう。選択肢は二十も無い。そうして人は自らの名刺や名刺入れを放棄する。もう

待ちきれず地団駄を踏んでいる己の集団へ、人は大慌てで同調してゆく。

決断の鈍すぎる者達に災いあれ。

妻のご機嫌取り達に災いあれ。

ショッピングへ行く者達に災いあれ。

すぐ武装しろ、そして一瞬にして鮮血で身体を満たせ、荷物を背負って出かけ、足からは血を流すな。

スパイも、弁解も、告げ口もあるはずだ。君は歩くことになる、自らの使命以外には一切耳を貸さないで、君は歩く。そして後悔はない。わたしは最も遠くまで行くだろう者へ話しかける。常に、それはピンと張られ、細く、細く、段々と細くなってゆく綱渡りだ。

道の途中で振り返る者は骨を折って、過去へ落下する。後悔する者は、もし歩かなかったとしても後悔するのだ。まあ、この説明は君にはもういいだろう。

哀れな人々、分岐点で立ち止まらされる、哀れな人々。そこらには無数の哀れな人々と無数の分岐点があるのだろう。

彼らは哀れな人々として生まれ、哀れな人々として息絶え、今も分岐点の脅威に怯えている。

叫ぶ必要はない。既に争いは十分激化している。人は呆然としている。だから、急いでそこを抜け出し、前へ行け。

重箱の隅をつつこうと躍起になる者達に災いあれ。それはほとんど全部が害悪であり、特に、闘いの最中ではそれをしてくれるな。

四人プレイのトランプで、ぐずぐずと長考する者に災いあれ。或いは、他の何よりも早く疲労感をもたらす、二人の愛の快楽に手間取る者に災いあれ。

もう手遅れだ。

病気の療養経過を見守らなければならないと気づいた人々にとって、

それは災禍にすらなり得るだろう。
それに気がつくのは、心臓を正常に保っておかなければいけない人々にとって、災禍にすらなり得るだろう。

でも、遅すぎたのだ。

苦しみを見物するのが好きな人々の為に、見世物は存在するだろう。
だが、時代はやじ馬達の為のものというよりも、加速している人々、家庭を持たない人々、いかなる技能も持たないが、揺るぎない欲望を持った人々の為のものであるだろう。

君、霊感を受けた人、君には、その状態がそう長くは続かないだろうということを言っておく。霊感に照らされた人間は、いかなる時代にあっても満足することはない――たとえそれがいい時代だろうが――人々は君を崇めるように見つめ、驚嘆の的のように祭り上げる。

うんざり、うんざりだ！

だが、そんな状態もあっという間に終わる。わたしは君の為に言うのだ。超自然の光に照らされた者は、その状態に長く耐えることは出来ない。霊感は宿った者の骨の髄まで食い尽くし、そして満足感など、君とは無縁だ。ともかくこんな風に終焉が訪れるのを見ることになるだろう。務めを終えた霊感の囁きはオルガンの中に還り、未来はいつものよう、過去の中に沈殿する。

音読者

私は軽い足取りで夜の町へ出た。雨が降り、きらきらと輝いていた。祝福された日々、喜びと勇気が私たちのもとへ流れ込んだ。それらはいつも急にやって来て、すぐには消えずに留まっていた。持続が幸運への渡りをつけ、引き寄せてくれた。私はいつも通り、石畳の上を歩き回る娼婦たちに目を走らせた。ドラクロワのおかげで、視線は生き生きと独創的で、寛容かつ巧みなものに成長していた。黄色の光に満ちた夜の大きな水たまりに、またガス灯を包み込む魅惑的な光の環に、私はとび込み、素早く確かな手つきで輪郭を掴んだ。実際、私の眼差しというよりもはや手だったのだ、この不透明な夜をひらひらと舞っていたのは。

——ピエール・ドリュ・ラ・ロシェル『ディルク・ラスプの回想』

矢田真麻

ある日、レストランで食事を待ちながら本を読んでいた。新しく読み始めた短編の出だしはパリ、モンパルナスのカフェで運に見放された様子の御婦人が、向かいの壁に飾られた若い画家の作品、そこに描かれた女たちに目をやるところだった。メールの通知で一旦読むのを止め、返信し、再び本を開いた。精神分析家の孫である画家の伝記の始まりは、いかにして伝記作者が彼とコンタクトを取り、画家にだけは早朝の営業時間外に扉を開けるロンドンのレストランで食事を共にすることに成功したか、その第一日目だった。読者もまたお腹を空かせていたので、カフェオレを注ぎに行き、戻ってくると二、三口飲んでから、先程はろくに頭に入らなかった絵の中の女や白鳥の描写に取りかかった。

　少し経ってオムライスが運ばれてくると、読者は本二冊と万年筆、手帳をバッグに放り込み、食べ始めた。店内の音楽がアコーディオンからピアノに切り替わったとき、彼女は二冊の本が重なり合っていたことに気が付いた。御婦人が居所に定めたモンパルナス通りのカフェは酔うだけで空腹が満たされず、早々に絵の話に移行し、伝記では特別な朝食への道のりが丹念に描かれ、本来の裕福さに見放されていなければこの御夫人が座っていたはずの席の記述とも読めるのだった。だが肝心の会合はまだ先だ、と勘付くと温かい飲み物が欲しくなり、それで自分を元気づけると今度は御夫人とともに「レダと白鳥」に目をやった、かのようだった。この店には天使を描いた複製画が飾られていた。画家の伝記には何ページも後で、彼が入院中に例の御夫人を生み出した小説家の作品を読むくだりが登場した。

　この読者が尊敬する画家は、修業時代に模写に明け暮れたと、聴衆に向かって語った。西洋の美術館では館内で模写することが許される。たいへん安い入場料で散歩がてらに訪れる常連の鑑賞者は、やがて画家の腕が上達すると、彼の模写を買いたいと申し出た。彼は狙ってしたことではなく驚いたそうだが、聴き手である読者は引き込まれた。本は筆写できるが、余程目を惹く長さや手法を採らないかぎり、達成とは見做されない。ヘミングウェイなら本ではなく、気持ちのいいカフェで顔を上げて、そこに居る人をこそすばやく書き留めればいいのさ、と囁くだろう。模写が売れていく先にオリジナルの絵はない。同じドアの中に同じ絵が二枚、存在したらさぞ奇妙だろう。ところが本はドアの内側に留まらない。読者は一冊の本を手に持ちながら、それをもう一冊求めることに障害はないばかりか、いつどこで何を開いたのか容易く混同し、別の本が警告も発さずに魔法のように入り込んでくる。

　その日、観客が青空の下を通ってやって来たことは間違いなかった。開演後しばらくは「開かずの扉」の劇場とはならず、上演内容を拒みたければ引き戸を開けて外の庭や、使われていない別の部屋へ逃げられることが火の暖かさで体に残る場所だった。魔女が柱の陰からそっと現れたが、見晴らしのよさは席位置によって異なっていた。

　悲劇の登場人物は魔女の予言に昂り、大股で歩きまわると、入口まで行き力いっぱいドアを叩いた。人々はそれを内側から見ていた。ガチャッ！とノブが回り、一瞬見える青空の下の道は、この読者にとっては故郷である。通りに飛び出して空を眺めれば、彼女の生家のすぐ側にあるマンションの青い屋根がよく見えた。その人物が近所に聞こえるボリュームで何か叫ぶのではないかと緊張が走る、だが彼は見張り役のようにゆっくり周囲を睨み付けると、入口を乱暴に閉めた後、扉の内側で読者たちだけに聴こえる台詞を言った。彼は何度かこの動作を繰り返した。日本の家屋で唯一、力の限り叩いても壊れないと思われる玄関のドアを、逆向きにノックした。観客たちの魂は青空に憧れ、視線をそちらに移すなり、バタン！と閉められもう戻って来られない。虚しくなった自分の代わりに彼が叫ぶ。魔女の予言が形勢不利へと傾いていくので、それは受け付けない、もっと幸福な予言をもたらしてはくれぬのか、と必死に手を打ちつけたのだ。読者の魂は、生家に飛んでこのノックを遠く聴いていた。今では見知らぬ人間が住んでおり、中に入ることはできない。自転車置場の奥には子供四人掛けのブランコがある。馬車のように向かい合って座り、足を踏ん張ったまま体を前のめりにしたり、勢いよく後方へのけ反らせたりして揺れに勢いをつけるのだ。懐かしい生家に寄り付いた魂は、別のドアの中の声を聞けない。では今ここにいる観劇者は彼女ではない。彼女は生家の内側であのような声で独り、本心を呟いたことがあっただろうか。悲劇の登場人物の妻は、生き生きと揺れ動かない「本心」とでもいうべき異様なものを持っている。裏切りを唆す夫人の顔は、急激に体調が悪くなった記憶を呼び覚ます。手足の動きが鈍くなる前の喉の渇き。他人のランダムな動きすべてが吐き気の原因となる。狭い駅のホームで行き先を迷い足を止め、後方の連れに向かって急に振り返る人間、順番待ちの列から離脱者が出て前に詰める足並みの揃わなさに全身が悲鳴をあげて電池切れの症状を呈する。夫人は夫をはじめ周囲の人間の語り、動きをこの状態で認識していたのではないだろうか。あのランダムをゆるさない体を続けたとすれば、唐突に亡くなっても不思議ではない。不調な人間には拙い予測しかできないし、そうやって予測した軌跡が切られてしまえば、止まるのだ。

　何年も前に生家近くの川、といっても住宅街の只中で、雨で増水しないかぎり水深が十センチメートルもなく、川縁には草花が隙間なく生える水路に死んだ男が横たわっていた。読者は確かに人が言うのを聞いた、溺れることのできない水路まで降りて彼はなぜ死んだのか、と。連れ合いと諍いがあったそうだが、彼女が先に刺されて亡くなったのか、今も元気なのか、覚えておこうとはしなかった。二十分歩けば彼を隠してくれるまともな水深のA川がある。ふらふらと歩き続け、土手を降りてA川に入るほうが楽だったろうに、水がクッションにならず、かといって命を落とす高さでもない、足を挫くだけのM川へなぜ柵を超えて降り、あるいは落ちてから亡くなったのか、その人も友人から聞いただけとして詳細を述べなかった。海が遠い土地ではそうなのか、速やかに発見されあてつけとなるのを願って水をむしろ退かせるのか。腕で叩ける水面、脚でキックできる水深の得られない町、水に身を入れ運ばれた先で新生する可能性のない町。背丈どころか寝そべった身の厚みにも届かず、ほとんど自分の体液としか感じない水、浴槽に湯をはり毛布を踏みつけて洗うときのような、浅い、すぐ温くなる水で死んだ男はどこのドアから出てきたのか? 人を墜落させず、剥き出しで、長い間気付かれない死よりも清潔で、どんな偶然の隠れ蓑もなくその命は消えていたか。読者は、彼の死はこの世に二つとない様子だろうと結論したが、それは読者というものが、ある人物の生がたとえ誰かの模倣のようであったとしても、生命が消えればおのずと模倣は止むという感じ方をするからにほかならない。実際、体を覆い隠す丈高い草さえ生えていないM川でそういう死に方をした人間を、彼女が初めて聞いたということにすぎなかった。ある人間と彼とは、オリジナルと模写の二枚の絵のように袂を分かち互いに接触しないだけでなく、もはや同時に存在しないのだという感じをこそ読者は強く受け取ろうとするのではなかったか。

　自宅ではその行為の理由を説明しにくく、従って隣人の注意をひく危険を冒してまで頑丈な玄関のドアを室内から叩いてみる気にはならない。長時間机に向かった後は、ぐったりとしてすぐには腰を上げられず、他の本のページを捲ったり、おざなりに一、二曲、音楽をかけた後、決意したように立ち上がり表に出る。そのとき賭けるような気持ちでいる、サイコロに似た人間である読者。低く出た月が奇跡的にビルの隙間に大きな顔を覗かせたタイミングで、その直線上にある通りへ躍り出る。間もなく黒雲がかかり顔に雨滴を感じ始める。弱い風が吹き、一株だけ咲いて揺れる花に出くわす。背後から恐ろしい速度で駆け去る人が出現する。読者が部屋に創り出した時間の歪みを埋めるため、釣り合わせるため、表は出て行った瞬間すこし早回しに、過剰になる。それまで眠っていた外が、目覚めへの傾斜を大胆につける。

　外に向かって玄関を開けるこの喜びは侵入者に都合が良い。西洋式のドアは用心深く内側に開いて来訪者を確かめ、意に沿わなければ締め出すという。ホテルのドアを思い浮かべれば、気ままに出て行くときでさえ、一息に開放する動作にはならない。少し引いてまずは体をすべり込ませ、荷物ともども颯爽と出て行くために奥へ押しやられるドア。従業員の視線を経なければ辿り着けない陽の光と緑の予感を、ドアを押す手で室内へ、寒さとともに幾分か流し込む。

　宿泊者は来訪者が、普段自分が屋外の新鮮な空気を吸いに出る開け方でもって室内に入ってくるのを迎える。宿泊者は森羅万象であるようにそこに居られればどんなに良いだろう。部屋に向かって「出てくる」のは誰か? そこで彼女は読む人でありつつ、樹々や石ともなって来訪者を迎えるべきではないのだろうか。

ある夜、カチャリと玄関のノブが回る音、次の瞬間一軒家から体が出てくる。夜道を通りかかった人は自分が真横に立ったその時、現れる体を見て驚き思う、私は気付かぬうちにこの人を招いたのだと。覚えのない許可を出したのだ。夜道を気分良く迂回しながら帰る、一度は通ったことがあるのか定かでない通りで、遠く家の中から音を立てて出てきた人間と目が合えば、その人を欲したことになる。通りかかった人は悔しがる、こうなるのであればあと少し早くここに来てノックすれば良かった。先に闖入者となったほうが事は有利に運ぶのにと。見知らぬ二人は、森羅万象がどちらの側についているのかを一瞬競う。たとえば昔の恋人のこんな言葉。「今この電話が終わり次第、後ろから車が走ってきて、横に停まり、ドアがスーッと開くよ。」電話を切ったそのとき、本当に車は近付いてきたが、二台続いて走り去った。彼は彼女が育った土地の治安を表面でしか知らない。二十年前には白いワゴンが昼夜かまわず走り、女たちの真横で減速し、窓からでは物足りずにドアをスライドさせて卑猥な言葉が投げつけられたことは確かで、ランドセルを背負った彼女でさえ「お姉さん」と声をかけられ、お前小学生に手を出すなと別の人間がたしなめていた。彼はただ、お前の隣で今から数秒後に望まない企みを持った扉が開くだろうと言い残し、怒りを鎮めずに通話を切断しただけだった。

山梨県立美術館にて開催中のミレー館特別企画『ゴッホがみつめた「ミレー」』に当館のフィンセント・ファン・ゴッホ《鎌で刈る人（ミレーによる）》を出品中です。山梨県立美術館が誇るジャン＝フランソワ＝ミレー《種をまく人》がゴッホ美術館のミレー展に貸し出される代役として、当館ゴッホ作品が展示されております。（上原美術館公式ホームページのニュースより抜粋）

とある事情で身動きのできなくなった友人から、在庫切れの本が読みたいと望みを告げられた。甲信越ならあるいは店頭在庫が残っていないかと調べてみると、果たしてそうだった。交通費を足しても古本の価格を下回ったので読者は出かけていき、その足で「代役」を観ることになった。受け取った本の一部はV・Gについて書かれ、ドリュ・ラ・ロシェルもまた、この画家をモデルに小説を書いていた。彼女はその地方都市が、懐かしい場所への途上にあるので同じ列車に乗れたことで満足し、戻ってくるなり本は読まずに郵送した。さしあたって読者でなくても、いつかそうなるだろうと誘惑するように。ミレーの版画を自分は、彼がそうしなかったカラーで模写したい、とV・Gは語ったそうだが、この読者が観た模写は初期の鉛筆によるものだった。帰りの特急列車で彼女は、作者無しで読者だけが存在する時空もどこかにあるだろうか、と夢を見始めた。

　読者とモンパルナスのカフェの御夫人とロンドンのレストランの伝記作者、三名が翻訳を媒介として一時、一人の人物であったように、受け取り手にしか生み出し得ない存在が愛しかった。彼女は見知らぬ人間と自分が肩を並べかかっていることにワクワクしたが、今ではレストランもカフェも次々に閉じてしまい、別のやり方を編み出す必要があった。

　この読者は先ず、自分の書く文章の絶え間ない読者でもあった。気分を変えるため公園へ出かけていき、音声で活字データを吹き込んだ。

「もし君に手を出す男がいたらと、恋人の戯言が始まったとき、あの人のことを想像すらできていないのだと確信した。暗いバー、左手の窓からアパートの階段が見える、こんな環境で視線をずらしてもあの人はいないと。笑った、そのせいで誘惑していると見做されることを知っていたけど。私は恋人に語りかけた、もうすぐ消えるのはお前だよ、お前が家に帰り、私を隣にいなかったことにするよりも強く、私はあの人の前でこの空間そのものを再生しない。お前からあの人を隠すんじゃない、もうすぐその反対が起こるよ。ずっと強くね。

　愛の言葉は耳許をさらさら流れて正しく室内だった。私はもうすぐ消える人間であることに誇りを持っていた。

　生き延びるためには人間が一人いて、扉が閉まっていさえすればよい。私が電池切れしても、その人物によって時計の針も、窓の外に見えるタクシーも進むのだから。このことに気付いて以来、私は寛容になった。どうぞ私をお貸しするから人形のように操りなさい。先程からの理由のない疲労と眠気、それはお前が私のイメージを動かしているからだと知っている。私はさっさと目を閉じるから、好きなように飾り、連れて行きなさい。お前の扱いが下手だと私には素晴らしい夢が残ることもなくただ体が強張ることも知っている。それでも許可する、私本人が描く必要がなくなるから。だから帰って眠らせてくれ。今日が理想の枚数に達しなくても、お前が補っていると、想定するから。同時に存在できない、扉を挟んで合計の枚数は同じ、そんなふうに預ける。だからさあ、この体は帰らせてくれ。

　別の命が吹き込まれ、私はかき消える。次の瞬間やってくるのはお前の登場人物たる私だが、見かけ上は何も変わらない。

　私があの人を消してしまいかけたこともある。どうしても今、その声が聞きたいのだ、誰にも邪魔されないところで、一切の疲労を消して。そんな願いが高じて会社を休み、台風が近づき空が暗くなるのを待って、土手まで二十分かけて歩いた。あの人の声だけが存在する場所を現実に切り開き電話をかけたかった。物理的な距離はどうしようもなく、私は雨雲を脅迫し集めた気でいた。そして見事に土手の内側には誰もいなかった。ブルーのペンキで塗られた水門があり、柵が締められた通路が水門の内部へ続き、台風を迎える川は雨雲を映して波立ち、土手を降りた途端に外側の車の走行音が消え去った。海沿いの車道と波打ち際の関係性と同じだ。海のない土地においては土手が境界線となる。そこを越えれば通常知覚している音が消え、あの人の声に狙いを定められる、願望の叶うところだと考えた。対岸は遠く高層ビル群が見えたが、このただならぬ広さを持った内側に誰一人いなかった。湿気混じりの大気の重み以外にいかなる音もせず、電話が通じるとあの人は少し苛立っていた。まるで御本人が消えかかっているのを察知したように素早く電話は切られた。一分にも満たなかったのではないか。その川はもちろん、浅いM川ではない。死んだ男はどうしてここまできて水に身を隠さなかったのかと私が不思議がった、水を湛えたA川である。

ここまで書き終えて床に着くと、たちまち雨が耳につく夜となった。家を出て左に折れればすぐのM川が、そんなに言うなら雨を集めて朝にはおれも滔々と流れるぞ、と言って寄越した。仰向けになり、強く降り続ける雨を聴きながら私は理解した、A川において土手の内側に降りることがM川では望めず、代わりに男は水路そのものの中に下りたのだ。人々の家の高さから発されるざわめきと交通音を避けて。実際、短い間隔で水路に渡してある金属の骨の下を鴨がよく飛んでいった。私たちの生を包む空とは異質な空がそこには広がっていて、私たちは上から空を覗き込むのだ。寝室が面する通りから華やかな男たちの声が上がってきた。彼らの靴、傘、震えの水音はなぜかついて来られないようだった。晴れた夏の夜にじゃれ合うような笑い声が人形芝居のように、ひどい雨音と分離して現れたことで我に返った。

外に人形がいる、私に見えない人形が。ドアを開けたところで決して逢えない。それは夢中で友人たちと遊んでいたとき、嫉妬の顔つきで『君の横には誰かいる』と言われた、その『誰か』なのだ。潔白な身の上に現れる濡れ衣の相手たち。心当たりもない人間のことでなじられるとき、どうやって相手のその幻を描けば良い？一度も想ったことがないのに。その人形芝居は絶対的にドアの外にある、雨の夜に夏祭りの声を響かせて通り過ぎる。本当に『誰か』を隠しているなら、何もない空間も心からの笑顔で見つめられる。相手がタバコを踏み消しているときに素早く。すれ違う人のジャケットの生地が遠くから既に美しく、別の人が手にしている缶ジュースは奪って飲み干したいくらいだ。人と食事をしながら微笑んでいるときは、『誰か』のいない場所で自分が笑うこと自体がおかしく、幻のようだ。そこで消えかかっているのは愛おしさを抱え込み、誰かがドアを開けて入ってくる時には見えない可能性がある自分だ。笑い声を部屋の外まで朗らかに響かせようとして、やがて冬から春になっても気付かない。

人形の魂とはこれか？ 確かにこの魂は軽快に、そして軽薄に動く、通行人の手の中にある飲み物を今すぐ自分も飲み干したいという欲求の重心のなさ、大切な人が隠れてしまった場で愛と笑いを求められるとき召喚される操り手。生身の体よりもほんの少し上方で。その手でなら物理的なドアとは違う鐘を外に向かって叩くかも知れない。まだ帰って来るな、まだお前の出番じゃない、まだ近くまで来てはいないよな、と。『誰か』の不在を確かめる特別な軽い手、封じ込められた密室ではなく、現在につながる時空のすべてに向かって。隠している想い人の、あるいは恋敵の不在を確かめるために外を威嚇する羽根のような手と、それが打ち鳴らせる鐘。隠れていたのに引きずり出され、『誰』に執着しているかを他人から決めつけられ、囃す音色に追いかけられる。そんなことにならないよう、皆目分からない『誰か』との接近を回避できるノックは、この温かく密度のある、今隣にいる人間の目にも見え、繋ぐこともあり得る手がするのではないはずだ。予期しない生のための血の通わない手がするはずだ。

この軽い手はフェンスに引っ掛けられてぶら下がる。生身ではフェンスの向こうには行けない。ミントグリーンのワイヤーが作るグリッドが、向こう側の風景を魅力的な一枚の絵にしている。」

思えば彼女の生身の手も少しずつ軽くなっていた。以前はターコイズの指輪を、今しがた発声した「お前」であるところの人間とペアでしていたが、ある日彼女が固いベッドの上で、先に眠りから目覚めると指輪が消えていた。入眠前には感覚が鈍っていて、重みの消失に気付きもしなかった。書く人間が、休息を取ってからでないと手の変化に気付かないほど疲れていたのは、相手が「君にとってこれは『誰か』との情事の予行演習に過ぎない」という文句をつくり燥ぎ始めて、場が冷めきっていたからだ。お前じゃ予習にもなんないよ、と捨て台詞の代わりに指輪が消えた。次いで愛用していた万年筆も消えた。いつの間にか、手帳に刺さっていなかった。指輪は、眠りに入る前から指に嵌っていなかっただろうに、一度夢を通過して目覚めるまで、軽さの感覚が来なかった。万年筆はきっとあそこに置きっぱなしにしたのだろうと、推測した部屋で万年筆を取り外し、脇にどけた様子を再現するように腕を動かしてみた。十分にあり得るという印象を彼女は持ち、ぐっすり眠って起きると現実の記憶になっていた。ところが明るい気分でその部屋まで来ると、どこにも発見できなかった。一晩を経て「想像かもしれない」という留保が消えた腕の動きは、今更ドアを開けるときれいに片付き、何も出ていない机の否定にあって揺らいだ。これまで作者としての体に濃淡があると考えたことはなかったが、その瞬間は、手が最も淡かった。仕草の軌跡をしっかり保持した、不思議な幻。ドアの外に生きる無限の中の「誰か」が万年筆を失くしたのだ。渦巻く文をその人の手足臓器に戻してやり、自分は何も見ずに眠り込みたい。彼女の存在が顔を見せるように風に釣り上げられ、月に照らされることを祈る。不意に、作者がこの土地から退出しない限り、出てこられない「誰か」が必ずいることを理解する。

手よりも唇を使ったことで、読者の体が濃くなったと彼女は感じた。公園には東屋があり、テーブルに原稿用紙を拡げ、スマートフォンのマイクを近付けて読んだ。屋根に反響した声は録音のなかの聞き慣れぬ声とは違い、確かに自分のものでありながら、声を使う職業に憧れる誰かのように幸せそうに降ってきた。この読者が独り何事かを吹き込んでいても、人は気にも留めなかった。各々の遊びを公園に持ち寄ってきた。

それで思い立ち、この読者は違う日に敬愛する小説家の絶筆となった章を丸々、音読した。不思議なことに、彼の本を携えて東屋の方へ歩いて行ったとき、先客の初老の男性と目が合い、その人はすぐさまテーブルと長椅子に広げた荷物をまとめると、会釈をして立ち去った。彼女はその先の遊具の縁や、遮る物もなく日光に晒されているベンチに座る可能性も充分にある距離にいたので驚いた。数日前に一度声を出しただけで、ある場所に特定の読者の痕跡が残ることがあるのだろうか？

「傾いた砂地にプラスチックの椅子を置き、私はうとうとしていた。満潮になると隠れてしまう海の洞窟に星が投影され、音楽が満ちた。外では暗い砂浜に火が焚かれ、順番待ちの入場者を暖めていたが、私には精確に穿たれた穴の投影である星の光しか見えなかった。時間が経てば進入してくる海の方角にのみ空間は通じ、穏やかに色を失った海面に所々突き出した小さな岩が、窓のない寝室でやがて目が慣れてくる程度には見分けられた。気を失ってはならない、と椅子をずらすたびに、めりこんだ脚跡に海水が溜まって砂がふわりと舞った。海面が上昇しこの催しが終わるまでに三時間あった。私はライターとカメラマンを手配したにすぎず、彼らを主催者と引き合わせた後は、自分が注意を向け続ける必要のない安心で、眠気に襲われていた。始原の海と呼んで差支えない、黒い海面を見せる洞窟の出口を眺めた。この場を成り立たせているのは確実に別の人間なので、愛する人のことを考えるのも冒涜に近かった。薄目を開ける努力さえしていれば、私の名前は不要だった。

この体にはひと月ほど前にも星が投げかけられた。洞窟に運び込まれたのと同じ投影機を婚礼に使用するというので、また別の取材者を伴って教会に入り、新婦のための上映会に立ち会ったのだ。偽の参列者側にも星空が降り注ぐ角度で機械はセットされ、ジャケットの袖に、左腕のブレスレットと手の甲に、見知らぬ男女が婚約した日の星々が降り注いだ。人間の体とベンチは発光体のように見えた。教会は私の最も長い恋が演じられた土地に建っており、昔毎日のように相手と待ち合わせたカフェからも見えた。嵐の前に、一瞬の強い風が前触れとして吹くように、スタッフが機材をセットする間、待機時間が昔の待ち合わせと混ざり合うのを感じた。私はそれまで、過去は幾分かの早回しと豊かさの錯覚と共に蘇ることを避けえないと考えてきたが、訂正すべき時が来た。昔の太陽の高さが、選べた料理と飲み物が、その頃手に取ってみることのできた書名が、空いていたホテルの部屋が、年月にはお構いなしに今じみて訪れようとしていた。相手が何でも選択に時間をかける性質だったから、私は焦れったくなりながら、どこかへ視線を逃がし、歩幅を調整し、意味もなく空間の香りを確かめた。そんな動作が一々、当時と全く同じ速度で再生される時間がやがて気象のように近付いてきた。カフェに座る一人の女は逃げることができなかった。待機とは筆に余る時間のことで、だからこそ愛が途絶えた後にも生き残るのだ。

　洞窟に入る前、水のこない安全な場所から投影機の電源を引く準備をしていると、月にむら雲がかかり崖は聳え立ち、神秘的な光景が出現した。私は思わず、この絶景が別の誰かにとってはいまだ歪であり、その人によって茶化され、面白がられることを祈った。だがこの光景を歪だと言ってのけられるのは悪魔くらいではないか？そこには一時、作者の魂のようなものがきらめいていた。他の存在を唆してでも、完璧な光景に一言付け加えずにはいられない魂が。それが目覚めぬうちに眠りによって差し押さえた場合、その眠りは生涯続けられなければならない。一年近く経ってから観た芝居が偶然、暗い海に漕ぎ出す舟の上での二人の人物の会話で成り立ち、どこかで採集された波の音に満ちていたとき、私は全く同じ眠気に襲われて、それが一生の呪いであるのを理解した。

　作者はひとたびある形象のもとで自分を放棄したとなると、次に同じ形象が顕れたときにはいつも放棄できるようになるのだろう。洞窟での軟禁から解かれると、酒を求めた。十一月の海の音は減え、スタッフたちは徐々に人心地がついてきていた。あの入れ替わりやってきた人々の中に亡霊が混ざっていても不思議ではなく、判断する術は何もないという話になった。すると一人が、自分ははっきり遭遇したことがあると話し出した。

　彼の友人は亡霊に尾いてこられることがあり、逃げるために引っ越すのを彼も手伝った。新居で歓談していると、友人は段々口数が少なくなり、突然『いい加減にしろよ』と怒鳴りつけた。周囲が戸惑っていると、台所へ行き桃を取ってきた。いいか彼処を見ろ、と指すソファにはまだ取り付けていないカーテンが掛かっている。それはずっと膨らんでいたので、開梱していない段ボールが下にあるのだろうと彼らは思っていた。彼らの視線を確認した友人はそこへ桃を投げつけた。すると途端に平坦なソファの形に戻ったのだ。桃を魔除けに使えば滅えてしまうものが、視界にずっと存在していたのだ。その膨らみに人が入るほどの大きさは無かったことが、余計に気味悪く感じたという。この可能性をドアに移すならば、早々とあるべき場所に収まったコート掛けが玄関先で膨らんでいることになるだろうか。

もしも桃を投げつけるように、玄関の扉を内側から叩き、外の悪いものをひるませてから出ていけるなら、女たちの身の安全が確保される。女たちは結託してまずあちら、次にこちらとノックの音は増殖し、響きわたるだろう。子供を庇護する者たちも連帯するだろう。外に居ながらにして激しいノック音に囲まれた侵入者は、夜がまだ深い緯度の方へと逃げていくだろう。だが実際にはそうならない。悪党は、激しく叩かれたドアをアリババのチョークで目印を付けられた扉のように記憶し、むしろ獲物として狙うだろう。彼は寝室に入るのに許可を求めない罪人で、その犠牲となる覚悟が弱き者の方から差し出されるような光景。これでは駄目だな、行き止まりだ。

例の洞窟においては満ちてくる海水が扉であり、人が好き勝手に開閉することはできない。流れが退いたとき生がつながり、満ちたとき死においてつながる、内と外。横倒しになった花瓶や試験管を目撃したときのように心が冷やりとする。

海に向かって優しく扉を叩くことができたら、どんなに素敵だろう。海を垂直にとらえること。注意されても水槽を叩き続ける子供ではなく、寝室に入る許可を得るように優しく水面を蹴ること。砂が浮き始めた水たまりに椅子を置き直し、そっと組んだ足で踏むこと。絶景を前にしたあの突然の眠気、夢遊病者のノックよりも礼を失していた。単に自失したのではない、作者としての自分に体液が満ちていると思えなかったのだ。血の巡りがなく、傷の浸出液も出ず、愛の興奮も訪れえないという感覚で一杯だった。

通常の眠りならば、私は自らの体を抱き締め、撫でる腕をもっている。動作を禁じても、その部位は想像で受容する。潤いを持つ機会をうかがう体液に満ちている。自分の腕が、手が、一切体に触れないよう抑制すれば、閉じた瞼に炸裂するはずだった光は目の前の風景に移って輝き、快楽を得るために満ちるはずだった水は、足元そのものではなく道の少し先を穏やかに濡らす。手を頭上に投げ上げたまま眠り過ごしたあと、二時間ほどかけて太平洋側の海岸へ向かえば、波打ち際よりも手前に湧く澄んだ水場を発見した。空の色と明るさを映し出し、私が蓄え得る快楽を祝福するようだった。大人が四人入れるほどの水場。」

　ひとつのニュースがとびこんできた。数か月前に家宅侵入し、人を傷付け逃走していた男が捕まったという。空白期間の長さに、被害にあった家は特別な事情を抱えており、進展を公表しなかったのだろうと住民は憶測していた。鍵を閉めて外出せよとのアナウンスがたった数日で止んだことも、解決済みの印象をもたらしていた。この作者がふと、年が変わる前に事件解決の布令は出してもらわないと気味が悪いな、と思い出したそのとき、逮捕のニュースで被害者と犯人が顔見知りではなかったことが分かった。町は意外さに打たれ、もう用心していなかったドアや窓について考え込んでいる。ドアを内側から叩き鳴らす悲劇の登場人物が数年前にこのあたりの家にいた。彼女が彼を小説に書いたことが再び町の不意をつき、時を同じくして隠れていた男は警察に捕まった。

　こうしたことがあるたびに、不愉快な挿話の記憶はやはり必要なのだろうかと考え込む。ひとつの回答は、それを共につくった人間へいよいよ別れを告げるメッセージを作成し、言い直すときのためだろう。深手を負った当時の感情は既に旧い。「あなたは私が自由に振舞うのがお嫌いだから、さようならを言います。」で始まる手紙を夢想したとき、不愉快な挿話は陽の目をみ、並べ立てられる。ああ、偶然通りかかる家の扉から外の変化に魅せられたように誰か出てきてくれれば、私はメッセージを預けられる。たとえば意図せず呟いてしまう旧い恋の名がある、告げもしなかった、今では別の人間を愛しているのにふと呟くのはその名だった。ある日いい加減に現在の名に取り替えてしまわないと身に危険さえ及ぶことを理解したこの音読者は、その晩のうちに意志の力で対処した。旧い名を持つ人が夢にその姿を現し、現在の人は夢から退場し見えなくなって、明け方目が覚めたときにはAではなくXが唇に宿っていた。そう、本気になれば誰かをドアの外に出し、姿を消す代わりに守り名とするくらいのことは、やってのけられた。

　神獣は死なせると罪になるので、人は朝早く起きて偶然家の前に倒れていないかを確認し、万が一倒れていれば隣の家まで引きずっていくのだそうである。そうして朝におそるおそる開いた扉から先の川床まで何気なく目をやると、彼がいたのではないか。時折設置されている銀の梯子を降りて運んでゆくことも躊躇われる、大雨が降らない限り決して流れていかない神獣が。この読者は、街路樹や喫茶店に貼られたポスター、洋菓子店の前に、「あなたを夢に出すのは簡単だ。何なら今ここで再び夜に出てきなさいと命じておくこともできる」と警告じみた態度で立っているときがある。彼女に固有の速度で読み、夜、再生できると確信して。そんなときそっと神獣が潜んでいる。人間が確かに復活したことは未だかつてない、その情けなさを抱えている。次の場面がこの体の欲求に根差した現実のものである限り、お前とのダンスしか始まらない。だから本を持って行く。本を持っていればすべて新しく始まり得る、この体の次という流れを断ち切れる可能性が手のなかにあると読者はいつも誇っている。

次に本を持って公園に赴いたのは夕刻だった。語り手の伯爵は友人の遊びに付き合い、彼と同姓同名の人物が住む館へ二人で赴く。大邸宅に通じる並木道を進んでいくとき、苔に覆われた高い外壁や、森の入口のアーチを見、なぜ池や噴水がないのかと不思議がる場面を読者はよく覚えていた。ところが自分が今、目指す公園には噴水があり、東屋まで行けば視界に入ってしまうので、かなり手前の散策路をはみ出し迂回するようにして、四月の落葉を踏みながらこの音読者は喋り始めた。

昔はよく本を読みながら登下校したな、樹々ではなく電柱を避けて。とぼんやり思い出すと、その頃車に轢かれたときも本を持っていた気が、早くもしてくるのだった。このあと伯爵たちを迎えに来た使用人が車で怪我をする。ちょうど池の方角に落日が輝いていた。幸い噴水は夜間停止の時間帯に入っているようだったが、あと少し進めば夕陽が水に反射してしまいそうだった。彼女の唇を通じた彼は、なぜこの館には水鏡がないのか、という啓示にまだ達していなかったので、音読者は速度を出して喋り続けながら、左手の広場でバドミントンをしている人たちを、右手に大きな石の群れを眺めつつ、東屋から三十メートルほど手前のベンチに腰を下ろした。しばらくすると運転手＝使用人負傷の騒ぎを聞きつけ、ついに同姓同名の人が姿を現した。ベンチの後ろに咲き乱れる躑躅の花に惹かれて子供が一人、音読者の体すれすれまでやってきた。父親がすぐ後ろで微笑みながら見守っていた。夜、外に出て恋人と電話越しに喧嘩すると、普段は見かけない野良の子猫が目の前に来て遊ぶようだった。彼らは大人が別世界に気を取られるのを深く察知し警戒を解く、自分に触れ得る手を持たない存在と見做す。その大人は、語り手たちが負傷者を乗せて猛スピードで森の並木道を抜け、バックミラー越しに互いの顔を見ているというのに目の前の樹々は根を張り動かないことに激しく戸惑っていた。

音読者はますますスピードを上げて唇を動かしながら、せめて自分も前進しようと立ち上がり、今にもぶつかってきそうなその子をベンチに残して歩みを進めた。突然、五十歳前後の男が石の群れを蹴って渡り、その先の樹の陰に必死で身を隠した。どこかに鬼役がいるとしても、音読者がぎりぎり歩いていける程度に取った視界に鬼は入ってこなかった。人物たちは大邸宅の黒っぽい玄関ホールに入っていった。残された、音読者が幼少時から見てきた樹々は落日を透かし、お前に情景を立ち上げる力がまだ無かったとき、お前が読んだものから時間が零れ落ちないように支えていたのは私たちさ。それが立派に語り手になるとはね、と緊張した面持ちで祝っていた。彼らは勘違いをしていた。これは私が書いた小説ではない。一息つこうと既に暗い東屋に入ると、始めは気が付かなかったがすぐ先に、緑の服を着た女が頭を深く垂れて座る後姿が見えてきた。そこで彼女は唇を動かすのを止めた、つまり語り手は気を失ってしまったのと同じことだった。

この音読者が、自分を支えてきた風物を超えた語りを彼らの前で導入しようというのなら、彼らの方でもそれに呼応し迎え撃とうとするのが感じられた。我々のこともよりよくデッサンできるはずだ、と迫って来る風物の力が、居合わせた別の人間を怯えさせたのだと思われた。見えない鬼が、いい年をした男に巨大な石を駆け上がらせ、女の首を討たれたように深く項垂れさせた。

帰り途、男が死んだ水路の上を彼女は渡った。夜が近付くと、信号は青よりも緑をつよく感じさせるように光り、続いて橙の常夜灯が灯り、草木の緑はもはや輝かず煙がかったようになる。自然こそが色を与え、色を変えるのだ。ある時間にただ歩き抜けていく彼女よりも、死んで川に横たわっていた男の方が様々な色に満ちた。

「列車の中で目を瞑ると、この生命が維持されているのは嘘ではないかと思う。雪原を駆け抜けていくのに、エンジンをふかす音以外は全く静かだ。過剰な暖かさ。遠く海を従えた雪景色の合間に、まだ秋の去らない、花の咲いた野原や紅葉や、渇ききった都市部が挟まれる。季節の早回しや巻き戻しに次々と接する私の生命は本来、平常運転であるはずがない。どこかのタイミングでフィクションに置き換わったのではないか。密室では仕組みが鮮やかになる。デッキでそっと窓を叩いてみる。変調がないこの体は、特徴が精算されてしまった『あと』なのではないか？と疑いが萌す。

思いもかけない人との恋愛関係を夜の夢に見るのは一種の『回復魔法』で、不思議さのうちに愛撫をそっくり受け取っている。風邪気味の時によく起こる。なぜこの人と、と呆気に取られる意識を置き去りにし、慰めを損なわずに享受するためのシステムなのだろう。意外な人物の姿かたちを装う自己は、特徴が清算された身体として現れる。目覚めてしばらく甘美さに浸るうち、おかしさに気付く。現実の彼は猫背で内股気味で、前のめりに歩くけれど、光が多く差し込む瞳の印象が勝ってそれらが気にならない人であるのに、夢で口説かれていたとき、妙に背筋が伸びた体の上の顔を見つめ返していた。彼の体が自動人形のように私の体に向かってくるのは譬えでも何でもない。覚醒時ならば苦労なく再現できる程度の個人の癖まであえてキャンセルされた、私の免疫のための存在なのだ。他者に対してこんな処理ができる以上、自己にも同様のことができるに決まっている。それが特急列車という密室で発現した。手っ取り早くときめきが欲しいときに人間は人工のものに変身する。

列車の中で、私がフィクションの顔をしていると感付いた瞬間、愛する人について考えるのを止めた。彼に素晴らしい景色を報告したいという見方が落ちて、雪原と黒土は信じ難いほど冴えた。夜になると、正真正銘の見知らぬ人が現れた。生者であれ死者であれ、誰の影響のもとに来訪したのか推定が成り立たない初めての人物だった。そのことを諒解した瞬間、彼と私は電光石火で手を差し伸べ合った。一度の完璧な抱擁は時間に計上されず、次の瞬間私は裾の長い服を着て落葉を払ったベンチに座り、正面に立つ誰彼からの質問を受け流して、その人物のことを懐かしんでいた。この不自然に早い懐古の感情がスイッチとなり目覚めた。抱擁はこの世の何よりも短かった。一杯の飲み物を欲し、湯を沸かし、望み通りにそれが出現したとぼんやり思う時間よりも更に短かった。その人物は現れ、また消え去るにあたり、私の感情の高まりや充足感を通ってくる必要がないらしかった。キスは誰のものとも違っていた。私は既に世界を持っているのに、なぜお前からもまた与えられなくてはならないのか、と、うんざりし合うことのない、驚喜の相手だった。」

音読者は、今度は知らずに雪を選んだ。題名には「夏」しか入っていないのだ。夏に丘で恋人と会うくだりがあったはずだ、それは五月の樹をより輝かせ、先日の鬼ごっこのような顛末は迎えないだろうと考えてのことだった。だが彼女が探り当てたページは冬。主人公が画家の恋人とアトリエでしか会えず、そのアトリエでは憧れの年上の女が画家の指示したポーズを取っている。再び二人きりで丘に行ける季節を待ち焦がれるシーンを、夏そのものと読者は勘違いしていたのだ。主人公は自分もポーズを取ると宣言する。裸の彼女は表情を動かさずに窓の外の雪を盗み見る。暖炉の火が肌を照らす。音読者は夏景色をデッサンするつもりで、先日視界に入れないようにしていた噴水に目いっぱい近付き、大きくすべらかな石に腰を下ろして水の動く音を全身に浴びながら、このくだりを唇にのせるのだった。日除けに帽子を被った女が少し離れた石に子供を見守るように座った。このくだりと現実の風景とは類似点がひとつもなく、「お前は誰なんだ、何の資格でそんなことを想起し口にのせているのだ」と尋ね返された。視界には出したばかりのサンダルとデニムが入り込んでいた。ひっきりなしに息を吸う。潜水でもしてきたかのような苦しさだった。主人公は奥の部屋から起きてきた画家の友人に裸を見られて泣き、音読者は唇と舌の快楽に押さえこまれて、ひどいハレーションのなかでも雪の日の室内を語ることを止められず、数年ぶりで泣き出しそうになった。女主人公ともども、デッサンの困難さに耐えていた。機械のように夫を唆し続ける夫人のことが遠く思い起こされた。

　帰路についても、今さっき口に出した事柄に呼応するものは何一つないだろうと虚脱して陸橋に差し掛かり、右腕で日射しを遮った。すると肌の白さが目にとまった。この音読者が場違いなことだけを口にしながらも狼少年と言われずに済んだのは、まだ焼けず、雪のように白いと言っても問題にはならない、その肌のみによるのだと私は判断した。皮一枚というやつである。V・Gは模写をすることで初めて、記憶を作品に編み込めるようになったという。このことは彼が実物を目の前にしないと描けなかったというあまりに有名な逸話に対応するが、この読者は音読をすることで、情動を記憶から分離できるようになった。全く異なる画に取り巻かれた女たちが息をつめ、二人とも涙しそうになったのだから。作者が夏に平然と雪景色を書き得るのは、語り手が別の季節を担ってくれていたからです。彼女を現実の時間に導入することは、非難されかねませんよ、と叫ぶ声がどこかから聞こえた。

　悲劇の登場人物の、オリジナルには登場しないノックを観客に見せる必要から、扉は昔、内側から叩かれたのだったが、今やその音に警戒心を抱くべき者が出てこようとしていた。外に人質は生きていると期待しなければ、裏返しのノックは行われない。「お前は私の作品の夢遊病者ではあるが、作者自身ほど不気味ではない。だから部屋には寄り付かないほうがいいぞ。」どこかの執筆部屋からそんな風に、死んだ先輩作家たちが言って寄越していた。この読者という、過去に読んだ本を私よりもずっと知悉し、毎日違う時刻にふと、家にいることに飽き、公園に行けば前回と同じ場所には先客がおり、今日はここで音読をしようと新しい位置で立ち止まらせる人間は、彼ら先輩作家と共謀して、私が緑を素早く眺め、目を歓ばせる隙をついて入ってこようとしている。

　もっともその「起源」は身に覚えがある。

　私は旅行者であるとき、感銘を受けるに違いない場所を逸れ、あえて別の土地や人物の前に立って感銘を移す術をよく使った。直感に逆らえば、ルールを創作できる。人々がフィクションの感銘のもとに集まる様子さえ幻えた。それを咎める人間がいるとすれば。「願いが叶った」と驚喜するのは、日頃は関心のない物事がなぜか興味深く思われる夢で、この調子で面白がっていられるならば百年を生きられるだろう、と安堵するのだが、次第にこの旅行者の愛着、愛玩と結局は何がしかの関係を持っていることが露わになり、落胆して目覚めた。そのような落胆と無縁な人物。旅行者は、誰かにとってはこの世の者ではなかった一瞬が確かにあったはずだと思いつつ、靄に包まれる。恋敵の女に失踪を望まれたことや、読み書きをするときの、違う時空に心奪われている顔を恋人に見られ恐ろしがられたことがまずは思い起こされたが、もっと古い記憶である気がした。誰かの、自分を忌避する目に出会ったことがあるはずだった。

　ある日、離れて暮らす読者の父親が、女物の衣類を袋に詰めて届けにきた。使えるものはそうしてくれと言うので、刺繍の入った礼服、丈の短いスカート、攣れのある夏物の羽織、と取り除いていくと残ったウールのジャケットを彼女は気に入った。持ち主が父親といつ頃関係を持ったのか、故郷に帰り離れたのか、死別の可能性もある、などといった想像は、好きな古着に巡り合ったときと変わらなかった。そのジャケットは今では見つからない型で体を美しく見せた。

　仕事で服飾メーカーの撮影に立ち会ったとき、モデルたちは生地のしなやかさを表現するポーズを即興でとっていた。彼らは音楽に乗りボールを投げ、クラッカーを破裂させ、ボトルをシェイクし、ボードに乗ったが、時折別の拍を挟み込むように、シャッターを優先して体の動きを止め、放棄されたボールは床に落ちた。ストロボが一呼吸遅れて光った。モデルのリズムとボールのバウンドが本来合わないように、ある服を好んで着る体同士にそれほど共通点はない。物を愛でることは、時間の流れをとびこえていた。仮に時間が停滞したとしても、愛でる物の存在によって自分もまた輪郭を保てるのだ、という恍惚のなかに、ある光景が蘇ってきた。

　小さな彼女が母親と買い物から帰る途中、道の向こうからやってくる父親にばったり会った。彼は手を挙げて快活に挨拶を寄越したので、母娘二人と父親の隣にいた女とは、互いに避けることもできなくなってしまった。もう少し取り繕ってもいいじゃないかと思うほど女は凍り付いた表情をして、母よりもずっと貧相だった。誰も父の後を続けなかった。小さな彼女が普段感じていた影は、父宛にくる高価なジュエリー案内だったのに。

　あれは何年前だ、四半世紀か。外に向かって響かせるノック音のモチーフを、当時のその女にタイムマシンで渡せたら、三人は相見えずに済んだかも知れない。四半世紀前のその子はせいぜい、海の酔いが陸でも続く不思議を詩にして褒められたくらいだ。「今から書くので、しばらく消えます。あなた、外に出て来ていいですよ。その代わり、次に私がドアを開けたとき、珍しく感じられる趣向を置いていってくださいね。」こんなノック音はまだ立てられない。その子がノックするのは既に不仲の親から親への伝言を携え、家の中のドアだった。その女は子供を盲点に留めておきたかったことだろう。ドンドンドン、今は不在にして、寄り付かないでねこの通りに。これから私が足を踏み入れるからね、彼が借りてくれた別室を出て。そのように鳴らしたかったことだろう。遅くなってごめんなさいね、と奇妙な後悔が訪れた。自身が秘めておくべき関係を持ち、やがて敗北し、落ち延びてゆく通りの様子を記憶するわけにはいかない、と戒めながら逃げることを経験するまで、そして、川で露わに死んだ男と出会い直し、人が情景から振り落とされてしまいたいと欲したり、断固それを拒否し得るということを理解するのが、こんなにも遅くなってごめんなさい。

幼い自分が退出しないかぎり、同じ土地で安らげなかった女性の境遇について、後年、かなり近づきながらも何とかやり過ごした自分の過去を読者は思い返した。ジャケットの元の持ち主の御夫人は、あのときの女であり得るのだろうか。この読者が映画を観て、味方をしていた人物が亡くなった場合、同じ役者が登場人物として死にはしないであろう別の映画を観始めることがあった。それは最後まで分からない。日付も変わらぬうちに二度同じ目に遭うこともあった。生きているにしろ、今は年を取っているのだろうと思うばかりだ。

時をかけて模写であることは、当人同士は知らずに生きる。あの驚いた瞳とは、父の明るい呼び声が介在しなければ出会わなかった。それにしても、自分があのときの女の模写である可能性を思うことは、意外なほど自由な感じを与えた。裏切者は誰かの意志によって空いた場所に招かれたのだ、再び愛でられるために。この三次元的な模写をたのしむ者はひとつ上の次元にきっと居る。運命の再生産ではないかと、当人たちが溜息をつく必要はない。ただ、ある日ノックの音が聴こえてきて、ここが外であったことを思い出す。人から存在を請われたときのふっくらと、頬に触るように心に触れられる感じは、同じ絵が二枚かからない時空間だから生じるのだ。

今度は非難されない方法をひとつ、思い付いた。噴水を前にした人の共通の願いは虹の出現だから、その気象図鑑を読もう。願いごとのスケッチならばいくら描いても詰問されないだろう。お前は一体何をしようとしているんだ、お前がここにいない人物でなければ、そのような文を口にしないはずだ、と言われずに済む。前回、雪のくだりを読んだときは、遭難に遭うことさえ連想するほど眠たくなった。

もうすぐ音読する者はあの大きな石ではなく、噴水を眺められる広場のベンチに腰かけ、以上のことを日記にし始めた。すると惹き込まれていき、隣に年のそう変わらない男性が自転車でやって来て、イヤホンで音楽を聴き始めてもしばらく日記を書き付けていた。曲の途中で音読を始め、妨げるわけにはいかない。ハーフパンツ姿の彼はなかなか再生停止や先送りのボタンを押す様子がなく、明日からの仕事の手順までメモしてしまって顔を上げると、虹が出ていた。これからまじないの音を出そうと待ち構えていた唇は呆然とし、瞳に助けを求めた。よく見ればその弧は白かった。噴水のために空間を明け渡した樹々のなかで、最もその噴出口から近い枝先が白い花をつけ、その先に白い虹を伸ばしていた。カラスが二羽、舞い降りて水を浴び始めた。一羽が先に、前回雪の目眩を与えられた石の上の木蔭へ飛び立ってゆくと、もう一羽も後を追った。そのとき先の一羽は間隔をとるように次の枝へと移っているのだった。音読を禁じられた唇が頼った瞳は虹へ戻った。ページの白と、インクの黒から虹を読むとはこういうことではないだろうか? 男が別のことを始めるまでは黙ると決めていた。その合図はサングラスを外すことだろうと思っていた。

「ある日、新幹線の窓のブラインドを上げると、虹が出ていた。虹がこちらを追ってくるので、たとえ地続きの大地でも、印象はひとつながりではないのがよくわかった。虹は繰り返し架かった、天候や地形の変化を蒙りいちど消失したようでいて、都度蘇るかたちを取った。それは単純な風土の境目に呼応していたわけではない。地形の制限をやすやすと超えて、虹の立つ日が存在する。本来、それら個々の虹を同じドアの外に見ることはできない。では、通過してそれらを見ている私とは誰なのだろうか。それは読者の束のようなものかも知れない。私に驚いたあの女が、きっと違う様子で虹を見ていることも、決して隣に存在しないがゆえに諒解できるようなのだ。ねえ虹が架かってるよ、湖の方に。と電話があって、急いでこちらも湖を臨む場所に赴いたとして、実は二人は違う位置から生えるのを見ている。人が憧れる虹の麓が幻だというのは、各々違う方角に根が生えたとみるからだろう。

新幹線から見る虹は遠い月のようにゆっくりとしか後方に流れないのに、高い丘が現れ濃い緑で消しかかると、虹は丘よりも手前に薄いヴェールとして在ることがはっきり分かる。そして丘のほうがあっという間に流れ去ってしまう。また天候が悪くなり薄いグレーの雲が湖の上に現れるときも、虹は分が悪そうだが根をはりつづける。そして青空へ抜けたとき、束の間消え去る。残念だここまでか、と目を閉じ瞼の残像を確かめてから、ブラインドを下ろしにかかると遥か後方に強烈な鮮やかさで復活している。麓の位置が先程とは違う。かれらが出現、消滅する間隔は一定ではない。たとえば進行方向に、完全な弧のせいぜい四分の一ほどをぼんやりと認識したあと、保たれず消滅してしまう。しばらくして前方あるいは後方に歴然と優雅に弧が現れるのだ。また滅えずに順調に弧が描かれるときも、延伸していくのはせいぜい九十度手前まで。スマートフォンのシャッターボタンを押そうと目を離した次の瞬間、綺麗に繋がっていた。虹が麓に降りるその瞬間は私の目には決してとらえられなかった。

耳に流れるポップスが七曲分のあいだ、かれらは蘇ってきた。湖に繋がる水路が見え隠れするあたりから気付けば架かり、湖の上の小さな島から美しく昇ると見えたところで停止を期待しても、そのまま過ぎ越し巨きな貨物倉庫から立ち、鉄道博物館から立ち、市街地から立った。私の目が合わせやすい場所で都度そのように感じるわけだが、月よりは僅かに速く後方に流れつつ、虹の根は絶えず前進した。一旦忽然と消えても、今日はプリズムの日だ、という光の強さの感覚がずっと漲っていた。降車駅でもうっすらと弧が描かれていた。その先どこまで繰り返したのか、追えないのは悔しいことではない。青空とその気分とは天候が続く限りにひろがっていると思ってきたが、雨雲のなかを通り抜ける虹を目の当たりにして、もっと強靭なのではないかと考え始めた。

連続で虹をみた翌日、私はその麓にいた。虹の写真を少しずつ間をあけて撮っていったとき、翌日訪れる土地の隣駅の名が虹の根とともに写り込んでいたのを後から発見したのである。昨日、虹の麓だった場所を歩いているという思いは私を元気付けた。そこはプリズムを通して見た場所でもあり、生者だけの領分ではないのを一歩一歩確かめながら進んだ。プリズムと重なって見られた場所は、生者と死者が共にノックをすることが可能な場所なのかも知れなかった。真冬に残る黄葉は菜の花にも見え、白っぽい竹は青空に染まり、梢に当たる陽は花が咲くようで、鳥はちっとも人を恐れて逃げていかなかった。題材がそこら中にあった、題を出されてうろたえて探し求めることなどその地ではする必要がなさそうだった。夕方まで留まればきっと月の光は肌に染みとおり涙は夜露になり、池になり鏡になり透き通って風景になるだろう。何に心を動かしても、別のもので心を動かした人間に変化できる。さすがは虹の生える土地だ。生あるものに心を動かすことが死者への手向けへ自然に流れる、そんな空間であるとも言えた。私はふと見つけた神社へ足を進めながら、顔を見たこともない、血族でもない、ただ死んだことでやっと知り合った例の男に手を合わせることを初めて考えた。誰に示された神でも、先祖でもない人が心から懐かしかった。虹の中ではそれは身勝手ではなかった。虹は、太陽とは反対側に反射して出る。太陽が高く上がるほど低くなり、やがて消えるという。根気よくその根元まで車を飛ばしても、雨雲の下に行き着くだけで虹は見えなくなるそうである。私は新幹線の窓から、そういう蘇りを横目で眺め続けた。」

ある日、雨が降っていても公園へ出掛けた。豆粒大の鳩が、芝生の緑に餌を探して歩いていた。広場に誰もいないおかげで、雨粒の光が一層輝いた。その先の東屋を独り占めできるだろうかと胸弾ませて向かうと、五人の人がゆたかに笑い合っていた。唯一濡れていないそこに、パンと飲み物を持ち寄って。音読者が座るはずだった木製のベンチや石がすべて、水の光や笑い声で満ちるのに見惚れた。この傘も光に透けた。たまには休めよ、と内緒ですべてを満たしておいてくれた人は？

〔引用文献〕
Pierre Drieu la Rochelle, *Mémoires de Dirk Raspe*, Gallimard, 1966, p.77.

げにも女々しき名人芸

中原昌也

　ワイシャツに黒いネクタイ、黒縁眼鏡をかけた真面目そうな男が、ホワイトボードの前に立っている。ここに立っている前の時間には、彼はいったいどこにいたのだろうか。妻や子のいる暖かい家庭ではあるまい。ボードの裏には、きっと控え室みたいな休憩所みたいなスペースがあって、そこで休憩していたのだろうか。しかし、そのような空間が裏にあったとしても、とてもじゃないが人が身を休めるような余裕があるとは信じがたい。トイレよりも窮屈で、殺伐とした倉庫程度のイメージ。空調などなく、寒々とした室温。

　学校とか塾みたいな黒板は、そこにはない……何故、ここには黒板がなく、学校などには白いボードしかないのか、残念ながら答える術はない。

　最初は男の存在など何の関心も湧かず、いきなり犬猫の類いが人間の振りをして鎮座しているよりは普通かと思い、その脇にあるテレビのブラウン管を見つめていたのだが、恐らく通電すらされていない（壁のコンセントに配線されていなかったのを見た）という事実に気がついてからは諦めて、仕方なくつまらない天井や壁ばかり眺めていた。

　暫く彼も特に何をするわけでもなく、ただボンヤリとそこにいるだけだったが、一時間ほど経過したくらいだったか、急に胸ポケットから一枚の写真をサッと出した。一部始終をハッキリ見つめていたわけではないが、まさか魔術師のように手の中から出てきたのではないだろう。

「この写真」

唐突に発された男の声は、予想していたものよりも若干高く、生まれて初めて声を出すかの素っ頓狂な障害者のような感じに聞こえた。その勤勉そうな知的なサラリーマンのようなイメージとは、まったく不釣り合いな印象と言わざるを得ない。

会議室のような、バカみたいに明るい部屋。人類がこの場所で始まったかのような初々しさ。しかし、会社の中にあるのではない。たかがショッピングモールの一角。背後を向けば、地中海を参考にしているとしかいいようのない陽光が明るく照らされた廊下を、人々が行き交う。いまでは世界中、至る所に存在するような、絵に描いたようなショッピングモール。

郊外とはいっても、そこは人里離れた山間に建設されたモールであった。凡庸な名前の「ファミリーセンター八王子」。スーパーからホームセンター、有名ファミレスチェーン店も多数含めたレストラン街、海外の著名なブランド店がひしめき合う。しかし、この時点では甲府駅から直行する電車はなく、バスか車でしか足を運べない、いささか不便な場所ではあった。それでもいくつか郊外にあるモールの中でもひときわ客足があり、祭日はわざわざ都内だけでなく中国韓国などの近隣国からやってくる家族連れも少なくなかった。

そんな「ファミリーセンター八王子」は、国際便のある空港から近くもなかったが、少なくとも当時、近郊でも特に代表されるべき娯楽施設ではあったのであろう。

にもかかわらず、ひときわ地味な店舗というか、何のためにその会議室紛いの施設がそこにあったのか。それが知りたくて足を運んでみたのだった。

まるでマッサージ店のような気軽に入店できない雰囲気があるが、実際に入ってみると、その排他的な感じが一層に強まる。小さい窓が一つあるだけの壁で覆われ、店の中が殆ど見えない。そこを覗き込んでも、常に誰もいない受付だけが見える。最初、何らかの用事を済ませたかのようなゴツゴツした体格の中年女性、山の上からズドンと落ちてきたら危険なイメージがある大きな岩みたいなオバサンが出てくるのとすれ違った。

いや、従業員らしき誰かを捕まえてみれば、ここが「多目的イベントスペース」であるというような、もっともな説明がなされるのが予想できた。確かにどこにでもありそうな、絵に描いたような「多目的イベントスペース」だ。

そういった説明は聞きたくない。「多目的イベントスペース」なる、一聴したところ自由に開かれた雰囲気を漂わせながら、それでいて実際には特権的で排他感の強い語彙が他にあるだろうか。少なくとも私にとっては、最も差別的で不愉快な言葉にしか聞こえない。その名を語って、いかに多くの悪事を隠蔽する現場が存在したのであろうか。

かつて「多目的イベントスペース」を、都内で経営する男が知人にいた。

背が高く、やけに滑舌が悪く、いささか乱暴者の印象が強い。癇癪持ちで、オーナーの機嫌が悪ければ、従業員たちは常に殴られる危険性があった。

自分を含めた大衆の「多目的イベントスペース」に対する悪印象は、そこから産まれたといっても過言ではないだろう。

書いているときは死んでいるのも同然。その証拠に、これを書いている自分に何者かが突然「お前は誰だ」と聞かれて、いったいどう答えればいいのか、わからない。

しかし、自分が死んでいる状態など、当然未経験ではある。

私にとって書くことが、立派な臨死体験。

水槽の奥深くに沈む。何らかの黒い文字が、白い表面に書き込まれた浮き輪で這い上がろうとする。

とにかく、いまは目の前にいるホワイトボードの前の男から「誰だ？」とか「何故ここにいる？」と聞かれないのを、ただひたすら待ち続けるのみ。明らかに何の理由もなくここにいるので、他者によって確かめたいのだ。

結局のところ、どのような経験で人生訓を経た人間であろうとも、一度でも死を体験しない限り、小説など執筆する権限などないように思う。少なくとも、私は死んだ作者の書いたものしか読まないし、それ以外のものは何の価値もない。そこに書かれた一文字ですら、信じる価値はない。

生存する書き手の文章を読むなど、背後からの視線を感じながら感想を産むための労働に過ぎない。労働する賃金を得られるならまだしも。存命中の作者は、生きている間、かつて自分が書いた言葉がいかように読まれているのかを期待しながら、息を殺して本の陰に隠れて生きている。その沈黙がいかにも不快で、耐えられない。作者の不愉快な生き霊に脅かされながら、常に何かを感じるのを強いられる読書など、単なる拷問でしかない。

死後からやってきた世界と早急に、身近に接する必要があった。

「この写真に写っているのは」

ホワイトボードの前に立つ、ワイシャツに黒ネクタイ、黒縁眼鏡の真面目そうな男が勿体ぶって言う。この男が言うことは、殆ど信用できないと、姿を見た最初から確信があった。「いや、見ないでもわかります……写真にはこの世にあってはならないものの姿が、堂々と写っているだけ」

いまだにこの世のものでないものなど、出会った経験はないし、それが存在する近くを歩いた記憶もない。だが、それは何の疑いもなく、そういった類いの写真であるのに間違いはない、という気がした。

しかし決して目の前の写真を手にした男など、信用するに足らなかった。

冷静に考えてみれば、わざわざ特に見る必要はない。凡庸な色と奥行きが写真の上にあるだけなのが想像できた。

「何が被写体になっているのかが、重要なのではない。問題なのは、これを現像したのがこの世界にある現像所ではないってことなのか」

厳密に言えば、死後の世界に現像所があるわけではない。

誰もいない闇の会議室に、誰もいないのにひとりでにスライドが投射されている。いつぞやのなにがしかの過去。誰が撮ったわけでもない写真が、延々とスクリーンに映し出されるが、もちろん誰も見てはいない。

話は大きく脇に逸れてしまったが、とにかく死後の世界は写真による過去の決定的な記録を必要としたことが一度もない。そもそもそこには誰一人、生きた人間がいないから記憶だってそこには存在しない。

無人だから、時計を持った人物がいないどころか、時間そのものが流れていない。

そんな目の前にない世界のことを考えていても、埒が明かない。気を取り直して、男が差し出す写真をハッキリと見ようという努力をした。

ゴツゴツしたオバサンが戻ってきた。ただ単にドリンクを求めて地下の食品売り場へ行っただけのようだった。手には、南米から輸出された冷たい肉の旨みジュースが握られており、それはビールのロング缶に見えなくもない。

「あんたは自分の死に場所を探しに来たんだろう？」

その確信に疑いのないオバサンの問いに凄まれて、すぐに返答はできなかった。

厚化粧で脂ぎった顔が、すぐ近くにある。

「多目的とはいえ、死は含まれてはいない。そんなことくらい小学生でもわかるだろう」

声は中年女性というより男性だった。

彼女の太い腕の下にある透明なファイル。中の種類は恐らく、身元不明の死者の死亡現場の写真だろう。勿論、素人が気軽に見るような代物なんかであるはずはない。

さっきまで手で掴めるような位置にあったオバサンの顔が、固定された同じ表情のまま遠ざかっていく。

まるで空中にフラフラと浮遊する生首のように気儘だ。彼女の頭部には何の用事もないのだから、去ってしまっても構わない。温泉地の射的の景品のように、鉄砲で撃ちたくなる気もしないではない。風に乗って飛んでいく写真みたいだった。

路上の石ころと区別がつかなくなるまで、その首を見つめていたが、やがて意識からも消失した。

冷静になってみれば、首は遠ざかったんじゃない。虫みたいに小さくなっただけだ。

虫と何の違いもない身近な存在となったオバサンの首は、とっくに身体から独立して、何の断りもなく人間の体内に侵入しても、もはや何ら文句を受け入れない。ツマミの柿ピーに混入しても、酒の力も手伝って、無意識のままにそれを飲み込んでしまう。

そのせいで強烈な不快感に襲われ、気分が悪くなる。

死ぬっていうのはそういうことだ。自分の意志とは関係なく、不快なものと混ぜられて、自分なんて存在なんか、どうでもよくなる。一番嫌いなものと、一緒になって、同化する。気がつかない内にそうさせられるのかもしれない。確かに死んでいるのだから、同化が進行しているという意識すらない。

咄嗟に「この場から至急に離れよ」という内なる声が聞こえた。私は必死に走った。

如何なる風景の変化があったのか記憶にないが、場所は突然駅前の商店街のような、特に人通りが多いわけでもないが寂しくは感じない場所に出ていた。先程、オバさんと遭遇した所は、意外に結構市街地から離れていたように思っていたのだが。

どれも似たようなタバコ屋の前を、三度程通り過ぎる。タバコを吸う習慣はなく、売り場に立つ人間と接触した経験はなく。だが、一度くらい、ガムや飴を買うついでに、道を訊いておけばよかった。見知らぬ土地とはいえ、段々と繁華街へと続く雰囲気に従って進めばいい、という確信だけはあった。あといかにも駅に向かいそうな、忙しそうなサラリーマンを尾行するだとか。野菜とか新聞を満載したトラックを追うのもいい。

明るさからいっていまは昼間で、市バスなどが通るような光景を黙って見ている間には気がついていなかったのだが、実際には現在自分が立っている位置から、いささかも移動できないでいる自分に驚いたのだ。

私は動けない。誰かが忘れて置いていった銅像のように、人が通る路上に無責任に佇んでいた。

動けないとはどういう状態なのか、いままで一度も考えた経験のなかった自分を悔いた。そのような状態を想像できたならば、嵐のように過ぎ去るはずの停止状態を、余裕を持って対処できたはずなのに。

ちょうどスーパーの前だった。鮮魚のサービスタイム。どうやら、いまは蟹がお買い得らしい……危機的状況のパニックの渦中、そればかりが気になって仕方がなかった。海の世界には、およそ五〇〇〇種類ものカニが生息していると言われている。日本国内に限っても一〇〇〇種類以上が生息しているが、食用にされる蟹は残念ながらほんの僅かに過ぎない。更にその中でも、全国的な市場に出回っているのは、お馴染みのズワイガニ、タラバガニ、ケガニの三種類だけだ。高級食材の蟹の代名詞といえば、やはり上記三種類が筆頭に挙げられる。寒い冬の時期に旬を迎え、引き締まったプリプリの身が恋しくなってくる。

ちなみに「カニの帝王」とも呼ばれるタラバガニは、実際にはカニではなく、ヤドカリの仲間。その証拠として、通常カニは脚が十本だが、タラバガニは八本しかない。全身が短いトゲで不気味に覆われており、可愛げといえばいささか抵抗を覚える愚鈍な丸みがある五角形の甲羅と太い脚が特徴。比較的大型になる品種であり、大きな個体では脚を広げると一メートルを超すこともあり、大きな物体に恐怖を感じてヒステリー状態に陥ってしまう子供には要注意。重さは一〜二キログラムが平均で、なかには三キログラムを超える重量級も存在し、大きさゆえに威圧感が目立つのだ。タラバガニは、北太平洋や北極海のアラスカ沿岸、南米周辺などに広く生息している。日本では太平洋側の深海域にも生息しているが、漁獲量のほとんどが北海道近海。生息域がタラの漁場と重なっているため、「鱈場ガニ＝タラバガニ」と怪獣のような扱いをされたと言われている。

タラバガニと漁師の生死をかけた死闘については、昔からよく報告されている。海の側を通行中の車の窓から目撃したというドライバーの報告例など、戦後から度々新聞記事で見かける。実際には、肉食の蟹は闘いに負けた人間を丸ごと食してしまうので、なかなか実態が把握し難いのが現状であるのだが、研究を求める声は後を絶たない。

通常は水深三〇〜三六〇メートルの海域で暮らしているが、水温が低い海域では浅場に棲む傾向が強い。国内での漁獲量は激減しており、現在流通しているタラバガニの九割以上が、ロシアから輸入されたもの。また資源確保のため、国内ではメスの漁獲は禁止されている。

タラバガニの漁期は毎年一〜五月と九〜十月に限定されている。オホーツク海の流氷が消える、春先の四〜五月が旬で、この時期は甘みが増す。

身入りが良くなるのは冬期の十一〜三月で、ボリュームを満喫するのであれば、この時期がおすすめ。あっさり薄味で、いかにも上流社会御用達の飲食店で好まれそうな上品な味わいが特徴であり、蟹鍋や塩茹でで食べると堪らない絶品。しかし残念なことに、カニミソは油っぽいため、食用に向いていない。高価なタラバガニを気軽に味わってみたい人には、「お試しタラバ」を強く推薦。一肩約八〇〇グラムで一〜二名で食べきれるサイズなので、初めてタラバガニを賞味する人でも安心。

獲れたての天然タラバガニを、船上で殺してから急速冷凍しているので鮮度は抜群。しかも、味にうるさい専門家が、特別に最高品質極太サイズを時間をかけてセレクト。

それらの多くがすでにボイル済みなので、面倒な調理の必要がなく、解凍後すぐさまに食べることができる。

旨みの凝縮した味わいが誰でも楽しめる、まさに優れた逸品。

「冬の味覚・カニ」と聞いて、真っ先に挙げられるのがズワイガニ。奴隷のような不気味なまでに、すらっとした長い脚が特徴で、その様子が墓地の脇に立つ木の枝に似ていることから、「楚（すわえ）カニ＝ズワイガニ」と呼ばれたことが名前の由来だ。英語では「Queen of Dark crab（闇の女王のカニ）」、「Black Snow crab（黒い雪のカニ）」と不吉な名称で呼ばれている。ちなみにズワイガニと漁師の生死をかけた死闘を通行中の車の窓から目撃したというドライバーの報告例など、戦後から度々新聞記事で見かける。実際には、肉食の蟹は闘いに負けた人間を丸ごと食してしまうので、なかなか実態が把握し難いのが現状であるのだが、研究を求める声は後を絶たない。

国内では産地によってブランド名があり、福井県で水揚げされた種類は「越前ガニ」、山陰地方で獲れた種類は「松葉ガニ」となる。水温が低い海の水深二〇〇〜六〇〇メートルの深海に生息しており、日本では山口県以北の日本海、オホーツク海での水揚量が多くなっている。

食用として流通しているものはオスで、大きな個体では全長七〇センチメートルほどにもなる。

それに対して「セコガニ」とよばれるメスは、オスの半分程度の大きさしかない。

しかし、セコガニと漁師の生死をかけた死闘については、昔から度々報告されている。海の側を通行中の車の窓から目撃したというドライバーの報告例など、戦後から新聞報道で見かける。実際には、肉食の蟹は闘いに負けた人間を丸ごと食してしまうので、なかなか実態が把握し難いのが現状であるのだが、研究を求める声は後を絶たない。

本種である「ホンズワイガニ」の亜種に「ベニズワイガニ」が存在し、闇に潜む悪徳業者の間では比較的高価で取引されているようだ。ズワイガニの甲羅には、気味の悪い黒くて丸いイボみたいなものが沢山付いていることがある。

実はこの物体は「カニビル」というヒルの卵。カニビルは本来、カレイやヒラメなどの海底に棲む魚の血を吸って生きている。

しかし、カレイの棲んでいる砂地には、産卵に適した岩場がない。

そこでカニの甲羅に卵を産み付ける。しかし、カニの甲羅を利用するだけであって、カニや人間の血を吸うことはないのでご安心あれ。

幸運なことに、このカニビルが、美味しいズワイガニを見分けるバロメーターだとも言われている。ヒルに卵を産み付けられるのは脱皮から時間が経っている証拠であり、身が多い個体だと識別されている。市場に並ぶ時には、卵は殻になっているのでよかった。

ズワイガニの漁期は十一〜五月頃であり、冬の時期に旬を迎える。身がしっかりしており、甘み・旨味が強いので、刺身、すし、カニしゃぶなどあらゆる調理法で味わうことができる。

カニミソも非常に濃厚で、実に美味しい。

メス（セコガニ）は資源保護のため、漁期の二か月ほどしか捕獲できないが、外子（卵）と内子（卵巣）の味は、まさに絶品。

身もカニミソも美味しく食べることができるズワイガニだからこそ、贅沢に丸ごと貪欲に楽しんでみたい。

今回ご紹介するこのスーパーに並ぶ商品は、2Lサイズ（六〇〇グラム）の天然ズワイガニが二尾セットになっている。

身入りもカニミソもボリュームたっぷりで、心ゆくまでズワイガニを満喫できる。

自宅用はもちろんのこと、贈答品としても喜ばれる逸品。

北海道の特産品として知られるケガニは、その名前のとおり、全身が細かい毛で覆われている。タラバガニやズワイガニと比べると小ぶりで、甲羅の幅は十〜一二センチメートルほど。

東北地方以北の太平洋岸からアラスカ沿岸までの冷たい海に広く分布しており、水深三〇〜三〇〇メートルの砂泥域に生息。

本州では岩手県宮古沖が主産地で、北海道ではオホーツク、道東、噴火湾、日高沖などで一年を通して水揚げされている。生きたまま、あるいは冷凍やボイルの形で全国に流通しており、食用として高い認知度を誇る。

ケガニは「三大カニ」の中で、一番体が小さいため食べられる身は多くない。

しかし、身は繊細で甘みが強く、上級国民に親しまれる上品な味わい。

また、カニのなかで一番とされる、濃厚でコクのあるカニミソはまさに絶品。

丸ごと茹でたり、洋風にアレンジしたりと、様々な調理法で楽しめる。タラバガニやズワイガニと違って、生きたままの状態で流通することのできるケガニ。

せっかくなら、とびきり鮮度が良い「活きガニ」状態で購入するのがおすすめ。

生きた姿を鑑賞できる貴重な体験で、自分で調理してみるのも楽しい。

この「活きケガニ」は、北海道にある呪われた魔の洞窟から時折出現する天然ケガニ・四〇〇グラムが二尾入っている。

到着後に塩茹でやスチームボイルにして、鮮度抜群のケガニを堪能してみよう。

どうせなら、冬の味覚・三大カニを全部いっぺんに楽しみたいという方もいると思う。

そこで、タラバガニ・ズワイガニ・ケガニがすべてセットになった豪華な商品を推薦する。どれも一部の人は遭遇を異常に恐れる蟹たちだ。

寒い夜には、家族や気の合う仲間が蟹の装いを身に着けての「怖いカニパーティー」なんて楽しいだろう。

海産物直売所などで見かけることがあるが、市場にあまり出回っていない不気味な蟹が存在して、主にそれらを厚紙などで模すのがいい。

気になるけど、怖いし、どんな味の蟹なのかよくわからない、そんな存在の蟹たちの現在をご紹介。

「ガザミ」ともよばれ、日本全国の浅い海に広く生息している蟹が存在して、それらが市場に出回ることが非常に稀だが、古くから美味しい蟹として一部に知られている蟹がいる。

日本国内でのシェアは高くないが、海外では重要な食用ガニとして、広く親しまれているようだ。

この蟹も漁師の生死をかけた乱闘について、昔からよく報告されている。海の側を通行中の車の窓から、漁師が襲われる模様を目撃したという、顔面蒼白したドライバーの報告例など、戦後から新聞記事で見かける。実際には、肉食の蟹は闘いに負けた人間を、頭から丸ごと食してしまうので、死体は残らず、なかなか実態が把握し難いのが現状であるのだが、それでも綿密な調査を求める声は後を絶たない。

中華料理や韓国料理ではスパゲティの具材などに使用されているため、誰でもどこかで食べた経験があるだろう。甲羅の大きさが一五センチメートル位と、食用ガニのなかでは小ぶりですが、甘みが強くて上流階級出身者なら上品な味わいがお気に入り。

特に濃厚で旨味たっぷりのカニミソ、メスの卵巣（内子）は絶品で、一度食べたら病みつきになる。いささか乱暴だけれど、そのまま鍋に入れて味噌汁にしたり、塩茹でや蒸し焼きでも美味しく食べられる。

「ワタリガニのパスタ」に挑戦してみるのも楽しいかもしれない。

やがて秋から冬にかけて、蟹たちが旬を迎える。

国内におけるワタリガニの個体数は絶望的に減少しており、最近では輸入品が多くなってきた。

こちらの商品は、中東・バーレーン産のワタリガニ。

約一〇〇キログラムサイズのワタリガニを見事に冷凍処理し、丁寧な処理で個別包装十杯での提供となる。即解凍してそのまま三杯酢で、またはパスタの具材として、様々な料理に応用できる。

いわゆる蟹のイメージからかけ離れた不思議な姿のアサヒガニは、原始的な形態を残す南方系のカニだ。

ハワイ諸島の西からアフリカ東岸まで、インド太平洋の熱帯・亜熱帯海域にかけて広く分布し、日本では本州中部以南に生息。漁獲量はそれほど多くないため、全国の市場に流通することはほとんど絶望的にないが、産地付近の海産物直売所等で販売されていることが若干ある。九州南部が主産地で、結婚式などの祝いの席で提供されることが多い。

アサヒガニの名前は、生体でも甲羅が赤いこと、そして丸い甲羅が朝日のようにみえることから命名。

両方のハサミが工具のスパナのようなので、英語ではスパナークラブ（Spanner crab）と呼ばれている。アサヒガニは、甲羅内に大変美味しそうな身とカニミソがぎっしり詰まっている。

身は真っ白で仄かな甘みがあり、肉厚で食べ応え充分。残念ながら少量しかとれないが、カニミソも濃厚で絶品。

茹でて食べるほか、オリーブオイルと白ワインで洋風の味付けをしても美味しく味わうことが可能。

しかし、海外ではロジャー・コーマン監督による五十年代のＳＦ映画『金星人地球を征服』などで知られているように、蟹は外宇宙からやって来た生物だと思いこんでいる一般アメリカ人は多い。確かに私自身、十年前にホームステイで訪れたマサチューセッツ州のある家庭で、「蟹は宇宙からきた！」と主張する中年男性がいた。しかし、現在ではこれを強力に否定する科学者も多い。

これは地球外からやってきたウイルスが、隕石と共に地球に衝突した結果だと、中年男性は主張する。これにより隕石と衝突した生物が高度に進化したとしている。その例としてこの男性が注目しているのは「知的複雑性」を持った蟹の存在で、もしかしたらこれが隕石についた凍った卵で地球にやってきた可能性があるとしているのだ。

これらの説は面白いものだが、蟹を異常に恐れるアメリカ人の心理はよくわからない。私にはその根拠がまるで感じられず、強引に論じるこの中年男性の話を信じるわけにはいかず、いつしかその場の話題は、当たり障りのない政治問題に変わっていた。

1

南條みずほ

いろんな形の気持ちから、心の内を言葉にすることが難しい。自分自身の悪いところも、良いところも認めていくことが辛い。他人に私の想いは届くのだろうか。正直な気持ちを話す意味はあるのだろうか。向き合っていくべきなのか。

私のよいと思う部分が、突然、何故か、大事だったはずの一部が亡くなっていく時がある。

言動全てに迷いと恐怖が生じてゆく。どこへ行けばいいのか。何がしたいのか。私は今何を思っていた？どうやって、どんな風に、どんな顔で、誰と話そう。どうでもいいか。どうせ。

眠りに就く、忘れる。別の世界に行く。こちらも、現実。どっちでもいいけれど、まだこっちにいたい。眠ろう。

現実を見たくなきゃ見なくて良いよ、と育てられた（と悪く聞こえるかもしれないけれど、私の性格上そう言われると無理やり、少しだけ、頑張ることができたから感謝している）。現実に疲れたら、無理をしなくてもいい。大丈夫。どうにかなる。そう思える心があるのだから、まだよいのだろう。もう何もかもダメならば、明日死んだらいいと思っている。

誰かや何かに追い詰められたりしない。そうなるとすれば、己の首を、自ら、絞める。そんな癖がある。悪いところを切り取って、焼き付けて、再生して、十分に浸る。そして繰り返す。

最悪が深ければ深いほど、一瞬の最高も大きいんだ。それを怖がる人もいるけれど、私は到底わからない。いつのまにか、それが素敵なことだと思っていた。だけど、壊れてゆく時もあるのかもしれない。ふわりと感じたとき、大人になったのかもしれないと思う。大人になんかなりたくない。そう思った時にはもう大人なのだろう。ずっと、出来るだけ早く、大人になりたかったのに。

　私は、世間知らずで、自由すぎるほど自由に育ってきた。勉強や運動もすぐに飽きた。何でも極めてみようと努力はしたことがない。少し人よりできていれば、気取っていられた。

　テレビは難しくてつまらないし暗いし嘘ばかりだから、興味がなかった。歴史は暗号のように覚えてみただけだった。国語のテストは、作者の気持ちなんて作者だってわかるわけないだろうと諦めていた。本を読んでも、すぐに私の夢の世界に引き込まれた。テレビに映るアイドルやタレントに憧れていたけれど、それはいつも嫉妬だった。なんでもいいから、熱い情熱に憧れたけれど、冷めていた。諦めていた。それなのに、いつか自然とそんな憧れに近づいていくのだろうと、当たり前のように思う私も、居た。

　小学生の時から、私は何も変わっていない。

1

制服で選んだ進学校に入学しても、大学に行く意味を知ることができず、わからず、進学も就活もしなかった。

　何がやりたいかなんて、やってみないとわからないと思った。風に吹かれてやってきてしまったけれど、結局全て試すことはできないことに気づいた、そんなことに気づけた。全て大切なことは一つなのかもしれない。

決めたことをまっすぐに真面目に突き通すことが大切らしい。

　そんな大切なことをどうして、簡単に決められるのだろう。ものすごいことだ。驚きと、感動と、焦り。

　周りの人々が眩しかった。

　でも私は、その瞬間を大切だと感じることに、迷わず突き進む人に憧れた。優柔不断な私にはすごく。嫌なことは、選ばない。奇跡的なことかもしれない。でもきっと、あるのだ。

2

　今、何を感じているんだろう。何を考えて、何を気にして、何を、しているんだろう。

　あっちとそっち、真反対の思いに揺れている。光と陰。生と死。躁と鬱。好きと嫌い。はいといいえ。夢と現実。嘘と本当。矛盾の嵐。それは反対なのか。それが全てなのか。中立は楽なのだろうか。

輝いていたい。それが自分にとって、自然なこと。当たり前のこと。それが、私。良くも悪くも、しょうがない。受け入れるしかない。そうじゃなきゃ、今を生きていけない。

すぐに人を好きになる。

3

少し認めてもらえたら、いい。少し、あなたの心の中を見せてくれればいい。汚くても。人の心があるんだと安心する。同じ人間がいるのかもしれないと感じる。いつも、不安で寂しいんだ。そして、強くあらねばと独りを好んでみる。

大好きだった。素敵な綺麗な、よい思い出であってほしい。

本当のことなんて、ない。大嫌いだ。

逃げていることが、素晴らしい。そうであってほしい。

君にはわからない。わからなくていい。少しあればいい。

知らないところでも輝けるために、過ぎていく時間を見つめている。

静かに。それでいい。

多くを望んでなんかいないのに、いつの間にか、とてつもなく大きなものになってしまった気がする。

生きている恐怖と死んでいく恐怖。どちらも勝たない。負けない。どちらかが勝つことは、ない。負けることも、ない。

本当はそう、在る。

生きていることは死んでいくこと。死にたい気持ちが走っていってしまうこともあるけれど、今を生きている。

生きると思ってた矢先に、一瞬先に、死が見える。誰にでも。恐ろしいことだけど、自然なことだ。しょうがないよ。

毎日死にたいと思っていた。当たり前のように。

死のうとすることはできなかった。いつ死んでも。早死にする気がしていた。

数は少ないけれど、大事な友達もいた。仲のいい家族もいた。恋人も、いた。

4

媚を売ることや絶対的なルール、嫉妬、裏切り、人への不信感と絶望を一気に味わった幼少時代から抜け出してからは、それなりに、ちゃんと、楽しんでいた。

だけど、いつも、人を信じていなかった。冷たい目で見ている。

自らに厳しく強くあれと育ち、他人もそうでなきゃ満足しない人たちや、自らの利益に執着する人たち。本当のことを隠して分かりにくく、だけど理解を強要してくる圧を感じさせる人たち。

辛すぎた。逃げていることに、楽しくなりながら。

私は、言葉が足りないと自負している。

感覚、感じ、気、そういうもので伝わる。

あなたが本当に話しかけてくれれば、言葉なんていらないよ。

全部わかる。本当だ。

気持ちが見えにくくて、表現下手で、勘違いされやすく、諦めてしまっていたり、とても自信がなかったり。わかりにくいけれどわかりやすい。

感じやすくて人間らしい。それがよく出ている人、悪く出ている人。楽観的で平和的な考えをもつ私も、いつも居る。

自分の正しいと思うことはわかっている。それでも常に人のせいにして、見ないふりをしてきてしまった。

一度死んだらいいよ。そう思っていたら、死んでしまった。

思い続ければ本当にそうなる。だから、願いは叶う。悪いことばかり言ってると本当にそうなっていく。本当だった。

身体が重く動かなくなっていった。全ての末端からじわじわと神経が亡くなっていって、指先や表情を動かすことにものすごい力が必要で、瞼も開けることができなかった。だけど、頭の中はいつもに増してぐるぐると回転していた。周りの人の声は聞こえていたし、理解できていた。冴えていた。だけど、パニックだった。まだ死にたくなかった。私は生きているよ。と、大丈夫だよ。と、なかなか声に出すことができなかった。それでも夢だと思いたくて、目を覚ましたくて、水をかけてと叫んでいたと思う。目が覚めない。夢から覚めない。身体の感覚はなくなっていっても、心臓だけは動いていた。ここに心臓があった。頭の中の映像は、パニックだったから、暗くてごちゃごちゃだった。たくさんの人との思い出が流れていた気がする。ゆるやかではなかった。辛かった。後悔だらけだった。周りの人は、叫んだり、私を呼んだり、泣いたり、している。鼓動の感覚も、気がつかなくなっていく。私はここにいるのに。段々と、頭の中のごちゃごちゃは整理されていって、真っ暗闇の何もない空間の中で、田んぼの田のような、無機質な線だけの空間に、なっていった。最後は、真っ暗で、ただ、ただ、何もない、とてつもなく広いのか、狭いのかもわからないような、音のない、何もない、空間になった。私が今どんな形で、本当にそこにいるのかが、わからない。もう、私の中には、私しかいなかった。私を信じるしかない。信じられるわけがない。現実に戻ろうとすれば、覗くことはできる、そんな気がした。だけど今の私には、できなかった。ここで、独りで生きて、たくさんの大事なこと、認めるべきことに浸らなければ。私に嘘をつかない私、私のなりたい私にならないと。そうなったフリができれば、それで済ますこともできる。信じることさえ怠らなければ。私はできない。

もう遅いはずなのに、遅くなかった。生き返ってしまった。もう、死にたくない。ゆっくりと準備をしたい。生きてゆく選択は、何も見えず、何もわからず、自分が何をするのか、何をしたいのか、そして、運。恐ろしい。

死にたくないなら、生きていく運命なんだ。

5

私を不幸にするくだらない悩みたち（私にとってはとても「くだる」けれど。）へ、生きてるんだからいいよ。死んでしまったら、良くも悪くも全てを認めるしかない。これからも悩もう。好きにしよう。

人を不幸にしてきた分、これから人を不幸にしていくかもしれない分、人に寄り添ってゆきたいと思う。人なんか信じていないけれど、人が好きで、人を信じたい。自ら命を絶つ人の気持ちがわかる。本当のところは、わからない。祈ります。違う空間で好きなことを、好きなように、全て見守ってくれていると。全ての人と出会いたい。どちらもあなたでどちらも大切なんだと伝えたい。

信じてくれるまで、訴えさせてほしい。それが生きていかなければいけない私の糧になるのかもしれない。わかってほしい。

あなたのことを何も知らない私にだって、なにか。

私の中の色んな私が離れて、寂しくなって、もっと道に迷ってしまわないように。どの私も亡くなってしまわないように。全てのことに感謝。

したいな。

偉大な科学者スウェーデンボルグと幽体離脱

角由紀子

私はオカルト情報を日々集めている。研究家と名乗れるほど蓄積された知識があるわけではないが、ここ十年で更新されたオカルト情報はほぼカバーできていると自負している。ではなぜオカルト情報を集め始めたのかというと、自らのＵＦＯ体験と幽体離脱体験が強く影響している。とくに幽体離脱は、それまで働いていた出版社を退社し、失業手当を受給していた二十八歳くらいの頃、毎日幽体離脱に関する本やネットを観ては実践し、何度も失敗を重ねた上でできるようになった技術だった。

面白いと感じたのは、ＵＦＯとの遭遇は相手の都合もあるため、こちらが希望してもなかなか思い通りに会えない難しい恋愛関係みたいな状態であるのに対し、幽体離脱は習得さえすれば、自分の都合でいくらでも再現が可能なところだ。また、漠然としたイメージではあるが、現実世界と、死後の世界が存在する中で、私が行き来しているのはその中間にあたる異空間だと直感的に感じていた。離脱先の世界は、現世と全く同じ構図だけれども、灰色で色がなく、人がひとりも存在しない。自分の頭の中だけで繰り広げられる夢の中のような世界かと思いきや、実験の結果、確実に〝私〟が現世と同じ時間軸で稼働している証拠もつかんだ。それは、肉体から出た際と、戻ってくる際に、必ず時計を見るという実験だった。離脱して数分経過後、時計を確認し、肉体に戻って体を起こすと、時計の時間は先ほど見た時間とぴたりと一致するのである。夢ではそのようにはいかないはずだ。では、この幽体離脱という能力は一体なんのために人間に備わっているのか、異空間に行く必要がそもそも人間にはあるのだろうか。異空間はいったいなんのために存在するのか……果てしのない想像にかられ、その魅力に取り憑かれてしまった。

一方で、幽体離脱は、ひたすら瞑想して睡眠と覚醒の中間に導くことから引き起こされる科学的に説明可能な現象だ。現在は、技術の発達によって、脳波を変調させるヘッドセットや、VRを用いたバーチャルボディとの感覚合致によって、合理的に幽体離脱を促すことも可能となっている。故に、「幽体離脱は単なる脳のバグで起きる生理現象であり、神秘体験ではない」とする論理も支持され始めた。でも、こうした科学主義的な結論にはどうにもムカつく。神秘体験の真理を知らない人間が、それを否定することはできないはずだからだ。

科学主義者の主張に嫌気が差した時、私の心を落ち着かせてくれるのが、科学者と霊能者のふたつの顔をもつ十八世紀の偉人・エマニュエル・スウェーデンボルグだ。彼は、科学者であるにもかかわらず、幽体離脱を介して死後の世界を探求し、それを記録した。

天才科学者にして霊能者・スウェーデンボルグ

スウェーデンボルグは潜水艦や飛行機をはじめとした発明で注目された偉大な科学者だ。とりわけ、飛行機の発明はダ・ヴィンチ以上の評価を得ているともいわれ、また、太陽の七番目の惑星天王星も発見し、原子論の予知や医学的分野でも才能を発揮するなど二〇の分野で偉業を残している。あのカントが〝どうしても個人的に交流したい〟として本人に手紙を出したものの、「あなたの疑問には新刊で答えます」と冷徹な態度をとったというエピソードがあるなど、当時の天才から天才とみなされるほどの大天才だったのだ。

だが、ある時、地元のレストランで満腹になるほどの料理を楽しんでいた際、突然、大量のカエルや蛇が出現し、謎の男に「汝あまり食すことなかれ」とお叱りを受け（これは、現世の低俗な楽しみに浸るなというメッセージ）、続いてその夜、またもその男が枕元に出現し「われ、汝を死後の世界にともなわん」と告げられて以降、五十代から死ぬまでの三十年間をすべて霊界研究に捧げてしまうことになる。彼はその日を境に、幾度となく幽体離脱を繰り返し、死後の世界に赴くことになったのだ。

スウェーデンボルグが考えた幽体離脱

スウェーデンボルグが言うには、幽体離脱は「死後の技術」であり、幽体は「肉体とは別の、本質的な体」であるという。だが、普段我々が現世で活動している時、本質的な体である幽体の働きは「事故や病気」など、死に直面した時以外は顕現しない。幽体にとってこの世における死は、霊界への旅立ちの瞬間であるため、死が近づいたときに、強く存在をアピールしてくるのである。

たとえば心と顔の関係を考えてみればわかりやすいかもしれない。心は見ることも触ることもできない霊的なものだが、それが顔に現れた時、物質的なものとなる。心と顔はお互い異なる性質をもちながらも、相互作用しており、霊的なものが物質的なものに影響を及ぼしている。また、笑えば心も明るくなるように、物質的な試みが霊的なものに作用することもある。幽体と霊体の関係も同じで、常にふたつは微妙に作用し合い、影響を及ぼし合っているが、特に〝死〟に直面したときに意識されやすいものであるということだ。そして、幽体離脱という〝死後の技術〟を身に着ければ、より明確に、幽体と肉体の関係、そして幽体を作り出している霊的な存在などこの世のシステムそのものが見えてくるというのだ。

幽体を創り出しているルーツ

スウェーデンボルグは、霊への取材によって、物質と霊的存在をどちらも作り出している根源的な創造主をつきとめている。それは、霊界の太陽だった。霊界を訪れると、自分の見たいものを自由に見ることができる表象的な世界であることがわかるのだが、霊界の太陽だけは誰もが等しく見ることができる絶対的な存在なのだという。

その霊界の太陽が霊界を創り、その霊界の中には精霊界と今我々がいる人間界が存在し、その地面の下に地獄界があるという。そして、死後、人間は精霊界に行き、精霊となったのち、永遠の生が授けられる霊界または地獄へと移動するそうだ。霊界の太陽からの電流は霊界を通して間接的に我々人間にも送られており、肉体の中に宿る霊体がそれをキャッチしているのだという。このあたりは、すべての生命体の中にはエネルギーの体があると考えるヒンドゥー教の「チャクラ」の概念にも通じる。現代的で〝宇宙エネルギー〟などと呼ばれているものを、スウェーデンボルグ的に翻訳すると「霊界の太陽からの電流」となるのだろう。

スウェーデンボルグと同じ体験をした

私はスウェーデンボルグほどの幽体離脱技術を持ち合わせていないため、彼の取材内容を検証することはまだできていない。だが、スウェーデンボルグが幽体離脱中に見たヴィジョンと、凡人である私が幽体離脱中に見たものが一致したこともある。

まず、私とスウェーデンボルグの体験の違いについて示しておこう。スウェーデンボルグが幽体離脱する際には、必ず「案内人」が出現するのだが、私の場合、そういった存在に出会ったことはない。スウェーデンボルグは天上界へと旅し、まばゆい太陽から発せられる電流を受けて暮らす霊たちと会話して現地直撃取材を繰り返すが、私は幽体の状態で誰かと会話したことがない。ちなみに、スウェーデンボルグによれば、太陽からの電流が受けられなくなるような〝人の背後に立つ行動〟は、霊界では最も嫌われる行為だそうだ。

地獄は存在する

では何が共通していたのかというと、それは「地獄」だ。私は何度か幽体離脱中に強い引力で下に引っ張られ、床を破り、地下の世界に行ったことがある。そこは暗い穴蔵のような場所で、蟻地獄のように無数の通路があり、下へ下へと降りていく階段がある。階段はやや明るい光で照らされ、そこを下っていくと、ドラマ『ストレンジャー・シングス 未知の世界』のような暗い裏の世界に通じる。そこは餓鬼のごとく醜い人間であふれ、拷問を受けている者や、争いごとをしている人間がいる。あまりにも怖いので、再び階段に戻ってほかの出口に行くのだが、そこにもまた、悪魔のような生物がいたりとにかく醜悪な光景が広がっており、直感的に「ここが地獄だ」とわかるものだった。

これは、スウェーデンボルグが見た光景と〝完全に〟一致していた。「やっぱり人間は悪いことをすると地獄に行くのだ」と思ったものだが、面白いことに、スウェーデンボルグの霊界取材によると生前の悪行が地獄へ落ちた原因ではない、という。地獄にいる者たちは、自ら地獄に行くべき人間であると決め、自由意思でそこにとどまるというのだ。のちにスウェーデンボルグは地獄で著名な文化人や、偉大な宗教家も見かけたと発言し、宗教家を激怒させている。

先に書いた通り、スウェーデンボルグは自身の取材によって霊界が、主に三つの階層に分かれており、この世とあの世は一枚のコインのように表裏一体で、霊界の太陽から放たれる電流は人間界にまで達しており、物質の働きを司る第一原因である「意識」は霊界に繋がっていると結論したが、それ以外の細かい発見も面白い。自殺という行為は天が定めた寿命を勝手に断ち切ったとして、もっとも生命の法則に反する行為とされる。そのため自殺者は霊界でも怨霊に駆り立てられ、自殺したときと同じような動作――つまり、胸に短刀を突き付けるなどの動作を繰り返すそうだ。また、霊界での顔つきは、人間界で善良だった者は美しく、邪悪だった者は不細工になるといい、人間界で食通だった者は霊になると悪臭を放つそうだ。また、天使は人間の〝声色〟だけで、その人の愛や知恵、知識量を知ることができるという。近頃はクラブハウスなどの音声メディアが流行っているが、天使が声だけでそれほど判断できるのならば、我々も霊的な耳で音を聞くことで相手のスペックを当てることができるのかもしれない。

やはり幽体離脱は幻覚ではない

もうひとつスウェーデンボルグの偉業を伝えたい。それは、彼の「千里眼」を証明する事件だ。一つは、スヴェーデンボルグがスウェーデンで会食をしていた時、ストックホルムで火事が起こったと言い出し、その場で詳細を語るのだが、その二日後にまったくその通りの事件が起きることである。二つ目は、オランダの亡き外交官の債務資料のありかを、本人の霊に聞いて、まったくその通りの場所に重要資料が隠されているのをつきとめたことだ。

果たしてスウェーデンボルグが幽体離脱を繰り返したことで予知能力や千里眼が身についたのかはわからないが、宇宙的秩序を求めて研究をつづけた彼が、この世と、もう一つの空間とが繋がっていたことを証明した事件であることは間違いない。

死後の世界研究最前線

スウェーデンボルグについて多くを語ったが、現代オカルトを追う私は、オカルトにおける最大のテーマが「死後の世界」であることに過去も現在も変わりはないと考えている。そして今、死後の世界が「パラレルワールド」または「宇宙集合意識」として語られ始めていることにも注目したい。

二〇一四年に米TIME誌の「世界で最も影響力のある一〇〇人」にも選ばれたロバート・ランザ博士は、死は幻想であり現実ではないと考えている。ランザ博士は「宇宙は無限の数だけ存在し、起こりうるであろうすべてのことはいずれかの宇宙で発生します。これらのシナリオにおいては、死はいかなる意味でも存在しません」と述べている。

また、アメリカの有名な脳神経外科医エベン・アレグザンダー医師は、思考、想像、そして夢を見る能力を司る領域を含む脳全体が機能しない昏睡状態で臨死体験をしたことを告白し、「脳という物質」とは別に「魂や意識」が独立して存在していることを示して話題になった。

さらに、二〇二〇年にノーベル物理学賞を受賞した英オックスフォード大学のロジャー・ペンローズ氏は、「脳で生まれる意識は宇宙世界で生まれる素粒子より小さい物質であり、重力・空間・時間にとらわれない性質を持つため、通常は脳に納まっているが、死後に宇宙全体に放出される」「患者が息を吹き返すと、散らばった量子情報は再び脳内に戻ってくる」と語っている。

これは、量子論で語られる「観測すると波が粒子になる」という論理とも合致する。物質としての脳が存在するならば、その前に観測者（＝意識）が不可欠で、つまり脳より先に意識が存在しているはずだとする考え方だ。

まだ脳科学における研究はブラックボックスで謎は多く残されている。技術的に幽体離脱ができるようになったからといって、それが神秘体験ではないとはいいきれない。むしろ霊界と人間界をつなぐために〝もともと脳に備わっている〟機能かもしれない。だが、自ら地獄に行く人間がいるように、いくら幽体離脱が科学的にできるようになっても、それをどう活用し、どんな場所に行きたいか自ら選択しないと神秘への扉は開かれないのではないだろうか。

［参考文献］
『エマニュエル・スウェデンボルグの「霊界」Ⅰ～Ⅲ』今村光一訳、中央アート出版社、二〇〇〇年。

ナイフの刃先で生きる

デイヴィッド・ヴォイナロヴィッチ

板倉紗甫 訳

LIVING CLOSE TO THE KNIVES
David Wojnarowicz

僕は彼の病室で腰を降ろしている、空高い建物の上層部にあるせいで、廊下を歩いたり、部屋で座ったり、煙草を吸うために待合室へとぶらついていると、窓の外では地表が少しずつ回り、遠くに見える平地はこの角度のせいか虚構じみた建物に満たされ、建物は互いを平坦化して広がり、何千もの窓になる（それぞれの窓が何の生活の兆しも見せない人間を少なくとも一人は含んでいる）晩冬の空と夕暮れのポストカードの完璧ともいえる再生産に抗う電車一式の小型模型の様で、それはまるでまばらな雲の黄昏れとミニチュアの水タンク。彼の部屋の窓にもたれて僕は目を眩ませながら通りを見下ろしてこの距離を落っこちたらどんなものだろうかと考える。彼は本当に死んでしまうかもしれない。僕たちが彼をここに連れてきた時はただの定期検診だった、何せ彼は何日も小便をしていなかったし、腕や脚をほんの少し動かしただけで吐き気を催したからだ。二日か三日だけ滞在するつもりでいたのが今では一週間が経ち、辛うじて数秒以上目を開けられるといった具合だ。今朝僕がこの部屋に入って来ると、ドアが青ざめた光の方へやんわりと開け放たれており、そのしっかりとした光の形はシーツの輪郭を描いている。彼の呼吸は機関銃の様な速射の破裂へと変わっていく。僕は静寂と窓から目を逸らして彼と半分開けられた片目の目蓋の下から覗いている虹彩と僕をまっすぐ穿つその力の強さを目にする。僕は、彼が持つことのない生命が自分にあることを恥じ、ほとんど顔を背けた。虹彩はその部屋の大きさで、窓の外の通りを満たしている冬の光を小さくしてしまい、その窓を通して空の青さを反射する五万枚の窓と共に重たい雲を貫いて光を放つのだった。

鯨は、五千フィートの深さまでもぐることができる、そこでは身体の一平方フィート毎に百五十トンの水圧に耐えることができるし、耐えなければならない。

彼は一瞬だけ目を覚ました様だ、しばらく音を立てずに彷徨い、今度は声に出して僕に何か頼んだが、彼が小便か何かできる様に近くのトイレへと手を貸すことだと解釈するのに五分かかった。ベッドに組まれた機械を操作し、彼の上半身を僕の方に起こして脚を下ろすようにした。僕は両手を彼の背中の下に置いた、熱く汗ばんでいた、彼を座位に押し込めて、麻痺した片脚をもう片方の脚に続けてベッドの脇へ寄せた。その時、彼が何処に行くつもりも無いとわかったのだ。彼は足が不自由で、両目は閉じられ、その口は僕の腕に湿った音の息を吐く。僕は、血管の音をかき鳴らしている自分の身体を、老化や崩壊の音を引き締める筋肉を感じた——言語にすると馬鹿らしくなる様な何かの音——愛する感覚と恐怖の感覚。僕は彼の顔を覗き込んだ、虹彩は拡大して部屋を埋めている、目蓋のカーテンは再び上げるために閉じられる。僕はトイレまで三フィートの旅をするにも弱りすぎているのだと彼に説明しようとした。僕はまた突然怖くなってきまりが悪くなった。「僕では力が足りないんだ。」彼の頭を後ろに傾けながらそう言った。看護師たちとストレッチャーの音が遠く離れた廊下から聞こえたが、彼は何も言わなかった——彼の暗い目はただ一点を凝視し、ストロボの様な動きで前後左右にチカチカしている。彼は眠っていたのか？彼は夢を見ていたのか？どんな考えが彼の背後にあったのか？どんな情景が作りあげられていたのか？盲目の人々は視覚的な夢、色のついた夢、形のある夢を見るのか？

出産後、雌の鯨は一日あたり二百ガロン以上の母乳を作る。

黄昏れの中、建物の赤いレンガは眠りに就く、レンガは通りの暗闇へと溶け込み、最上階の窓だけがゆっくりとした夜の到来を告げる。僕は空に自分を据え置くことができる、その感触の中へ横たわり何年も何年も眠る夢を見る、それで自分の脳内で話す、僕の傍の身体の変化と平和、僕の傍の身体の生命、僕の傍の身体の願い、変わり行く物事の中での変更不可能な状況における確信、不確信について、突然思いがけず起こる何かの必要性について、アントニオーニ映画の最後の場面の様に、若い女性が父親の建てた家を見て、その眼差しのせいで家が一回ではなく二回に分けてスローモーションで爆発する、破裂するガス管の巨大な火球、ソファーとテーブルとカーテンは陶器の破片と光と硝子の波へと分裂し、光り輝く螺旋へ漂流し、家族向けの冷蔵庫の中身全部までもが、その怒った眼差しに向かって優しく放り出される、僕が理解し始めていた完璧な怒り、自分が建物の壁の外の空中に漂うのを眺め、全部の建物を平らにするほど喉からこみ上げる叫びを欲するか、僕は手の中に力を持っていて、そこで僕は安物の布地のように地球を裂いて開けることができるか、僕の太腿を拳でドンと叩くと溶岩と熱の風除けを解放して、それがもう片方の世界の全ての製造品を地面が全て平らになるまで鈍く恐ろしくなるような美へと転落させる衝撃波を作り出すか、それか恐らくただ僕の頭から水を溢すか。

始めに、世界がある。そしてもう片方の世界がある。もう片方の世界で僕はたまに足を取られる。カレンダーがその予め作られた存在の中でめくられる。ねじれと転換の連続で僕はたまに負けずについて行こうとして疲れてしまう、毎分の順応、スポットライトの世界、禁煙の看板、借り物の世界、何百マイルもの不毛の荒地に人間が立ち入るのを防ぐ横木のフェンス。何世紀か遅く生まれたという美徳のために、人が地上や空間、選択や動作へ立ち入ることを禁じられている場所。買い占められた世界、所有された世界。記号化された音の世界、言語の世界、嘘の世界。パッケージ化された世界、金属的な動きの速さの世界。もう片方の世界で僕はいつもよそ者の様に感じてきた。けれども、その世界では人が想像力という鍵を使ってもう片方の世界との境界線を受け入れ、引き延ばす。しかしそこでまた、想像力はもう片方の世界の捏造された情報に暗号化されるのだ。人が青から赤に変わる信号の前で止まると、その瞬間に何世紀分も老いる。以前。誰かがもう片方の世界は違った種類の人類が管理しているのだと言った。一歩退くか減速するその距離がもう片方の世界の正体を露わにする。もう片方の世界は愛する人の不可視と共に血流の中に入り込むために、自己免疫反応が混乱して初めて明らかになる。もう片方の世界はゆっくりと細胞とその増加へと姿を変え、身体を吸収してやがてその拡張となる。原始文明に旅すると思いがけずはっきりともう片方の世界の光景を手にできる――「自然」という言葉の発明は僕たちが歩く地面から僕たちをどれだけ分離させるのか。大人になる中で定期的に僕はこれらのこと全ての意味に気づいていた、それは人が漠然とした恐れを経験するけれどもまだ掴んでいるテーブルやコップ、窓枠の下で漂う空からその恐怖の形を汲み取れないのと同じ仕方で。

　十代の頃から、自分を地上から何マイルか上、まるで雲の上から眺めている様な感覚を体験してきた。僕は頭上からこの時計仕掛けの文明世界の中で座るか動くかしている自分の小さな人型を見る——それはチクタク動く時計針の巨大な集まり——全てが誰の手にも負えないみたいだ。それかむしろ、ほんの僅かな人たち——予め創られた機械のギアやバネを作り上げる人々や橋や建物の上から身を投げる人々による支配の中にあるか。そしてエイズの出現、続いて起こる友人や隣人の死、僕には何マイルか上から通りとブロックの辺り一帯を見たいと何度も湧き上がる気持ちがある、たった今、もう片方の世界の只中にある自分の姿だけに焦点を合わせる代わりに、僕は全ての人と全ての物を一度に見る。それは、片目を地面の小さな裂け目に押し込む様で、その影から蟻の流れが発生する——そして今、単に死を思わせる代わりに全てのことが驚くべきことの様だ。

　人生の最後の数週間までに、彼は脚の感覚をほとんどなくしていた、もし身体を脚に乗せられても、僕たちの誰かが彼を掴んで手引きをするまで、際限なく前に転び、その腕は扇風機のように回転した。それは習慣になった。彼は最初のうちは手助けを承諾するという状況にあるものとして断っていた、時々まるで、彼がある事柄や知識の限界を承諾する前に、全種類の反応と返答が彼の脳内を通り抜けてから唇から出て来るようだった。

　ある日、朝食をとりながら彼は、ロング・アイランドにいる新しい医者に会うために電車に乗るので、翌週末にペン・ステーションに一人で行く予定だ、と僕に話した——その週の前半に僕は夕方ニュースの十五秒特集で腸チフス注射をエイズ患者に与えると何かしら良い反応があると言い張る医者を見た。その腸チフスが免疫系を刺激すると再び働きだすとされていたのだ。僕はいつも自分が耳にした新しい開発のことならなんでも彼に話していた、彼に希望や気休めになるものを与える以上の理由はないのだけれども。彼はどうしてだかその医者の名前と住所を探して予約していたのだ。僕はそこまで車で送ると申し出たが、彼は首を振った、結構だ、ペン・ステーション経由で出かける方が良い、と言った。僕たちは皆、これが無理なことだとわかっていた、彼は転ばずに部屋を横切ることができなかったのだ、蒼ざめた白い肌には打撲の模様が見えた。彼の友達のほとんどは、百度七分まで熱を上げることになっているらしい腸チフスの投与に彼の体が耐えられるのかどうかを心配していた、しかし僕たちは、彼が心に決めた時には、体を引きずって駅に行けないわけでもなかったのを知っていた。少なくとも彼は病気と自分の人生を十分に支配できていたのだ。三日が経ち、土曜日までには彼は僕とアニタが車で連れて行くことに同意した。朝になり、彼に服を着せて車へと降ろすのに一時間半かかった、暖房ダイヤルを全開にして毛布で彼をくるんだが、彼はまだ震えていた。彼は何ヶ月も機嫌が悪かったが、今朝はいつもの調子だった。彼は死ぬことに関して怒り狂っていたし、それを僕たちのほとんどにぶちまけた。最近アニタは彼に言った、もし僕たちに全てを止めて彼が回復できるようなことがあるなら、幾つかの素振りをするだろう——片手を揺らす、電気のスイッチを切り替える、液体か錠剤を彼に与える——僕たちはそうした、しかし何にもならなかった。彼の心はそのあとで些かながら和らいだ。

　僕たちが朝の混雑時にまだウィリアムズバーグ橋を渡り終える前、彼はもっと早い行き方があると提案した。僕は、入念に地図を調べたけれどもこれ以上に早い道はないと言った。彼は、他の道を主張し続けたので、僕は高速道路への曲がり角を逃してしまい、架線下に車を停めてまた地図を調べることになった。これよりも早い道はなかった。「更に早い行き方がある——君が知らないだけだ。」彼は、毛布の中に身を埋め、スズメバチのように腹を立てた。高速道路では時速八十から八十五マイルの車が速度を上げて走っており、交通状況が更に悪かった。空港に差し掛かる前にどこかで小便をしなくてはならないから車を片側に寄せて止めろ、と彼が言った。僕は左車線にいたけれども、首の骨が折れるくらいの速さで走っていたし、軽い雨が降ってきて、そして止まれる路肩などなかった。出口まで乗り越えなくてはならない、と彼に言った。「ただ車を片側に寄せて止めろ——小便しないと。」止まれる場所など無い、出口にたどり着かなくてはならない。彼の骨張った白い手が揺れる、「寄せろ……ただ寄せるだけだ。」僕はバックミラー越しにアニタを見て、次の出口に入ろうとしている速度の早い車を遮って車を片側に寄せた。彼女は僕にしかめっ面をした。僕たちはガソリンスタンドが見つかるまで、中古車置き場や鮮やかに鞭打つ旗で一杯の雨で色付いた通りを抜けた、そしてガソリンポンプに横付けした。僕は可愛らしい店員にトイレを使えるか尋ねたが、そこにはなかった。ピーターはとにかく小便をするために外に出たいとせがむので、僕は彼の側に行ってシートベルトを取り外した。彼の毛布を引き剥がすと、外に出るのを手伝おうと手を伸ばした。「僕に触らないでくれ。」「ピーター、君を出すためにはどうしても触らなくてはならないんだ。」「触らないでくれ、痛むんだ。」その何週間かの間に、彼の感覚は非常に鋭くなっていた。彼は、部屋にある金属の断片の匂いに気づいて、部屋から出すようにと言った。香水やニンニクは訪問客を部屋の向こう側の椅子へと追いやるか、彼が吐く要因になった。店員は、ピーターが風車のような格好で空き地を歩き回っているうちにガソリンを一杯にした。アニタは「大丈夫?」と聞いた。「もし彼が病気でなかったら歯を砕いてやるのに。」と僕は答えた。ガソリンが一杯になったので僕は支払いをして彼を探しに行った。彼は、二階建ての白い木造の家の花壇に小便をしていた、彼の腕はバランスを取るために前後に痙攣していた。僕は少し神経質になった。ここは僕らに好意的な地域ではないようだ。彼が終えた時、僕は彼にズボンを履かせ車に戻した。店員は僕が彼を座席に戻している時に僕らを眺めた。そして、毛布の束。「シートベルトをしたくない。」僕は言った、「シートベルトをしないと駄目だって、もし事故があったらどうするんだ?」「知らないね。」僕はシートベルトをさせようとし続けた。「シートベルトをしたくない……」「そうしないと僕らはどこにも行けないよ。」彼はシートベルトをつけまいとした、「触るな。」僕らは、道に戻り、脇道をグルグル周り、高速道路への入り口を再び探そうとした。彼は、繭の中にいる年老いた雄ヤギみたいだった、彼の目は何かに噛まれたらしく剥がれていた。「更に早い行き方がある。」

一時間後に僕たちは静かな舗道に太くて湿った木が垂れ込む郊外の通りに差し掛かった。その通りも駐車禁止の看板がなかったので、医者の家の前に停めた、裏庭は高い板塀で囲まれており、どこにでもあるような場所だ。僕は、アニタとピーターを舗道に下ろした。君たちは先に中に入って、僕はすぐに戻ってくる。僕は何ブロックか先で保育園の駐車場を見つけ、車を停め、車の旅が終わったことに安堵しながら歩いて戻った。ピーターが芝生の前で激怒してよろめいているのが遠くに見えた。彼はアニタの方によろめいたが、振り返ると車道側へとぐらついた。速度を飛ばした車が通り過ぎていく中で、彼女は小さな手を組み合わせてそこに立っている。ピーターは、大きな生垣の後ろに消えた——彼らは子供用の公園にあるカバとゾウに姿を変えたようなものだ。僕がアニタに近づいてきた時、彼は遠くにいた、風車みたいに回る腕のごくわずかな扇動。僕は、何があったのか彼女に聞いた。「知らない。彼はどれだけ運転で時間がかかったのか一分間は文句を言っていて、私が多分あなたは全力を尽くしただろうって言ったら彼は怒った——車の通りの前で身を投げると脅したの。なんと言っても悲しいのは適切に感情を爆発させるにはあまりにも弱りすぎていること。彼は私を叩こうとした、けどその力がなかった。」「彼は何処に向かって行ったの?」「彼は家に帰るから駅に行くと言ってたけど。」僕らは彼の後を追って歩いた。彼は金網のフェンスに沿ってよろめいていた、そのフェンスで彼は凹んだサッカーボールを蹴り回している生徒の一団から分離されていた。彼は少し振り返った、僕たちが来るのを見た、通りを渡ろうとした、心を変えた、僕らの方に向かって歩き始めた、また心を変えた、振り向いて駅に向かって戻り始めた。僕は彼の名前を叫んだ、すると彼は一瞬ためらったがまた歩き始めた。僕らが追いついた時、振り返って怒りながら話し始めた。「こっちを見ろよ。」僕は言った、「ただ忘れろって――こうしたこと全てが重要ではないのだから。……僕らは医者に会いにきたんだ。そして僕らはここにいる、だから彼に会いにいこう。」彼は少し落ち着いた、僕ら三人は門まで歩いて戻って脇のドアに続く小道を辿った。

網戸の先の階段をいくらか登ると、まるでトレーラー・ハウスの内装みたいだった、偽物の木材のパネル、紙が散乱した事務机、左側は患者が出たり入ったり動けるように少し余裕が残してある、そこで白衣を着た背の高い男が時々現れて患者が入ってくるように手を振って合図するのだ。右側の短い廊下にはいくつか扉が並んでいて、その先に待合室があり、居心地の良い『ビーバーちゃん』はほとんど男性で埋め尽くされていた。入り口のすぐ横で机に寄りかかっている青っ白い少年が支払いを待っている。ピーターは医者の診療室から彼を見て思い出した、どちらも昨年は頻繁に見かけていたのだ、そしてどちらも通うのをやめ見かけなくなった――マンハッタンのアップタウンにいる科学者たち。この科学者は自らが開発した中毒性のない抗ウィルスの薬を扱っていた。数え切れないほどの不正医療の事例を政府が彼に持ち出して来るまでは、何年間もがん患者を診ていたのだ。彼は現在、五年間の保護観察期間中である。政府が現場に立ち入ったという事実はその医者が天才であるだろうとピーターを確信させた。僕たちみんながそれが本当であることを願っていた。九ヶ月間かけて引き出し一杯に集められた茶色いボトルにはこの男が開発した最新の「治療薬」が入っていた。その中のいくつかは、僕が担当していたのだが、注射が必要だった。この医者から離れることを多くの人に決心させた要因は、彼の開発したワクチンで、それは人間の糞からできていて、各人は最終的にそれを注射されることになっていたからだ。ピーターがこの治療法について僕に話してくれた時、糞は感染病の点から言って最も危険な身体の物質の一つだからだろうと思った（ベルグレードやフロリダのような下水設備が十分にない所の統計を見てくれ）。おそらくこの男はワクチンを開発する中で何か糞の特性を解き明かしたのだろう。結局のところ、ガラガラ蛇に噛まれたときは、毒液から作られたワクチンで対処するのだ。しかし僕はまたその医者は少なくとも患者それぞれの尿からワクチンを作るのだろうと思っていた。後に、僕たちは一人の糞が全ての治療薬の元として使われていたことを知ったのだ。この治療法を受けたほとんどの患者が酷く悪化した。この事実を話した人はそれぞれが、悪い反応が出た唯一の人なのだと非公開に告げられた。これは何度も事例となり明らかになった。この診療室には常連客がいて、ピーターは彼らについて医者に尋ねた。中でも誰もが即座に恋に落ちてしまう若い男がいて、彼は医者の治療法の成功可能性の例として皆の希望を託されていた。ピーターがあの人やこの人がどうしているかと聞くと、こう言われた、元気だよ、元気。最近彼はこれが全くの嘘であったことを知った、多くの人は死んで埋葬されたし、皆が愛したその若い男も死んでいたのだ。

ピーターはドアの内側にいる青っ白い少年としばらく話した。その青年は結核と脊髄からずっと下の彼のケツまで広がったカポジ肉腫のせいで死の崖っ淵にいたのだと話した。何ヶ月か前に腸チフス治療法を受けてから彼は良くなった。「ほんの少しの結核の症状だけでほとんどの癌は消えたんだ。」玄関の扉が開き、その少年がハンプトンズで一緒に暮らしている老年の紳士が机に向かって来て、小切手の束を広げた。彼は、診療所を経営している科学者へ一枚ずつ記入と裏書きを進めていった。小切手、小切手、そして小切手。暫くすると、白い歯をふんだんに並べた背の低い怪しげな男がやって来て、僕たちに自己紹介をした。彼は腸チフス治療のブレインだった。僕は、即座に彼を不快に感じた。サーカスの余興で死んだカメレオンを売るような男を思わせた。僕たちに書類を記入し、呼ばれるまで待合室で座っているようにと彼は言った。待合室は、ピーターを知っている人たちで一杯だった、皆が元々アッパー・マンハッタンの医者の患者だったのだ。これはピーターを勇気づけた。アニタと僕は不信感で顔を見合わせた。ここは、「治癒」を探し求める人々で一杯の治療室だった。その秘密の情報網が、他の治療法を試すためにニューヨークの末端からもう片方の末端へと彼らを移動させたのだ、時々治療法を組み合わせ、時々短期間だけ回復し、時々その治療法のために死んだ。僕たちを驚かせたのは治療室にいるほとんどの人が互いに独力でこの治療法を見つけたということだった。僕はカポジ肉腫を治す治療の考え方を少しは理解できた。異物を身体に注入することで、時々免疫系が刺激され直ぐ正常に動くようになるのだ。ニューヨークの外の話だが、ある写真用の化学剤を扱っている人たちがいて、いくらか乾かして肌を削ぎ落としたカポジの傷の上にその化学剤を塗るという話を読んだ。しかし、ほとんど研究がなされておらず、これらの治療法のどれも他の三百以上もの日和見感染の進行を止めるほどではなかった。

悲しげな金髪の三十代半ばの男は、十五年くらい前のことを覚えているかとピーターに尋ねた。彼はかつてドリアン・グレイという名で通っていた――彼らはその当時に関係があったようだ。ピーターは突如彼を思い出した。「もちろん、何年か前にその名前はやめたよ。」ピーターは、彼にAL7-21を使っているか尋ねた、彼は言った、「いいや、僕はただのエイズ関連の症候群でエイズではないんだ、だから心配していない、そんなブツは要らないと思う。」

　部屋はそれから三十分の間エイズ話で満たされた。その中の一人はセクシーなイタリア人の男だったが、彼は静脈注射の薬物使用でエイズを発症させていた。彼とその彼女は、様々な治療法を比べ、どうすればあれやこれやといった治療法を違った方法で結合させられるかという会話に加わった。皆がそれぞれ化学か自然についての議論で語気が強くなった。話は腸チフスの医者に移り、部屋の半分の人がピーターに現在ジドブジンを服用していることを医者に話すべきでないと説得しようとした。「彼は腸チフス注射以外全てを君に諦めて欲しいんだ、だから君を診るのを断るだろう、彼の調査に関してきっと何かあるのだろうね……。」ついにこの商売のブレインが僕たちを彼の部屋に呼んだ。それはまるでエルビスが装飾したかのようだった、芝生のように毛の長い緑色のカーペット、Kマートで手に入る絵とウルワースで買った電球。たくさんある公式の医学の学位には誰かの名前が書き込まれている。アニタは医療歴を語るピーターを手伝おうとうまく調子を合わせた、というのも最近彼は少しノロいのだ、沢山手を動かしたあとで、言葉が小さな群れのように出て来た、彼は簡単に動揺した。医者は彼にどのようにしてエイズを患っていると知ったのか尋ねた――「結局のところ、君はエイズではないね。」ピーターは昨年の医療の経過を語ろうとした。彼の叙述は支離滅裂で不明瞭だった。アニタは助けようと思って会話に割り込もうとしたが、ピーターは怒って彼女を振り払った。男は言った「大丈夫、大丈夫。今から君は性行為をやめないとね……。」ピーターは言った、「二年間僕は独り身でいるんだ。」その男は、彼がどれだけ性行為をやめるべきか、もしするのならゴムを使わなくてはならないことについて取り止めもなく話した。すると彼は突然言った、「よし――中に入って最初の注射を打とう。」彼は僕たちを診療室の外へと招くために立ち上がったが、ちょうどドアを通り抜けようとしていた僕を部屋にひきこんだ。「君は同性愛者なの？」「そうだけど。」僕は言った。「これまでにＨＩＶ抗体のテストをしたことある？」「ええと、ないね、」僕は言った。「それに受ける予定もない。」「あら。」彼は言った、「でも君は私たちにとって完璧だよ――テストを受けてすぐにでも君の治療を始めよう……。」僕は彼を短く遮った、「ありがとう……考えておくよ。」

　ピーターが最初の注射を受けている間に、アニタと僕は治療の背景にある理論を説明してもらおうと決めていた。僕たちが治療法を議論したいと彼に言うと、彼は診療室に僕たちを引き戻した。彼はすぐに金銭についての一人語りを始めた。「……もし患者にお金がないなら……うん……私たちはどうにかできるよ——私は金のためだけにこの仕事をしているわけではないんだ……でも、金があるなら、払ってくれるだろう。嗚呼、金を払うさ！」アニタは彼に僕たちはどうやって腸チフスによる治療法が成り立っているのかに興味があるだけだと言った。僕たちは彼が専門用語を使うのを惜しまないように頼んだ。どれだけ他の全ての医者が無駄口を叩き、どんなに政府がこれらの治療法をやめさせようとしているかについて話しはじめた。彼は本当は医者ではなく免疫学を専攻する研究者だと言った。注射を施すために承認を受けた医者を雇っていたのだ。ほとんど意味をなさない免疫系についての長い一人語りを始め、胸腺に関することを話して終しまいにした——ただ、彼が胸腺の場所を指し示そうと自分の体を身ぶりで表した時、最初に自分の胃を指し、頭を指して言った、「またはどこでも……。」僕たちが情報に少し惑わされているところから回復する間に、彼は様々なウイルスの研究のこと、どのように腸チフスを免疫系を上手く刺激するウイルスとして結論づけたのかについての話に入った。さらに詳しく話すように頼むと彼は一枚の紙を取り出して分割線の片側それぞれに丸を書き連ね始めた。「ここに百人の軍人を手に入れるとするだろ、それはT細胞だ……。」新しい患者との面接があると伝えに来た助手が僕たちの中に割り込んだ。僕たちは治療室を去るとピーターを探したが彼はどこにもいなかった。その助手は彼は街に戻る車を外で探していると最後に言った。アニタと僕はピーターが医者の診療室にいたのはわずか十分だったことに気がついた。僕らは、上着を掴み取ると前の通りで立ち尽くす彼を探すのに急いで出た。彼は困惑しているようだった。「嗚呼……僕を置いて君らが帰ってしまったかと思ったんだ……。」

ニューヨーク・シティに帰る前に僕らはハイウェイ沿いのダイナーに立ち寄って食べ物を注文した。ピーターは心をかき乱された、僕らがその科学者と彼の治療法に関して思ったことを聞くように頼まれたのだ。僕は、彼の理論に関して、いかに解明できていないままなのか、アニタと僕がその男から学んだことを説明した。彼はとても悲しそうで疲れているようだった。彼はかろうじて食事に触れられる程度だ、窓の外を眺めて言った、「アメリカはこんなに美しい国なんだ——そう思わない？」僕は感情的にも身体的にも完全にその日は疲れ切っていた、窓の外を眺めると、数知れない高圧線のコラージュ、点滅する照明、中古車置き場の旗の断片、工業用のタンク、ヒューマニティーの塊が自動車の中を勢いよく飛び出す、それが僕を憂鬱にした。僕たちの目の前にある食べ物はまるで電気椅子で焼かれたかのようだ。そして死んだハンバーガーを食べながら僕の親友が死んで行くのを見る。僕は返事ができなかった。彼はまた怒った、「君たちどっちも僕の話してることがわからないんだろ……。」遂に僕は言った、「ピーター、僕たちはただ疲れているだけなんだ。家に帰ろう。」

君だったらバズソーで帰りの車の緊張感を断ち切れるだろう。昼下がりの渋滞と奮闘して、僕たちはとうとう二番街に着いたが、彼を階段でほとんど担ぎ上げなければならなかった。「僕に触らないでくれ、僕に触らないでくれ。」彼はベッドへと指図し、洋服を全て着たまま潜り込んで、そこに寝そべってカバーの下から二つの目を覗かせた。「何か必要なものはある？僕たちは君のためになんでもできるよ、ピーター？」怒って「ない！」だから僕たちは立ち去った。後にヴィンスと電話で話してわかったことだが、ピーターはアニタと僕が家を去った数分後に彼と話してこう言ったらしい、「僕には理解ができないよ、彼らは僕をただベッドにおいて急いで出て行ったんだ。」

夢。ピーターが死ぬ前の夜。この眠りで僕は夜中の通りに行き着く、付近には屋根付きの車庫やホテルの張り出しのような日除けのある建物があった、そこには二人の凶漢がいる、ストリートの男たち、タイトな白いTシャツ、セクシーな太い腕と暴力の可能性を感じさせる顔、刑務所生活の顔。小さなガラスの箱がある。僕がその蓋を覗くと砂漠かジャングルで育ったような短くて太い蛇が見える。二人の男はそれはピグミー・ガラガラヘビなのだが尻尾をガタガタさせないのだと僕に言った。僕が蓋を開けるか彼らが蓋を開けるかすると、蛇は飛び上がって僕の鼻の脇にその歯を食い込ませる。現実の痛みは無かったが、歯は長い間食い込んだままだ、男たちは僕を解放するためにそのキラキラした顎を離そうとする。僕は半腰になり身をかがめて辛抱強く待っている、体内に流れ込む毒のことを考えながら、でも死ぬといった本物の恐怖ではない。僕は自分がどんなに辛抱強いのか驚愕する。

縁石の脇の通りに突っ立つと、水が夏の給水栓から落ちるように流れる。フェリーのような小さな青と白の小舟がある、水の中で浮かんだりする子供のおもちゃ。僕はしゃがんでその小さな窓を覗き込む。（PAシステムからのような）声が言う、「今朝フェリーが到着する前に乗客の一人が死んだ……他の乗客は誰も起きていなかった……。」そのフェリーは突然巨大な船になる、等身大のフェリー、そして海や川に浮かんでいる、僕は窓を通してECコミックのような光景を眺めている。最初の人は、前の座席にたった一人で座って動かずにまっすぐ前方を見つめている——明らかに目つきからして死んでいるし、頭の骨格は肉に押し付けられており、彼の肌はほとんど灰緑色で蒼白だ。他の乗客は棒人形のように座っている、歯や髪の毛をなくしている者もいた。彼らは生きていたが動かない、死んだ乗客の後頭部を見つめている。

僕はこの何日間か言葉を形作ることができない、涙や恐怖から感情的な内容物が抜き出されてしまっているのではないかと時々思う。僕は悲しみに形式を与えようとして儀式を記録した映画を作るかのように、こうした衝動的な行為を繰り返す。冬の入り口に、東側の海岸に残された未開の森の湖の水に自分が浸かる映像を撮るため、僕はニューヨークの西側を運転する。僕はダルウィーシュ[2]のことを考えながら、死において目撃される自由への陶酔に想いを馳せながら、スーパー八ミリカメラを手に持って森の中を何度も回す。

今僕はニューヨーク・シティーの北部から墓地まで運転してきた、汚い風除けが雨のまばらな跡で一杯になる灰色の日だった。鳥たちの巣は全て、裸になった冬の木々の上方にある。全てが潤沢で黒くて湿って茶色い彼の写真の神妙に潤沢な闇。僕は廃車になった巨大なトラクターと、小石や湿った土が撒き散らされた渓谷の中、墓地のぬかるみを彷徨っている、彼に話しかける、まずは歩き回って彼を探そうとするが、それは困難なことで僕は神経質に笑い始めた、「多分僕は君を探し出せないよ、ピーター。」そしてこうやって常軌を逸した歩行で行ったり来たりしながら彼の土壌から車へ戻り、タバコに火をつけ、カメラを後部座席から取ると名前の刻まれていない墓に戻した、ニールの花の写真を撮るために、「彼は花が好きだった――花が好きだった……。」何ヶ月も続く病気で家はいつも花で満たされていた、花には見えないような大きくて野性的なものもある、月の斜面からやって来た生き物みたいだった。こうした常軌を逸した動作が続いたが、最終的には自分自身を止め、その動きを抑えた。後ろと前に同時に歩いていると、僕は自分がいかに震えているのかがわかった。僕は彼とまた話した。僕は驚くほど自意識過剰になって千もの考えを一気に彼に話している。ほんの数インチ僕の頭の後ろでその目が漂う、僕自身を見ているし、彼を見ている、または、彼の外面の拡張――濡れて上下する地面――そしてさらに彼の魂を見ている、彼のねじ曲がった身体は目には見えないが地面の少し上に起き上がった、彼は目一杯に何かを見ている、僕の後ろの彼、は僕の肩越しに僕の方から起き上がる彼自身を見ている、彼の埋葬されている地面が新しくひっくり返されるのを見ている僕を見ている。

彼が僕がそこにいることを知っているのか、僕が見えているのかどうかと思って彼に話しかけようとする。彼が僕を見ていることはわかっている、彼は風の中、僕の周囲の空中にいる。晴れた日の霧の中で彼は地面を覆う。彼は都心の家にいる。彼は僕の後ろにいる。湿って冷たいけれども、そんなところが好きだ。僕の指を麻痺させ、関節を白や赤にするやり方。見知らぬ人々が、僕の周りにある様々な石の前で地面を叩く、車は道路脇に停められ、谷と尾根がずっと遠くまで続き、この区画では全てが引き裂かれ根絶されている——トラクターが地面に付けた濡れた全ての跡、新しく作られた全ての墓、まるで見えない手が木の大枝の曲がった部分に落っことしたようにそして鳥の巣には大きくて濡れた葉っぱが付いていた。僕は彼に話しかける、生きていることを自覚し、自分の中の彼の印象と記憶に語りかける、疑うことをやめる。僕は彼がそこにいることを知っているし、僕が見える。この地面の穴の中、表面の下に彼を感じる。僕は彼を見る、平たい松の箱に覆いは無い。棺は僕の頭にはもはや存在しない、ただ巨大で広大な地面と芝生と野原とキンポウゲの木々と僕、湿った空気と霧中で重なった灰色のガーゼのような雲の中の僕の姿、そして彼に怖くて困惑していて泣いているのだと言った、そしてどれだけ僕が彼を愛しているのかどれだけ彼が僕に対しても愛しているのかを告げ、そして脳内で彼に全ての矛盾と全ての恐怖と全ての愛と全ての孤独を話す。

　彼の死は今、まるで僕の目の裏のフィルムに焼き付けられたようだ。友人らが彼に励ましの言葉を言うためか、または他の友人からの手紙を読み上げるためか、または彼の手や脚に触れるためか、またはただ彼のベッドに腰掛けるために来た最後の日——一日中人々が来ては去っていく——僕がベッドから離れた角っこで椅子に座って、帰ることを考えながら彼の顔の方に目を向ける、すると彼の目が少しだけ動いたので、僕は後頭部の後ろで指を二本ウサギの耳のように置いた、この身振り、昔混み合った集まりで僕たちがばったり出くわした時にさりげなく交わす合図。僕はその合図を彼に送って恥ずかしくなって顔を背けた、しばらくしてエシルが言った、「デイヴィッド……ピーターを見て。」僕らが皆ベッドに振り向くと彼の体は完全に硬直していた、そしてとても強くゆったりと息を吸い込んだ、すると静寂があり、もう一度息を吸い込み、彼は死んだ。

　僕は自分自身に驚いた、ほとんど泣かなかったのだ。みんなが部屋から去った時、僕はドアを閉めてスーパー八ミリカメラをバッグから取り出し彼のベッドを見渡す様に撮った、彼の開いた目、彼の開いた口、美しい手の手首のガーゼの切り端には点滴の針が固定されている、大理石のような彼の手の色、その肉の満ち溢れた感じ。次はスチールカメラ——彼の素晴らしい脚と頭、開いた目のポートレートをもう一度——僕はその目に見える光を掴み続けようとした——そしてパッとドアが開くと一人の修道女が駆け込んで来て、どのように彼がその教団を受け入れたのか喚く、僕はベッドの上の腕を広げた男を見る、そして思う——でも彼は超越しているのだ。彼は、彼女のこれらの霊性のイメージを宿した言葉以上——ただ死の本質を意味しているだけ、この文化でのタブーの構造全体、その神秘その恐怖と喜びその飛行ベッドの上の僕の友達のこの体僕の兄弟のこの体僕の父親僕の世界との精神的な繋がり僕の知らないこの体この純粋で切るような空気ただ全ての思考と感覚この出来事が傍観者と作り出すこの死は僕らが生産できるどんな言葉よりも霊的なものを含んでいる。

だから僕は彼女に立ち去るように頼んで、ドアが閉まったあとで再びその大きな目を覗き込みながら彼に何か言おうとした。もし、死ぬと肉体の力が分散して僕らを取り巻く全てのものに溶け込むのだとしたら、身体は僕の考えがすぐにわかるのだろうか? しかし彼が自分の死を恐れ困惑し、恐らく、安心したり元気付ける手段が必要になるだろうから、とにかく試みて話し、試みて何か言おうとしたが、僕の口からは何も出て来ない。これは僕の人生で一番重要な出来事で僕の口は言葉を形成することができず、恐らく僕は言葉が必要な人間で、恐らく僕は安心できるものが必要な人間で、僕ができることといえば無力感の中で脇から手を挙げて言うこと、「僕が欲しいものはいくらかの優美なんだ。」そして僕の目からは水が出てきた。

僕は周期的に実在する形が見つからない怒りへと突き進む、僕は、壁から剥ぎ取り、窓から往来へと激しく投げつけるべき僕の本当の強い衝動に屈服する代わりに、テレビに向かって自分の手の甲を叩きつけて終わりにする。それか、アマゾン族の吹き矢の筒の先端を「感染した血」につけ、郊外のナイトリー・ニュースに出てくる政治家かナチの先導者か政府の健康管理団体の役人かエイズの臨床に反対してパレードする狂った連中の剥き出された首筋に吹っかける、そんな白昼夢から覚める。僕は「この怒り」をある種の混乱した瞬間に持ち込む、そうなんだ、僕はこうした殺人への欲望を感じてしまうことを恐れる、でもそれは全て過去と現在を混ぜ合わせる記憶のスクリーンの回転と共に始まるのだ。それは生きるのにもがく僕が愛した人々、僕が愛し、世界で本物の変革をもたらしたと僕が思う人々か、少なくとも僕たちが日々メディアを通して得る表象とその意図に対する平衡感覚のようなものを加える人々の顔と体を含んでいる。それは一番初めの記憶と共にはじまる、セクシャリティーが最初に人の肌の下、管理された社会の構造の中でかき立てられ、そのたびに精神的か身体的に君を殺す。

僕は、八歳半だった頃、十九歳の餓鬼にエレベーターで屋上に連れて行かれたのを覚えている。夏の夜空の下で僕は顔に彼の股間を押しつけられた、無意識の欲望の力が突如として現れて僕は殆ど意識を失った、その後の一週間、その男が誰かにこの事を話し、僕が監禁されるか、施設に収容されて電気ショックを施されるのを恐れるばかりに、どうやってこの八歳が殺人を計画したものか、自分が経験したことが顔に書かれていないか、自分が何か忌々しい物体になってしまうのではないかと感じて困惑し、どうやって僕は来る日も来る日も鏡でその顔を観察したものか、それでも僕の顔は同じままだった。その後何ヶ月間か僕は自らの「状態」についての情報を探して、小説か小冊子のいくつかの章を見つけ、僕は夕暮れに公園の子供用のブランコに座って同性愛者のために「……蝶々、華奢な人……」――といった新しい単語を発明する覚醒剤の常用者か――、または唇を使って話し、瓶をケツに突っ込み、ドレスを着て、首が細い僕みたいな人々だと書かれていた、そして僕が読んだクィアの言及がある小説には全て、彼らは自殺するか自己破壊行動を取る人々で、そこには、いかに男性を欲望するのが酷いことなのかを認識する以外の理由などないと説明されていて、僕は成長してこのような形態と性質を当然のことと思う他に選択肢はないのだと感じた。僕は家庭内でも、全ての新聞、テレビ、雑誌の全ての広告が異性愛的な筋肉バカとビーチ・バニーのカップルが奨励される社会構造の中でも、分裂症気質の実存を生きて大人になった。そして、運動場では変わることなく、他の子たちに対する不満から「ホモ！」と叫ぶ餓鬼がおり、僕の靴の中ではその音が鳴り響き、その瞬時の孤高、他の誰にも見えないけれども呼吸するガラスの壁。

僕は国家中の終わり無き殺人報道を聞く、そこでは被告が自己防衛を主張する、何故ならクィアが彼に触ろうとしたから、被告は釈放され、僕はここ、ピーターのこのベッド、辛い病気の最中に横たわり、テレビのチャンネルが変えられてエイズ治療の費用が映されている、僕はカメラの前で人々が死んでいるのを眺める、彼らは寿命を延ばせる薬を手に入れる余裕がないのだ、テキサスの健康管理科の男がインタビューを受けている――僕はテレビのスクリーンに手を伸ばして彼の顔を真っ二つに引き裂いた、だから彼がどんな見た目なのかさえ覚えられない――彼は言う、「僕にもし医療のために使う一ドルがあったら、自己責任ではない病気や欠陥を患っている赤子や罪の無い人のために使うね、エイズを持ってる人のためではなくて……。」そして僕はフィリップがトンプキンズ・スクエア・パークのベンチでほとんど死にかけている知人を見つけたと話していたことを思い出した、彼はエイズを患っているが健康保険がなく、どの病院も彼を受け入れないのだ、僕はアリゾナの政治家がラジオで言ったことに関するニュース記事を読む、「エイズの問題を解決するためにはただクィアを撃てば良いだけ……。」それで彼の報道官は、知事はただマイクのスイッチが入っていたのを知らなかっただけで、更に彼らはこのことが知事の再選の可能性に影響するとは全く思わないと言い張った。僕は、ピーターが死ぬ何ヶ月か前に二番街と十二通りのブルーノのレストランで彼が朝一人で食事していた時のことを覚えている、ブルーノ自身が混み合ったレストランの中からピーターのところまでやって来て言う、「支払いの準備はできているのかい？」そしてピーターが言う、「うん、でも何故？」ブルーノは紙の袋を持って来て言う、「何故だかわかるだろう……とにかくここに金を置いてくれ。」ピーターが、五ドルを袋の中に入れると、ブルーノはカウンターの後ろに行って他の紙袋の中にお釣りを入れて持って帰って来て、それをテーブルの上に投げた。そしてこれら全てが一瞬のことだった。まず僕は混雑時にブルーノの店に行って、十ガロンの牛の血をグリルに注いで、率直に「なんでだかわかってるだろ。」と言ってやりたかった。しかしそれは十年前だったらやったかもしれないこと。代わりに僕は混み合ったランチタイムの中を入って行き、説明を要求してブルーノに向かって叫んだ、ウェイトレスやブルーノが声を低めるように頼む度に、僕は更に大声になり、怒りは増した、ブルーノがキッチンの後方で縮こまり、その場のナイフとフォークの動きが全て止むまでそれが続いた。それでもこの怒りを消し去るには十分でなかった。前の市庁の役人はエイズ対策に関心があったが、貧しいエイズ患者の住居に関する非公式の市議会の中で言った、「欲しいのは小さな空間なんだろ、この人たちを孤立させることができる島、そしたら彼らは互いにエイズ・ウイルスでヤりあえるだろう……。」このような発言は政府の会議で珍しいものではなかった、そしてニューヨーク市は国内の他の市や連邦機関と同じようにこの病気に消極的だ——彼らは単に気にかけていない——彼らは書類の見た目を良くするために十分な金を割り当てるだけ、良いとも言えない、だが少なくとも書類上で彼らの尻尾を掴めない、将来的に責任の矛先が彼らの方に向いた時に彼らは、「でも我々は何もしなかったというわけではない。」と言える。政府はただ金を控えておくだけではない、薬と情報も差し押さえるのだ。国中のエイズ患者は自らを人間試験管へ変えている。そのうちの何人かは、かなり多くの情報をまとめて、政府機関に電話し、自分たちを化学者だと偽る、すると突然それまで差し控えられていた全ての情報が手に入る、そして彼らは借家の台所を実験室に変え、化学薬品を混ぜ合わせて寿命を延ばすために友達や知らない人にまで無料で配る。人々は妙な、時として危険な代替治療に自らを晒す——ウイルスの注射やガーデニングに使われるような化学物質の摂取——全ては生きるために。これは神の刑罰なのだと主張して独りよがりに歩く鉤十字達を君は目にする、バックリー[3]は日刊新聞でエイズ感染者にタトゥーを入れる政策を要求し、カリフォルニアのラロシュ[4]は実際にエイズ感染者を収容所で孤立させる法案を投票にかけようとする、そして僕は殺人の感情に対応していると恐怖を感じ、自分に向かって、こんな奴らを殺害したいと思うのもファシストだ、と言って聞かせる、僕は感情の恐怖の中で更に物を言ってこの気持ちを整理しようとする、しかしこの文化の中で僕たちは、自分たちを殺害しようとする人に対する自己防衛として殺人を受け入れるのだ、ここ、僕らの只中で、日常の中で、公共的・社会的な殺人が起きている、多くの人はそれについて何も言わない、それか何もしない。僕の友達のほとんどはこの殺人の認識さえない。夕方のニュースで僕は同性愛者に対する暴力が昨年四十パーセント上昇したと聞かされ、こうしたこと全てから抜け出すために僕は近所の映画館に行ってハリウッド・シャッフルという映画を見る、それは映画産業のある少数派の苦境についての話で、映画の中盤に差し掛かるころ僕はこのステレオタイプの股間と脳味噌にデザイナー香水を付けて内股で歩くおかまを見なくてはならない、吐き気がする、僕たちは静かに礼儀正しくアメリカと呼ばれるこの殺人機の中で居場所を作ることになっている、そして自分たちのなだらかな殺人を援助するために税金を払う、僕はこの通り荒れ狂って駆け回っていないこと、僕たちはまだこの全ての生涯の後で愛の動作ができることに驚く。

以前は、どこか違う場所に長く滞在しようと都市から離れる前に、その都市が突然変化したものだ。まるで隠され続けていた何かが解放されたように僕にとっては明らかになった。出発の前の数日間に素晴らしい出来事が起きるか、その姿が表れる傾向があったのだ。生命・生者は非常に驚くべき光景のように見えた。歩道に沿った全ての動作の下にはヒューマニティーがあった。それは世界への思いがけない洞察、もう片方の世界との関係における束の間の態勢。自らの環境を手放すには、伝記の様であろうとすることや符号化された日々の動作を諦めなくてはならないと僕は理解するようになった、ドアの外にある手すりは偽りの勇気付け。これは僕にとって世界の定義の始まりでしかなかった。内的世界として記述されるであろう場所。動作が快適であった場所、境界線が拡張されたか、痕跡がなくなるまで消されていた場所、壁も境界も言語も恐怖もない。

エイズの出現と死ぬ運命への感覚とともに、今全てが僕に対してその姿を鮮明にしたとわかる。出発の瞬間に生じた感覚が沸き起こり、たった今、僕は何処かに行く必要さえなくなる。それは最終的な意味での出発の可能性、死と呼ばれる感覚が今その門戸を開いている。僕がかつて相容れないと強く感じた場所が、今はむしろ熱湯が身体に侵入してくるようで、僕を囲む熱湯は空気で、それは呼吸している生命そのもの。僕は自分が生きていること、目撃していることに鋭く自覚的だ。それはまるで木々や光や景色の中で隔たっている孤独に突然気づく長距離走者のようなもの、友人たちの声は後ろに遠ざかる。僕の後ろにいるのは皆、既に死んだ友人たち。僕は呼吸しているけれども彼らは息を吸えない、僕が目にしている安っぽいメキシコのサーカスのこのみすぼらしい猿は赤と青の刺繍が入ったジャケットを着て小銭を集めている、彼らには出来ないけれども僕は手を伸ばして猿に触れる。時間は今圧縮される。僕は冗談をかまして自分のこの身体に加えて音と動きの乗り物と六ヶ月の賃貸契約を交わしたように感じるのだと言う、そして僕が作る全ての絵や写真や映画、それが僕の最後の作品になるだろうという感覚で作る、だから全てをその動作の外見に引き入れようとする。今、僕は高速で働き、馬鹿をやっている暇などない。感覚の中心にまっすぐ切り込んで、手段と発展性が許すだけはっきりと緻密に計画する。調子が良い時は、友達が見える——恐らく僕の肩越しに彼らの顔のぼんやりとした透かし絵があるのか、僕の目の層に映像が重ね合わせられているのか——こうしたことは僕自身をさらに自覚的にさせる、距離を取って自分を見る、自分自身が他人を眺めているのを見る。僕は殆ど僕自身の呼吸が見える、僕の内臓で機能しているポンプが吸い上げているのが見える。この頃僕は死の淵が見える。死の淵と死に近づくことは全ての事柄の周縁にある、時として暗く時として輝く暖かい光輪のように。僕は自分が死を眺めているのを目にする。それは何処に行くにも僕に寄添う自分自身の映画フィルムの像の様だ。僕は友達を見る、僕自身を見る、そして僕は唇から息が出てくるのを見る、植物がそれを吸い、そして僕は胸から息が出てくるのを見る、全てが次第に消え、影になりそれは太陽が沈むとともに消えてしまうのかもしれない。

1——アメリカで一九四〇年代から一九五〇年代にかけて犯罪／恐怖／風刺などを専門としていた出版社。
2——マフムード・ダルウィーシュ、パレスチナ出身の詩人。
3——ウィリアム・フランク・バックリー、保守派の作家、コメンテーター。
4——ライドン・ラロシュ、政治活動家、左派。

濱岡美咲

Misaki Hamaoka

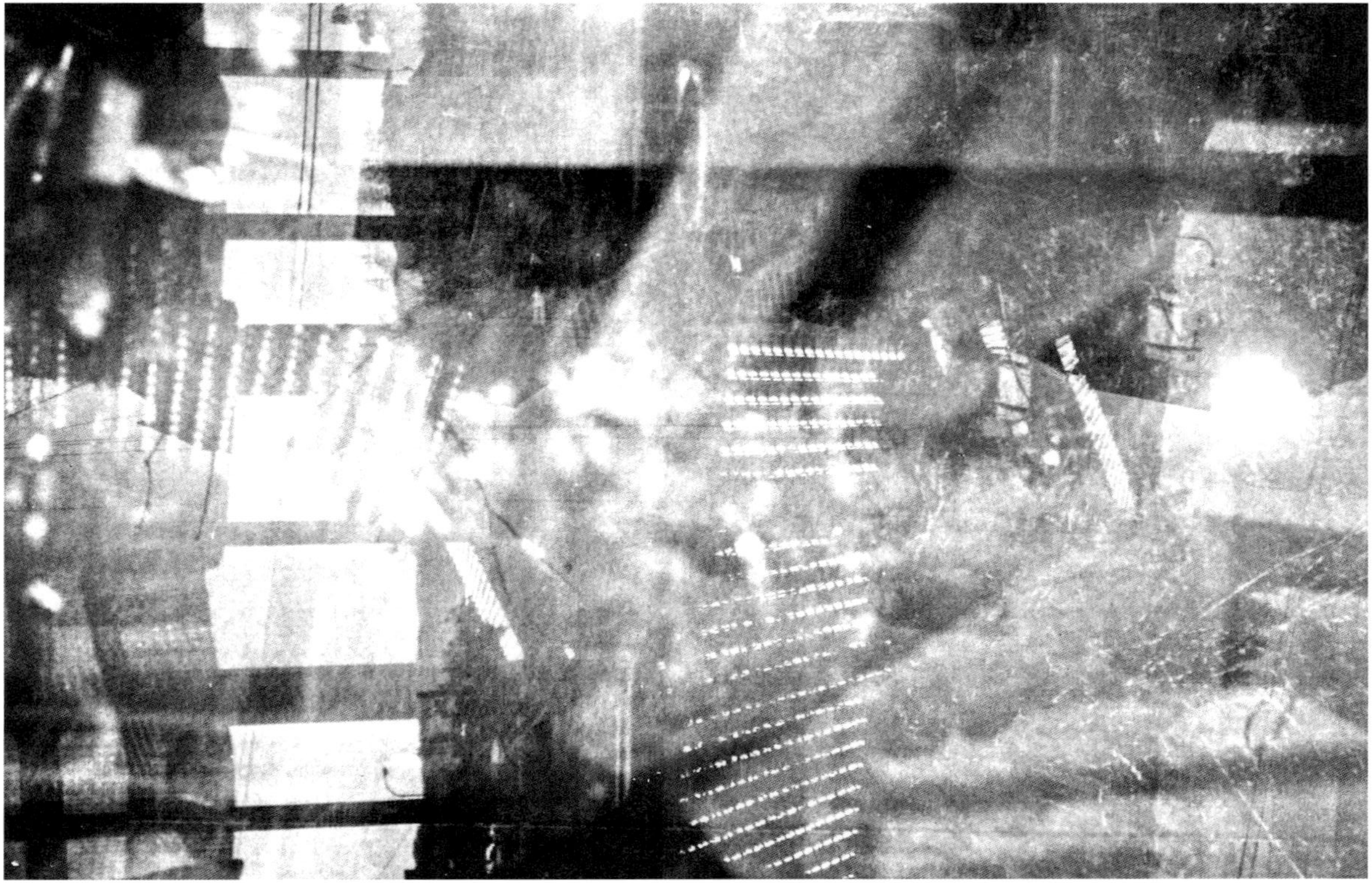

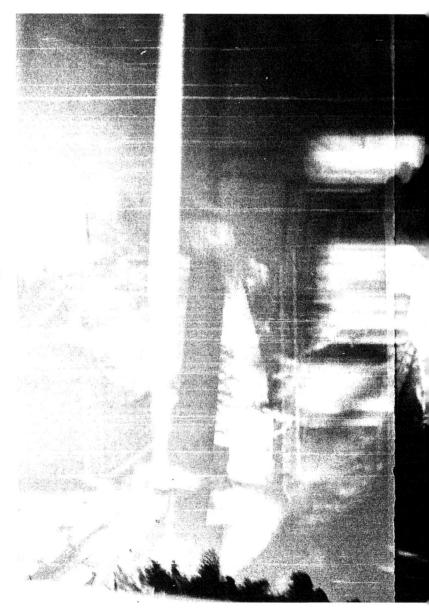

逃走―雲のハンカチ―バレス裁判

トリスタン・ツァラ

山本桜子 訳

LA FUITE | MOUCHOIR DE NUAGES | L'AFFAIRE BARRES
Tristan Tzara

逃走[1]―LA FUITE 【部分翻訳】（共訳／監修 平坂純一）

三幕二場

（室内。母親、娘、女の語り手。男の語り手ともう一人の女の語り手が物陰に隠れている）

男の語り手
彼は地を掘り返し、ただ無関心を見出した

女の語り手
水晶の峻厳さが彼の生者としての時間を隠した

男の語り手
けれど彼の息子が悲鳴をあげれば、非人間的な風景から彼は引き戻される

もう一人の女の語り手
理由も知らず囚われ、拷問台にある彼の息子

男の語り手
その叫び声に込められた哀願――「私を許して」

もう一人の女の語り手
あたかもこの世の重荷のように、刑罰への鮮明な恐怖が彼の非力な
腕に押しつけられた

男の語り手
そして、彼は逃げた
もはや見ることも聞くこともない
絶対に達する良き場所を渇望して

女の語り手
危険とは深淵を眺める崖の高みを登りつめる遊び

男の語り手
虚無へ落ちるのがなんだというのか
虚無は、彼の友に沈黙を悟った忍従をもたらす
たとえ、生き延びて苦しみの季節に夢の種を撒こうとも

もう一人の女の語り手
我々には新たな生命を製造して尚、死を望む権利があるのか？

男の語り手
彼の妻が道を指し示す
彼女のよく知る滅びの道を

もう一人の女の語り手
でも彼女は地獄が怖い

男の語り手
地獄は地上にある

女の語り手
彼女は世界への憎しみの中で、親しい者を葬る必要があるのか？

男の語り手
彼女の愛は地上のうわべには大きすぎる

もう一人の女の語り手
彼女は地獄が怖い
地獄は我々のうちにある

女の語り手（独白の間に男の語り手ともう一人の女の語り手は完全に姿を消す）
あれをやめこれから去り、人は死に、他のもののうちにまた生きる。混乱とともにお前を待つ、お前の死ぬまで愛した誰かを、お前もまた待ちながら。最初の贈り物をいついつまでも放すまいとあがきながら。来る、また来る、ドアが開き、また閉まる。救いながら、救いを拒みながら。受け入れたいとき、差し出されるものはもう何もない。すすり泣き、のたうち、痛みに哄笑しながら。深く沈み、泥にはまりながら。再びよじ上ったとき、獣か人かの漏らす笑みはお前にとって至高の輝きをもたらす。自ら突き動かされて夜歩く者の息のようにさまよい、待ちわび、苦しみの匕首を自分にねじ込む——あんなに待ち続けたものをもう見定められなくなるまで。水源に遡れたためしのない曖昧な夢ひとつを闇雲に追いながら。すべての源を飲み干そうと努め、禁じられた泉から嘘、高慢、エゴイズム、偽善、不満をむさぼりながら。生きたくて自己の一部を切り刻む。愛したものに去勢を施すお前のその錯乱。さまよい、去り、いつも去り、カチカチと歯を鳴らし、甘い痛みの光にこそ息づく思い出を喰い殺そうと欲し——でもそれが何になるだろう？ 次から次、父から子へと生命は生じ、希望のもたらす美しい庭にやがて花開く。圧倒的な根拠が常に意志の隙を突き、へし折る。まだ終わらない苦痛。天秤の片方の皿の上の苦痛。もう片方の皿には？ 再訪する苦痛を迎えることとの歓喜。何度も、何度でも。もう忘れることもなく。子供だったお前に世界はひとつの遊戯、素晴らしい宴、日の光かがやく高みに向かい登りつめることだと皆が約束して以来、それが唯一の喜びではないか？ 独り、ただ独り、お前が独りきりでいるときの他、お前は絶対にただ独り。生命は次から次へ。我々の怠惰な目に映るほど、進化はゆっくりではない。それは世代から次の世代へ、決して到達できない深淵へとひた走る奔流。そして死者は決して、生き延びた者に正解を教えてはくれない。

［底本］
"La Fuite: poème dramatique en quatre actes et un épilogue", in *Œuvres complètes tome III*, Flammarion, 1975.

雲のハンカチ[2] ｜ MOUCHOIR DE NUAGES ［部分翻訳］

十五幕

（屋根裏部屋。上方に大きく「二十年後」の文字）

詩人（机の前に座り）

この劇にもうちょっとだけ混乱を付け足すことにしよう。優雅かつ皮肉にね。ハムレット（笑う）。簡潔にいこう（蝿を捕まえる仕草をしながら）。蝿一匹は、それと知らずに、明瞭かつ皮肉なものだ。奴は僕の同輩をいらいらさせる。つまり、全世界のことだ。だけど、それをこいつは意識しない。僕らを明瞭な意識のもとに行動させてくれ、あらかじめ自分たちに何が起こるか知らせてくれ。でなけりゃ逆に、不可知と本能の嵐の内に旅がしたい。銀行家は死んだ、殺された、でも彼はそれを知らなかった。彼はまるで蝿だ。彼は知らなかった、自分が夫人の人生に残した思い出の障害物になるなんて。誰が銀行家を殺したか？ 僕は知っている。意識して狂気を極限まで押し進めてみたまえ、他の人より狂わずにいられるから。

ばあや（登場）

ああ、ああ、私の旦那様、階段は上がるよりも降りるほうがいいって皆さんおっしゃる歳に、私もなりましたよ。まったく大変ですわ。ほらお手紙がきていますよ。

詩人

ありがとう、ありがとう。僕らが一緒に演じた幕を、君は覚えているだろうか。

ばあや

おお、すべては昔、むかしの出来事です。さようなら、旦那様、明日がくるまで。（退場）

注釈者A

あれはオフェリアのなれの果てだ。

注釈者B

彼女が身を投げようとした湖は、死と恐怖に凍ってしまった。彼女の無垢な姿が近づいたときに。

注釈者A

彼女は身を隠す場所を見つけられなかった。ばあやの空き部屋の暖房の横以外に。

詩人

韻律と愛の甘い戦い、精神が自らを試練に晒すこの壮大なお祭り騒ぎも、いま今宵、ここに大団円を迎えよう。お客にとっては前代未聞、ちょっぴり受けが悪いかな。ある悲劇的な一発によるのさ。その残響は永遠に雲を打つだろう、ともにあるのは自暴自棄な剣《つるぎ》、そして言葉の血。（自殺し倒れる。完全な闇）

注釈者A、B、C、D、E（だんだん大きな声で、オークションのように）

三、五、八、十二、十八、二十五、三十、三十五、四十八、五十六、六十七、八十、一〇〇、一五〇、二二〇、二六〇、四〇〇、八〇〇、一七〇〇、二〇〇〇、四〇〇〇、五〇〇〇、一二〇〇〇、四九〇〇〇、一五〇〇〇〇、二二〇〇〇〇、二六〇〇〇〇、四〇〇〇〇〇、八〇〇〇〇〇、一七〇〇〇〇〇、二〇〇〇〇〇〇〇、四〇〇〇〇〇〇〇、一〇〇〇二〇〇〇〇〇〇〇、四九〇〇二〇〇〇〇〇〇〇…………

注釈者A（詩人の後ろに、映像が映る映写幕をかかげ）

彼らは詩人の魂を天国のオークションにかける。彼らはそれを忘却の雲の数字に従って買い取る。

彼らは数字の梯子の上で魂の値段をつり上げる。

（映写幕を詩人の体に投げかける）

人それぞれに好みあり、ね。

（詩人は映写幕とともに空へのぼっていく）

［底本］
“Mouchoir de Nuages: Tragédie en 15 actes”, in *Œuvres complètes tome I*, Flammarion, 1975.

バレス裁判[3]― L'AFFAIRE BARRES ［部分翻訳］

ブルトン
モーリス・バレスについて何を知っていますか。

ツァラ
何も。

ブルトン
証言することはないのですか。

ツァラ
あります。

ブルトン
何ですか。

ツァラ
モーリス・バレスは私にとって、文学のキャリアを通じて出会った最高に不快な男であり、詩のキャリアを通じて出会った最低の悪党であり、政治のキャリアを通じて出会った最悪のブタ野郎であり、私がヨーロッパで出会った、ナポレオン以来最大のクソ野郎であります。私は、たとえダダによって行われるものだとしても、正義の裁きに信を置きません。あなたは同意してくださるでしょうが、裁判長どの、我々は皆ただのクズ野郎の集まりですので、でっかいクズ野郎かちっちゃいクズ野郎かのわずかな違いは、どのみちたいして重要ではありません。

ブルトン
同時代人、または他の時代の誰かの中にあなたの尊敬する人はいますか。

ツァラ
いいえ、私は皆クズ野郎だと申し上げました。もちろん我々は、共感あるいは反感によってわずかな差を設けることに慣れていますが、それはそれ以上でも以下でもありません。

ブルトン
その差をどうやって説明するつもりですか。

ツァラ
何も説明しません。さらに申せば、私は周りのことを何ひとつ理解しておりません。

ブルトン
そのような状況におけるあなたの判断をどうして重要だと断じるのですか。

ツァラ
私の強い嫌悪と強い反感において。

ブルトン
社会的な関係に自らを置こうとしないなら、あなたの証言に何の価値があるのですか。

ツァラ
あなたにとっての社会的な関係とは政府ですか、国家ですか、国民ですか、それとも軍ですか。でしたら、この私自身が政府であり、国家であり、国民であり、そして軍ですので、私の答えに裁判長どのは大喜びすること請け合いです。

ブルトン
この場にいるのはあなた一人だとでも思っているのですか。

ツァラ
親愛なる裁判長どの、証言の最初に申し述べましたように、ここにはクズ野郎が集っております。その中で私は他の皆さんより少し劣っております。その証拠に、私はまだ自殺しておりません。周りで起こるすべてのことのおかげで、私は自殺してやる気になりません。

ブルトン
証人としてここに呼ばれた理由を知っていますか。

ツァラ
確証はありませんが、私がトリスタン・ツァラだからでしょう。

ブルトン
トリスタン・ツァラとは何者ですか。

ツァラ
モーリス・バレスとは正反対の者です。

弁護人
弁護人は証人が被告人の人生を妬んでいると判断します。これを認めるか証人にお聞きしたい。

ツァラ
証人は弁護人をクッソ馬鹿にいたしております。

弁護人
証人が被告人の人生を妬んでいるとはあえて認めないことの明白な証拠に違いありません。

ツァラ
そのとおりです。私は自動車を持っておりませんが、あればいいのにとは思います。

ブルトン
他人の精神の平安を妬み攻撃したいと欲したことはありますか。

ツァラ
たったいま変えたばかりの持論によると、私は周りで起こるすべてのことを誰よりもはっきり把握している人間である確信があります。およそこの変節の遅ればせ加減ときたら、ちょっと消え入りたいくらいです。私は自分がナショナリストにならないと申す者ではありません。しかしそれは被告人の低レベルなデマゴギーとは異なる精神からであり、アカデミー・フランセーズのマヌケどもからちょろまかしたぶよぶよの栄光とはかけ離れた精神によるものであることを、私の友人たちは皆わかってくれることでしょう。

ブルトン
あなたは証言の冒頭で、バレスのことは何も知らないと明言しましたよね。被告人がナショナリストになったのは低レベルなデマゴギーとぶよぶよの栄光に基づくものだとどうしてわかるのですか。

ツァラ
私は証言の冒頭でバレスについては何も知らないと述べましたが、それでも彼の振る舞いを低俗なデマゴギーに帰するのに必要なデマゴギーだけは手放したつもりがありません。はっきり申し上げましょう。バレス氏に何が起こったかまったく知らないにも関わらず、彼の人生における、ともすれば物議を醸す彼の身の振り方を、今世紀最大のブタ野郎の所業と断じてのけるのは、手っ取り早くて素晴らしく良い気分なのですよ。

［底本］
"L'Affaire Barres", in *Littérature No.20*, 1921.

1――四幕とエピローグから成る。ヴィシー政府に追われる一九四〇年に劇形式の詩として書かれ、一九四六年ミシェル・レリスらの協力で編集、初演、翌年出版。室内に集う父、母、息子、娘の静かな発話で始まり、各々の内心が淡々と明かされる舞台からまず息子が去る。今回訳出した部分の「彼」はおそらく父を指す。次いで父が死ぬ。三人の「語り手」が、去った者をも含めた家族の代わりに発話する。終幕は戦時下の駅で母娘とともに誰かを探す人々が発話する。作者自身の人間関係や参加したスペイン戦争の経験が反映されていると思われる。未邦訳。

2――十五幕から成る、作者の解説によれば悲喜劇。一九二四年、エティエンヌ・ド・ボーモンが前衛芸術と大衆文化を掛け合わせて企画した芸術祭「パリのソワレ」の一演目として書かれ、マルセル・エランらが出演。同年と翌年に二つの媒体で刊行。作者の戯画化と思われる詩人に銀行家夫人から手紙が届く場面から始まり、彼らの恋愛、下手人不明の銀行家殺害という筋を持つ。エランとツァラの演出により舞台裏がなく、待機する役者の演じる「注釈者」らがミスリードを含む「注釈」を加える。詩人は執拗に自らをハムレットに擬えており、劇中でツァラの翻案による、ハムレットとオフェリアとポローニアスのみで構成された『ハムレット』が挿入される。掲載した部分に登場する「映写幕」は舞台上にかかっており、踊り子ロイ・フラーが投影機を操作し市販の絵葉書を映した。『Cirque TZARA』〇二号（二〇〇六年）に築野友依子の監修を経て拙訳掲載、「イーケースティス」メルマガ（二〇二一年三月）に部分訳、今回改訳。

3――一九二一年『リテラチュール』二〇号に掲載された記録によれば、パリ・ダダ界隈はアンドレ・ブルトンの主導で革命法廷と称し、モーリス・バレスの「右派転向」を批判し、即興演劇の性格を持つ模擬／欠席「裁判」を開き、証人役で呼ばれたツァラはこの催しをまぜ返した。裁判長役はブルトン、被告役バレス（人形で代用）、陪席判事役テオドール・フランケルとピエール・ドヴァル、弁護人役フィリップ・スーポーとルイ・アラゴン、検察役ジョルジュ・リブモン＝デセーニュ、証人役はツァラの他セルジュ・ロモフ、ジュゼッペ・ウンガレッティ、ラシルド、ジャック・リゴー、ピエール・ドリュ・ラ・ロシェル。今回ツァラの発言より冒頭三分の一を訳出。『ユリイカ』臨時増刊号「ダダ・シュルレアリスム特集」（青土社、一九八一年）が朝吹亮二訳を掲載。

〔解題〕不可視の加害者連盟 — 山本桜子

　とりあえず、だいたいの発話主体が生きているように見える。いいことだ。主体の発話は、少なくとも為された時点では生きた主体の発話だ。生きた主体は死を知らずそれを名指せない、つまり死ねない。「死」の話はここまでだ。

　しかし、生きた主体は何かを殺すことができる。その経験を公然化するかしないかは各人の勝手だが、潜在的におしなべて人は殺しの経験を持つ、何らかの加害者であり得る。ここですべき話があるなら「殺す」話だ。

「何か」とは他の人間に限らない。何らかの物、価値、概念を捨てるとき、人はそれを「殺す」。死別離別問わず、去った者の痕跡に残された者が折り合いをつけるとき、それを「殺す」。

　不条理の受動性になけなしの能動性をでっち上げた主体的加害者は、公然とあるいは密かに、それぞれ自分の手がけた何らかの亡霊を知り、何らかの弔い合戦に生きる。共犯なんてロマンチックなものはない。加害者は単独犯だ。

　しかし、過去に何らかの加害を何らかに対して遂行したというある種のブラックボックスが、主体と主体の間に唯一可能な共通性であり、関係の契機となるだろう。言語とは何かを殺して成立する。宣言、綱領、契約も同様だ。従って、宣言にも綱領にも共犯は不可能であり、宣言の主体の内実は、複数主語の虚構に賭ける複数の個である。

　今回、幾つもの「宣言」を擁する運動を主宰したツァラの、宣言以外の活動の一部を「加害」に即し時代を遡りながら駆け足で紹介した。『逃走』（一九四七）は、戦時下の一家庭を舞台とし、いわば単独犯の集合体としての家族を、複数の「語り手」を交えた発話による戯曲形式で扱う。『雲のハンカチ』（一九二四）は、一詩人を主人公としたメロドラマ的な筋を持つ戯曲。劇中で起こる殺人に関し、終幕で主人公は犯人を知っている旨の発言をするがその名を明かさず、加害を知る／知られるという関係のみが彼と犯人を結ぶ。「バレス裁判」（一九二一）は、作家モーリス・バレスを糾弾する目的を持ってパリ・ダダ内で開かれた模擬裁判の記録。今回一部を訳したツァラの発話はその場の趣旨に反し、その場の全員が正しさを持たない立場であることを表現するものとなっている。

まわりにもしや神さまが

アレクサンドル・ヴヴェヂェンスキィ

東海晃久 訳

КРУГОМ ВОЗМОЖНО БОГ
Александр Введенский

花たちの聖なる飛翔

太陽はみだりに輝き、
花たちは花壇に飛び
肥えた大地の横たわる姿は大山猫さながら。
花たちは言うのだった、天よ、開け、
僕らをそちらへ連れていっておくれ。
大地はおのが苦難のさだめに従いつづけた。

エフが腰掛けるテーブルは架空の空飛ぶお嬢さんの足元にある。大いなる夜

エフ

やあ、運動お嬢さん、
お前にワシは癒されてるのだ
おとぎ話のその飛ぶ姿
大きく羽ばたくそのあんよ。
その羽ばたきのまあ美しいこと、
艶にきらめき、渡っていく沼、
そこには水が泡立とうとも——
お前に道など一切要らぬ、

人の不安のどこ吹く風よ。

お嬢さん　ええ、あたしには怖いものなんてないわ、
怖いもの知らずの存在なの。

エフ　ところでべっぴんさんや、もうすぐ処刑があるんだがね。
ちょっくら見物とでもいこうじゃないか？
ワシはあれさ、ずっと必死のパッチ
燃え尽きんよう努めとるんでね。

お嬢さん　それって誰が処刑されるの？

エフ　人間たちだよ。

お嬢さん　あら、素敵。
人の首をちょんぎったり食いちぎったりするんでしょ。
あたしは吐き気がするわ
死にかけの連中は縮み上がってね。
連中のお腹は働くのよね、
死ぬ前って目一杯生きようとするから。
でもまたなんで燃え尽きるのが怖いの？

エフ　怖くないって、馬鹿なもんだ。
山頂の如く舞い上がり、
笑いの如くきらめくのはお前のその魅了する姿
お前はお嬢さんでなし、そなたは鳥でなし。
ワシはマッチ一本一本が怖い
マッチがパチンと鳴れば、
鳥が啼き出す。
勇気が失せれば
紙のように燃え上がる。
カップ一杯の灰が
テーブルの上で悪臭を放つのさ、
それともお前は聾になったのかな、
ワシには理解出来んね。

お嬢さん　あんたは毎日何やってるの？

エフ　いいよ。話してやろう。
朝は二時に起床して——

一瞬怒りの顔作り、
その後欠伸し、ブルっと身震い。
テーブルにあるのはワシの首
こっちをイライラしながら見てる。
ハイハイ、被ってやるよ、と思う。
ワシのコップは歌で満たされ、
窓外に海の泡立ち見える。
十時間後に横になるのさ
口笛吹いたり、ゴロゴロしては、
首取り外す。それからおねむ。
神にお願いすることもあるがね。

お嬢さん　お祈りしてるってことね？

エフ　お祈りさ、もちろん。

お嬢さん　ねえ、神さまって永遠に飛び跳ねてんのよ。

エフ　そんなこと何でわかる
この馬鹿女が
飛ぶことしか頭にないんだろ
小舟みたいに馬鹿じゃなかろか。

お嬢さん　そんなに悪口言わないでよ。
あんたはこうして長生き出来ると思ってるようだけど。
気をつけた方がいいわよ
先を見越して占えるようにならないと。
この先何が起こるか分かってなきゃ。
人生にあんたは忘れ去られることだってあるんだから。

エフ　分からんね、何しろ
俺の首はもう燻ってるんでね。

お嬢さん　ねえあんた知ってる、時間って何か？

エフ　時間とは面識がなくてね
そいつは誰の上を見りゃあるんだい？
お前さんの時間を触ったところで、
そいつはフィクション、絵に描いた餅。
昼はあったか？あったとも。

夜はあったか？　あったとも。
俺は何一つ忘れちゃいないさ。
四つの角が見えるかい？
角はあったか？　あったとも。
角はあるか？　無いなんて言ってみろ、この小悪魔め。
昼は汗だくの夜さ。
お前さんの時間なんてすべて紐さ。
ずうっとずうっと伸びていく。
ブツんとぶった斬りゃ、両手に残る。
悪かったな、嬢ちゃんよ、
口悪く罵っちまって。

お嬢さん

墓の臭いがする男ってのは、
もう男爵でも、将軍でもないの。
公爵でもなきゃ、伯爵でも、コミッサールでもありゃしない
赤軍の兵士でもないわ。
そういう男はバルタサール、
この世に居場所のない者よ。
あたしは機嫌を損ねないのよ
死んだ人間相手では。
あたしはマゼッパ、アイーダでもない、
あんたは自分の最期が見えない
さあさ、あたしと行きましょう。

エフ

恐れを抱かず行こうじゃないか
他人の処刑の見物に。

スズメ（喜びの穀を啄んでいる）

主よ、この世に何と魅せられることか、
この世のすべての何と素晴らしいことか。
私は神々に祈りの歌を捧げ、
擦れて粉になりつつあるのだ
かほど偉大な姿を前に、
秘めた姿を前にして、
それは雲に乗りながら
蝋燭袋の姿で漂う。
神よ、この世のすべては艶やか
見目麗しく、あなかしこ。
神への祈りも聞こえぬもので、
海にヘラジカ、柄杓に納屋に、
蝋燭に騎士、人間に、

　　スプーン、それにハジ・アブレク。
群衆がのそのそと歩いている。うろつく乳牛たちあれは雄牛だ。

乳牛たち
　　ここで何があるんだい？

あれは雄牛
　　屠るのさ、屠るのさ。

雄牛たち
　　俺たちをか、俺たちをか。

お嬢さん
　　乳牛たちよ、コレラの時にはクワスは飲むな、
　　そうすりゃバッチリよ。

乳牛たちあれは雄牛は大人しくその場を離れる。
登場するのはツァーリ。ツァーリが登場。目の光が消えていく。

ツァーリ
　　さあ、親愛なる群衆よ、
　　こちらへ参れ。
　　裁きの庭の開廷だ。
　　これから処刑人が世人に刑を執行する、
　　ギリシャの民とユダヤの民を引き立てよ。
　　諸人来たりて沈思せよ、
　　聴いても瞬くなかれ。
　　受刑者どもの泣き声を
　　叫声、慟哭、笑いで掻き消せ。
　　ボンジュール、処刑人
　　さあ行け、と私は囁く。
　　世人にも様々あって
　　働く者もあれば、有閑者もあり、
　　満ち足りた者もあれば、蒼ざめた者もあり、
　　濡れる者もあり、上背の者もあり、
　　緑の者もあれば、熨《の》された者もあり。
　　三角の者もあれば、ポマードべったりもあり。
　　だがわれらは皆しじまにありては貧しくて
　　魂持たぬことを知りつつ一度は泣くのだ。
　　これこそまさに痛烈なる打撃。
　　自分が湯気だと考えてみればよい。
　　自分は死ねばいなくなるのだと。
　　私は泣くぞ。

処刑人
　　私もです。

群衆
私たちは泣きます。
受刑者たち
私たちもです。
広場には恐ろしい泣き声が響き渡る。全員恐ろしくなったのだ。
エフとお嬢さんが入ってくる。
お嬢さん
公開処刑に来る癖つけば
馬鹿はその場で首洗う。
エフ
ほら、売笑女よ、あの断頭台を見るんじゃ、
だが、ワシの尻尾は踏まんでくれよ。
今から始まるぞ。

群衆がロンドンの如くどよめくと、
エフは手足を引っ摑まれて、
断頭台へと引き摺られ、
死の一撃を腹に喰らい
血管と羽根でひと突きされて、
錫を少々加えられた上
ロープの斧で
首引っこ抜けば
彼はおっ死んだ。
ツァーリ
あの者は具合が悪そうだ。
その名は何と言う。
暖炉に薪でも焼べに行き、
わが同胞と盃を傾けよう。
架空のお嬢さん（消え失せながら）
上の名はフォミーンと言います。
ツァーリ
おお、なんて恐ろしい。これが最後だ。
処刑人（逃げながら）
フォミーンは動かず倒れていた、
赤い銅の板の上に。
てっきり彼には癒しの喜びが
髭に腰掛けているものだと。
自分は髪に触れてみたり
目を擦ることもできるのだと、
さもなきゃ大声で叫んでみたり

ひと息つけると思い込んどる。
ところが、親愛なるフォミーンよ、
何を使って叫ぶというのか、
何をお前は擦るというのか、
フォミーン、お前はおらぬのだ、
死んじまったのさ、分かるかい？

フォミーン
いいや、分からん。
ワシは生きとる。
ワシは親戚じゃないか。

お嬢さん
あんたは誰なの、天の親戚
雪なの、壜なの、それとも天敵。
あんたは数なの、それとも概念、
さあフォミーン、あたしに抱かれて。

フォミーン
いいや、ワシは死んどるな。
あっちいってくれ。

彼女は急いでその場を離れる。

フォミーン
おお、神々よ、分かったぞ
この状況の恐ろしさが。
ワシは必死に泣いて頑張ろうが
自分の頭蓋を思い出せぬのだ。
まるでそんなのなかったみたいに。
恐ろしいことじゃ、恐ろしいことじゃ。

（自らの絶望的な状況を認めつつ、苦労しながら走って行く）

お嬢さん
フォミーン、あんた逃げたはずなのに
またここにいるのね。

フォミーン
ワシのすべてが逃げたのではない。
打ち寄す波が轟いた時、
高い大波が立ったのさ。
ワシは思い出していた、自分が痘痕ヅラなのを。
ワシは喚いて悲しんだ。
煙突からモクモク煙が上がり
何もかも輪の中にあって
ワシの髪は真っ白になって

皺が顔を刻まんとする時だ。
ワシは火に入り、怒りに燃え
迫りくる老いを辿りつつあった。
そして森の葉が落ちた時
天の天敵がふと動きだした。
すると神が立ち上がるところじゃった。
ワシは鬱々と爪で蚤を弾いておった。
天の軍勢の戦眺めながら
昆虫たちを根絶やしにしようとな。
だが、親愛なる馬鹿女よ
今のワシには仕事がない
ワシは首無しなんじゃ。

お嬢さん

胴体なしさん
時が腰掛ける棺の蓋、
そこには腐乱の影が臭って、
また別の去勢牛千頭が
町から出ていくのよ。
あんたの運命ってバカげてるわね
フォミーン、フォミーン

死んだ紳士が駆け込んでくるのね。

（二人はとんぼを切る）

ピョートル・イヴァーノヴィチ・スチルコブレーエフ、一人自室で薪を焼べている。

もうすぐ若人やってくる。
もうすぐ女子が駆けつける。
気晴らしをするお手伝い。
もうすぐ永遠、もうすぐ夜。
でなけりゃ何ともつまらない
長らくゲラゲラやってない
一本調子のグラスから
口にウォッカのゴロゴロもなし。
椰子の葉大きく引っ掴み
その後ベッドで横になる。

電話と呼ばれる機械が音を立てる。

声

はい、どちらさんかな。
隕石ですが。

スチルコブレーエフ

天体のですか？

声

ええ、おたくに御用がありまして。
ご存知の通り、わたくし惑星間のおもちゃでして。
でも、おたくで今日宴会があると聞きまして。
伺ってもよろしいですか。

スチルコブレーエフ

飛んでいらっしゃい。（受話器を下ろす）
鼻高々、鼻高々、一塊の天体どのが
この宴が楽しみだとは。
熱心な客人たちの付き合い
その彼らの骨の突き合い。
骨折したのか椎骨一本、
それとも電話がまた一本
どちらさんです？　ピョートル・イリイーチ？

声

いいや、スチルコブレーエフ、私だ。処刑人さ。

スチルコブレーエフ

ああ、こんちは（周りを見渡し）。こりゃまた運の悪いこと。
何のご用件でしょう。

声

地獄のシューシュー言う音が聞こえるか
鼻つまみ野郎のスチルコブレーエフが。
何でお前にポマードなんて必要なんだ、
答えろ、さあ、答えるんだ。

スチルコブレーエフ

ポマードは大いに必要でして、
うちに公爵令嬢がお見えになるので
その方リューリックの末裔でしてね。

声

俺も行く。

スチルコブレーエフ

次から次へと厄介なことばかりだ
キャンドルの準備でもしに行くか、
さもなきゃまたも間が悪く
招待しろと痔持ちがせがむ。

部屋は暗転。ただし、一時的。呼び鈴が鳴る。客人たちが入ってくる。

ニコライ・イヴァーノヴィチ

ご機嫌いかが、ご機嫌いかが？

ステパン・セミョーノフ
　最悪だよ。最悪さ。
マリヤ・ナターリエヴァ
　危うく産みそうだったけど
　ほんとは冗談だったのよ。
　お宅のお化粧室どこ？
　あたしたち道すがらクワス飲んでましたの。
フォミーン
　ご機嫌よう、ボーリャ。
スチルコブレーエフ
　ご機嫌よう、海や。
フォミーン
　何だと？　よくもそんなこと。
　落とし前をつけてやる。

　彼の足元にチョークが転がっていた。
　彼は思った、赦してなんかやるものか
　スチルコブレーエフの奴め。
　蠅や火の玉が飛んでいた。

フォミーン
　もしこのワシが海ならば
　どこにワシの波はある。
　もしこのワシが海ならば、
　筏はどこにある。

　賑やか、ご満悦の客人たち、
　一方、ハルワをひと齧りしたのは
　むっつり卑しい波たち。
ドアが開く。中にはすっかり凍てついた隕石が飛び込んでくる。
　御神体を掻っ攫った
　教会泥棒の如く、
　俺はここに降り立った
　この世の防壁見守るべく。
客人たち（歌っている）
　森に生えるお墓、
　その上に咲くクリーチ。
　そこに運ばれてくる担架
　麻痺という名の病。

スチルコブレーエフ
　さて全員揃ったかな
　座って飲み食いしようじゃないか。
フォミーン
　ボーリャ、言っとくがな
　ワシには座るところがない。
スチルコブレーエフ
　おい、海のあんたはな
　モミの木の下に座るんだ
マリヤ・ナターリエヴナ
　こりゃひと悶着ありそうね。
全員（コーラスで）
　いかにも、最後は決闘だ。
　　　（彼らは飲んでいる）
セルゲイ・ファデーエフ
　ニーナ・カルチーノヴナ、これは何だい、水銀かね？
ニーナ・カルチーノヴナ
　いいえ、これはあたしの胸よ。
セルゲイ・ファデーエフ
　いやいや、それこそコットンだぜ、
　おたくはキャノン砲さ。
ニーナ・カルチーノヴナ
　ごめん遊ばせ。
　じゃあ貴方のズボンの中身は何ですの。
セルゲイ・ファデーエフ
　クラッカーさ。
　　　（全員笑う。窓の外にはオーロラの輝きが見える。）
クノー・ペトローヴィチ・フィッシャー
　マリヤ・ナターリエヴナ、私は坊主じゃないですよ
　どうかお臍に口づけさせて下さいな。
マリヤ・ナターリエヴナ
　狂ってるわ、自分の歯にでもキスすりゃいいのよ。
　ニーノチカ、お風呂に行きましょ。
客人たち
　何しにさ。
マリヤ・ナターリエヴナ
　お絵描きでもしに参りましょう。
客人たち
　やれやれ。
　これでしばらくきれいな空気が吸える。

スチルコブレーエフ

　麗人不在のこの空隙に、
　トウヒの伸びるはこれたちまちに。
　かかる時間は一時間足らず
　今からわれらは決闘果たす。

フォミーン

　大いにワシは喜んで
　送ってやるとも、地獄まで。
　天体だというお前さん、
　ワシら全員訪問後
　帰りの段には
　持ってけ、この死人。

スチルコブレーエフ

　麻痺や、病魔の皇帝よ、
　百倍ましだと分からぬか、
　半ば屍こいつなど、
　朝待たずして逝く方が。

麻痺と隕石

　俺らが介添してやろう。このナイフを取れ。
　突き刺したまえ。祈りたまえ。

フォミーン

　今から叩き斬ってやる、
　しぶく鮮血吹き上げる
　お前の左の乳房から
　雪に滴る憂鬱かな。
　その目は無力に閉じていき、
　ぶざまにお前は倒れ込む。
　死後の世界の地下へ行き
　突如目にする蛇腹かな。

スチルコブレーエフ

　自惚れるでない、自惚れるでない。
　お前の方こそ最期のあがき
　誰が挨拶などするものか
　相手は船の操縦桿だぞ？
　誰が礼など言うものか
　相手はズボンとタンスだぞ？
　くたばっちまった魚のお前は
　さっさと入れ、水の中。

決闘は有名な森へと変貌する。ひらひらと飛び回るのは小鳥たちの幻影。

　女の子たちのもとではずっとメモのやりとりが続いた。

狂った王のフォミーンが
ある時大地を歩いてた
毒ある粉のカーマイン
額に彼は持っていた。
彼の魔法のような手が
描いていたのはご老人
震える夜の森の中
聞こえてくるのは神の声。
電光石火のその声の
力は強大な刃を凌ぐ。
尊大に彼を捕らえる松林、
狐の嗤い、蟒蛇の口笛が
彼には付き従う。
夜は一面煙の中。
突如フォミーンに家見える
それは山羊のいる小屋
されど老いたる彼のこと
善と悪との皿と見る
善の柄杓を手に取りて
さらに燭台に火を着けて
眠る。
翌朝、朝まだき一時
今やアールブルそよげるところ
彼を白樺で待つ乞食あり
食い物ないと泣訴する。

乞食

ごきげんよう、フォミーン、狂える王よ。

フォミーン

ごきげんよう、善人よ。
もう何年も
ワシは放浪の身よ。
はて、お前さんは街灯か？

乞食

いいえ、わたしは飢えとるのです。
人参もなけりゃ、蕪もなし。
燕尾服はくたびれました。
神々どもは凶暴となり
わたしの意見は鬱々たるもの。

フォミーン

おぬしの意見はそうではあるが

ワシはそれとは違ってな。

乞食　そりゃなおさらで。

フォミーン　はて、なおさらとは？
ワシの言うのはそのことでない。
棺の向こうのあの世のことじゃ。
ワシらは細菌みたいになって
ほとんど身体もなくなって
素敵な虫になるであろう
これまで馬鹿げた巨人であったが
ちっちゃなダイヤにワシらはなるのじゃ
値打ちがあると？　あるとも、あるとも。

乞食　フォミーンよ、何の芝居だね？
わたしは腹が減っとるのだよ。

フォミーン　自分を食べればよい。

乞食は（自分を食べながら）こう言った。
フォミーン、王よ、奴らは消えた
太った時計の身体もな
夢で多くによじ登り
そして声たちこんがらがった。

時計の対話

一時が二時に言う
　われは世捨て人。
二時が一時に言う
　われは深淵。
三時が四時に言う
　朝を羽織れ。
四時が五時に言う
　星たちが落ちていく。
五時が六時に言う
　わしらは遅刻してしまった。
六時が七時に言う
　獣たちも同じ時計なり。
七時が八時に言う
　君は木立の仲間なり。

八時が九時に言う
　狩猟の始まり。
九時が十時に言う
　われらは時の骨。
十時が十一時に言う
　もしやわれらは先駆けなのかも。
十一時が十二時に言う
　道のりを考えよう。
十二時が一時に言う
　永久《とわ》に疾駆し君に追いつく。
一時が二時に言う
　友よ飲み干せ人間の臭素を。
二時が三時に言う
　どの点ならば君に会えるか
三時が四時に言う
　死者としての君にお辞儀する
四時が五時に言う
　われら大地の宝も闇に抱かれておる。
五時が六時に言う
　われ空虚の世界に祈る。
六時が七時に言う
　昼食の時間だ、家に帰らねば。
七時が八時に言う
　できれば違った風に数えたい。
八時が九時に言う
　君はエノクのように天へ召された。
九時は十時に言う
　君は火事に抱かれた天使のようだ。
十時が十一時に言う
　突如なぜだか君は動き方を忘れたようだね。
十一時が十二時に言う
　それでもわれらのことは頭では分からぬぞ。

フォミーン
　ワシは時計に毒を盛ろう。
　時計よ、スプーンで薬をお飲みなされ。
　そうすりゃ別の王国が訪れようぞ。
ソフィヤ・ミハイロヴナ
　さあさ、さあさ、
　どうぞお入りください
　あたくし雪は座って小さくなりましょう

あたくしのおじ、あたくしの片親は
鉛筆を見に外しておりますゆえ。

フォミーン

まさか。あなたはお一人。あなたは天空。

ソフィヤ・ミハイロヴナ

ご覧の通り、あたくし一人
机におります優雅に座って
あなたのことが底までホの字
さあさピストルお出しになって。

フォミーン

ワシでよろしいのですか。これは素晴らしい。何たる幸せ者。

ソフィヤ・ミハイロヴナ

セルゲイ、イヴァン、それとヴラヂスラフにミーチャ
あたしを強く抱いて下さいませ。
何故か恐ろしいのです、あたくしは優雅です
でもやはりまわりはすっかり陰鬱ですもの
あたしの頬にキスをなさって。

フォミーン：いいえ、お靴に。いいえ、お靴に。それ以上には値せぬ者。聖なるお方。女神も女神。聖なるお方。

ソフィヤ・ミハイロヴナ：また御冗談を、あたくしがそんなに神々しいなんて。あたくしの鼻は獅子鼻で目は細い穴なのに。あたしは馬鹿女、馬鹿女ですのよ。

フォミーン：とんでもない、ワシのような恋する者には実際よりもよく思えるもの。

貴女の豪華なパンツをも
吾輩、翼と思いなす
貴方のお言葉、それとても
アナトール・フランスの書と感ず
吾輩、貴女にホの字ゆえ。

ソフィヤ・ミハイロヴナ：金色に映えるフォミーン。あたしの漏斗よ。

フォミーンは彼女に口づけし、抱き寄せる。彼女は当然彼に身を預ける。もしかするともうひとり人間が生まれてくるかもしれない。

ソフィヤ・ミハイロヴナ：あら、あたしたち何かしでかしたのではないかしら。

フォミーン：そういうことは猫とか犬しかしでかさんものです。

ソフィヤ・ミハイロヴナ：もう一回やりたいところ。

フォミーン：そんな大層な。ワシがどれくらい愛してるかなんざ。何かつまらんね。

ソフィヤ・ミハイロヴナ：天使どの。豪傑どの、お帰りなのね。今度いつお会いできます。

フォミーン：また来ますよ。

（二人は抱擁し、泣き出す）

フォミーンは外に出て、ソフィヤ・ミハイロヴナは窓辺に近づき彼の様子を見る。フォミーンは通りに出たところで小便をしだす。ソフィヤ・ミハイロヴナはそれを見て赤面すると幸せそうにこう言うのだ。「小鳥みたい、子供みたいだわ」。

ヴィーナスが壊れた自分の寝室で腰を下ろし、最後の爪を切っている。

ひとりの小悪魔目にしたその折
すっかり悟ったあたしの老い
彼は優雅で髭たくわえて
その背の高さはまるで夢のよう
貿易風がどうやら吹いて
はたまたこれはモンスーンの模様
　死せる紳士が駆け込んでくる
今の自分はもうあれじゃない
モグラに似てたあの頃の
べっぴんさんじゃありゃしない。
今のあたしは醜くなって
下腹だらんとぶら下がり
それと一緒に臍も垂れ
見るも無残な身体となった
生えだす剛毛、吹き出物
呼吸するにも鼻息荒い。
自分の匂いも気に入らず。
　死せる紳士が駆け込んでくる
考え方も変わってしまい
赤裸々さなどもはやなし。
むき出しまぐわうこともない
癲を患う家族には
それゆえ櫃の上にて愛せ
人も女もズボンのままで。
おお神よ、何ぞ起こらん、何ぞ起こらん。
　死せる紳士が駆け込んでくる
あたしは蠟燭手に取って
学びに小川へ駆けてゆく。
暗くなりゆく孤独の帆
髪のあいだに火の戯れる
　死せる紳士が駆け込んでくる

フォミーン

お救い下さい、ヴィーナスよ

ここはあの世だ。

ヴィーナス

どうなさったの?

フォミーン

ナヂェージダ、リュボーフィ、ソフィヤ、ヴェーラから
ワシは助言を頂いた。

ヴィーナス

助言もらってどうなさいますか。ほら枕。
横になってお休みなさい。

フォミーン

ヴィーナス、一つくしゃみして。

ヴィーナスはくしゃみをする。

フォミーン

てことは、ここはあの世じゃないのか。

ヴィーナス

さあさあ、あたしとベッドに寝ましょ
互いに心を開きましょ。

フォミーン

わしには首がないんじゃよ
見た目はコサックだとしても、
それにワシには舌もない。

ヴィーナス（がっかりした様子で）

あら、それは残念ね。
確かにほんとあなたには
他の姿はないようね。

フォミーン：その話はせんでおこう。気分が悪い。ま、出来んのじゃよ、出来んのじゃ。そうだろう。まさか死んだ理由というのが、またぞろ一からやり直すためではなかろうに。

ヴィーナス：まあいいわ、横になってお眠りになって。

フォミーン：けどどうなっとるんじゃ、ワシが目覚めたら。

ヴィーナス：別にどうもならないわ。このままよ。

フォミーン：それならいい。けどあの世を仕舞いに見るんじゃろうな。

ヴィーナス：悪魔に持っていかれりゃいいのよ。

フォミーンは眠っている。ヴィーナスは体を洗いながら歌を歌っている。

好きよ、好きよ、男の子たち
十一本の指持つ子たち
それにあたしは死にたくない
だからあたし家畜の生活始めるの。モーモー言うの。
女神のヴィーナス、モーモー言って
天の神さま黙ってて

彼女のモーモー聞こえない
どこに行こうが答えない。
フォミーン（目覚めながら）：ここは牛舎か何かだな、出てった方がよさそうだ。
降ろしておくれ、降ろしておくれよトラップを
主の道探しにこれから行くから。
ヴィーナス：下ろすのだったらズボンだわ、あなたに無いものちょん切らないと。さあ行った、行った。

死せる紳士が駆け込んでくる

フォミーン
ワシには見える、女が花が
腰を下ろせる夜の花瓶
そのおいどから出る流れ
作り出せるは異なる局面
この世ならざる特徴を持つ
ワシは眠りと不安に満ちて
そちらを見るも、
そこにあるのは星ではないか。
困惑のままこちらを見れば
ここにあるのは人類の巣と
洗礼の徴ではあるまいか。
ほら、旅路へと持ち出すは鏡に頭陀に蠟燭だ。
部屋から部屋へと大急ぎ、騎士が走り回ってる。
そして唾吐く羊たち。
おお、女よ！おお、母よ！
毛布掛けられ眠りおる
足上げるのに疲れても、
つとめて恋する男の夢に
理想の女で出ようとす
その腹、羽根で飾り付け。
枝ぶりよろしい木っ端に告ぐ
ワシは自ら斧に倒れた。
われわれは尋ねる：かの女にはどうして自分がそれだと分かる？
女（涙をきらめかせながら目覚める）
恐ろしい夢を見たのです、
スカートが消えてしまったみたいで
毛皮の上には山聳え立ち
あたしの声は連れ去られたのです。
まるで天の男たちが
ブリキの翼を背中につけて、

収穫求める死神のようで
痘痕模様が
その顔に見えた。
生まれてこの方見たことないわ。
あたしは女！——言ってやったの
そして黙ってきれいに舐めたの
狂える憂鬱な天使たちの手を
自分の色んな毛を毟りつつ
なんて悪夢だったのかしら
あたしの手足は恐怖で擦れた。
神さま教えて、何の夢かしら
遺灰のことあまり考えたことない
もう少しばかり考えてみるわ。

フォミーン

考えてごらん、蠟燭みたいに笑うのだ
それが何かはまあ分からんさ
死とはすなわち死の針鼠。

女

あたしおつむが弱くてね
こう言うあたしは馬鹿なのよ
死のざわめきが聞こえるわ
自然の声が言ってるの、
あらゆるものの一生は
ほんの短い間だけ
春と夏だけ
火曜に木曜。
虚しいばかりの今際の時に
時を過ごすの、
恋して揺らめくその時に
釘のとんがり摑み取る。
乙女のあんたはお気楽ね、
すべて蜜だと、すべては乳と。
いいえ、乙女よ、いいかしら
人生そういうものじゃなし
あんたも道終えりゃ、げっぷする
椰子、富籤と変わりなし。

お嬢さん

でもこんな会話
井戸端会議のお話よ
あんたは馬鹿ね、冴えない頭よ

偉大な学者カール・マルクス、ベフテレフ、それにオーム
教授と違ってね。
終わりが来るのは誰もが知ってる
奴らが鉛って皆分かってる
でもそんなのはつまらないこと
だってあたしらまだ骨じゃないし
地獄の百人隊怖くない
戻ってきてよ、フォミーン、囁いて、囁いてそっと覗いて。

フォミーン
ワシが覗く？ つまらんことを
見るべきものがあるだろに。

女
前からそこに立ってるの？

フォミーン
覚えとらんよ。五日か、七日目
ワシは光をなくしちまった。
調子がどうも悪いのじゃ。
そういうあんたは何しとるんだ。

女
したいの、したいの
寝返りしたいの
（あちらこちらへ寝返りを打つ）

フォミーン（雄叫びを上げて）
お前は黄昏　落ち着きなしよ、
お前さんとは腐った卵。
勝利だ、主よ、勝利だぞ
すぐにその顔思い出したぞ。

主
その顔とはいかなるものや。

フォミーン
地理のそれです。

ノーソフ
一番大事な芸術をね
言うとするなら音楽です
そこにしか見えぬ感覚の骨
ガラスの、鏡の芸術です。
作り手はその芸術において
大した意味などありません
それ抽象を商う売り手
人はそこでは唖になります。

タンバリンやビオロンを手に
歌の岩へと立ちますと、
空気はちっちゃなお魚に
姿を変えます、痺れ切らして
そこで立ちつつ見事に演奏、
机は忽ち遠ざかり
椅子の足取り覚束ず
地理が現《うつつ》に姿を見せる。
唸れる長弦、音の鳴る
自分はもしや雷神《ペルーン》か
地理ではないかと思うほど。

フォミーン（驚いて）：しかし、誰も演奏などしておらんと思うが。あんたはどこにおるのかね？

ノーソフ：演奏してないように思えたとて、それがどうだっていうんです。

女

お二人がここで屯してもう二時間、
おののき、砂にて、空騒ぎの中
太骨と声で互いにおあいこ
学の騎士たる二人は闇の中。

あたしは寝転びヴァルダイの
さほど大きくない魔の山描くわ、
フォミーンよ、前進。グサーロフは黙って
ほら道端には二人の会話が転がっているわ。

フォミーン

二人のって誰のだね？あんたの質問どういうことだい。
ここにノーソフいるなんぞあんたはどうして思うのか
ここにはずっとフォミーン一人
そりゃワシのことじゃ。

ノーソフ（かっとなって）：お前のことだと？この豚野郎！

フォミーン：ワシが誰だと？ワシが？（冷静になりながら）。どうでもよいわ

（立ち去る）

ノーソフ：フォミーンは治療せねば。あいつは狂ってる、あんたはどう思うね。

女

女は眠り
大気は飛びゆく
夜は花瓶に変容し
この世ならざる局面に

生きた世界の入り込む
眠れやノーソフ、眠るのよ。
甲虫たち籠から這い出て
鹿たち佇む、殺されたように
木々は聖者の目をしつつ
神に忘れられて揺れ動く
世界がまるごと崩れ落ちたの
眠れやノーソフ、眠るのよ。
太陽輝く森の暗がり
蚤入り込む悪魔のうなじ
きらめき見せるふわふわの鳥たち。
庭散策するのは癖たち。
世界のすべてが砕け散ったの
眠れやノーソフ、眠るのよ。
フォミーン（戻ってきながら）：ワシはすぐに言ったであろう、地上の値段は高くはないと。
ノーソフ：あんたも気の毒、気が触れとるわ
（二人は黙って静々とその場から立ち去る）。
するとその時自然の玉座に
腰を下ろせる誇れる諸民
海の岸辺を眺めるために
陸地を測り、きらめくために。
その座にありて、きらめき示し
大声ならずもこう叫ぶ、
波打ち寄せよ、雷鳴轟け、
時よ世紀を前進させよ。
両の脇には対象らが立ち
関心なさげに沈黙す。
空には萎えたる箒星
夢の中では惨めな命。
なかには陽気な獣あり、
無言のままの月の下、
その魂は陰気に揺らぎ
口元からは涎の垂れる。
そこに現る主の代理人
獣を恐怖の箱に入れ
運び込まれる狂気の館、
そこで死ぬのはひと苦労。
恐れよ、狂える犬たちを。
夢見心地の民どもの

眺める先にあるのは菜園
見張りの番が烟草嗅ぐ。
そこで燃え盛る暖炉へ突如
数と一緒に入るはフォミーン。

フォミーン

人は夢にて覚醒し
魚は辺りを支配する
月よ、君だけ、妹よ
君だけ眠らぬ、わが友よ
諸民よ、ごきげんいかがかな、
ペトロフ、イヴァン、ニコライ、マリヤ、シランチィ
自然の尻尾に
マントを掛けて、
何をご覧になられるか

諸民

われら貧しき、貧しき者は
鏡の中を眺めおる。
その鏡には大地があれど
映る姿は蛇のよう。
それをわれらは調べよう。

大地を調べておる時に
一部の者は病院へ
キチガイの家に連れて行かれた。

フォミーン

何を調べた、愚か者たち？

諸民

知っているとも、地球は丸く、
それに岩石、これはケチ、
この地上には三つの角あり、
その三つとは森、雨、道
あと人間は神のご主人。
また地の上には星があり
化学成分含んだそれは
われらの規約に従順で
天のめぐりに義と誉見る。
さよう、概して語るべきことあり、
全知のわれらは全てを解す。

ザティーチキン

おっかなびっくりその姿、
あんたはそっくり死の似姿

すっからかんの中身の小箱を
われらの前で振り回す。
まさかこいつが悪の小箱とは
山羊の到来歓迎す。

フォミーン

祖先の方々、参ったぞ。
そちらと話をしたいと思う、
お分かりのようにこのワシは
山羊でも、鬼でも、駱馬でもなく
況してや他の何者でもない。

フォミーンは言った。手をひと振りして
困惑のあまり泣きだすと
変容を始めた。

フォミーンの言葉

諸君よ、諸君
よろずの対象。すべての岩
魚、鳥、椅子、炎《ほむら》
山岳、果実、水もの、
兄弟、妻、父、そして獅子、
腕、数多の千、そして顔、
戦争、山小屋、憤り、
平らに流れる川の息、
これらを表にし分類したのは
頭のよくない人間よ。
椅子を作ったのは何のため？
それに座って肉を食うため。
手をひと振りして川が出来れば、
その目的はワシらの膀胱
膨らませるためとワシらは思う。
天の世界が出来たのは、
科学の奇跡を示すためだと。
他にも出来た男山、
用途、濃霧、母親も。
ワシらが会話をするとせば、
あんたら馬鹿には分かるはず。
諸君よ、諸君、
諸君の前を流れる水は、
自らの手で絵を描く。
あの藪の下に歳々横たわり

己の定めを語りおる。
あそこの椅子は勝利に変じ、
科学は自ら水曜を模し、
獣、階級、病にしても
線を描いて奈落に浮かぶ。
この世の王たるイエス・キリスト
ブラックジャックもファロもせず、
子供も殴らず、烟草も吸わず、
酒場通いはせんかった。
この世の王は世界を変えた。
彼こそ天の監督する者、
されどワシらは罪深き者。
ワシら侘びしく滑稽となり
死後の流転の中にありても
救いは一つ、変容にあり。
諸君よ、諸君、
ご覧あれ、全地は水だ。
見給え、水これすべてが歳月。
飛ぶ神官が番所から出て
恐怖のままに変化を眺む、
死を象れる泡を見る。

諸民

祖先の方々、ご満足かな？
われら変容には耐えかねまする。

この後、フォミーンが向かった暗い部屋の真ん中には道が通っていた。

フォミーン

トンガリノーソフ、あんたはここか？

トンガリノーソフ

完全に。

フォミーン

あんたは何の何を考えておるのかね？

トンガリノーソフ

壁に肩から凭れかけ
私のように私は立っとる。
ここでは何かが起こるはずだ。
われらが閉じ込められたとしよう。
何も知らずに、何も分からず。
座って待っておるのだと。

フォミーン

戦争続く雨の中

武器に溺れるまにまに
戦争は快感に満ちておる。

トンガリノーソフ

聞け、鏡の裏が轟音を立て、
奢れる椅子が闊歩する。
私には見える、この曲がり角で
そいつは同時に飛んでいるのが。

フォミーン

豊かな机に触れてみてくれ。
角があるのをワシは感じる。

トンガリノーソフ

あちち、熱いぞ。

フォミーン

何が燃えとる。

トンガリノーソフ

ソファーが燃えてる。こいつは熱い。

フォミーン

何たることだ。絨毯燃えとる。
どこにワシらは身を隠そうか。

トンガリノーソフ

あちち、熱いぞ。
わたしの肘掛け椅子も熱くなってきた。

フォミーン

逃げろ、逃げろ、
インク壺が歌い出した。
神さま、お助けを。
ああ災厄だ、何たる禍。

トンガリノーソフ

何もかもが停止する。
何もかもが燃えている。

フォミーン

この世は神に熱せられるのじゃ、
ワシらはどうすりゃよいのじゃろう。

トンガリノーソフ

私は生まれてこの方ワインを
知らず飲まずにやってきた。
さらばじゃ、私は灰と化した。

フォミーン

君ら対象が神だというなら、
対象たる君らの言葉はいずこに。

　ワシは怖いのじゃ、こういう道が
　この自分には渡り切れない
対象たち（ぶつぶつ言う）
　それは特別なルビコンでね。特別なルビコンさ。

フォミーン
　この焼けつくような机たち
　永遠の鍋のごとく立ち
　椅子は熱病病みみたく
　生きた束のように遠くで黒ずむ。
　ただ死そのものよりこれ酷く、
　これの前ではすべてがおもちゃ。
　日毎すべてが悪くなるばかり。

ブルノーフ
　心配なさるな、ここは明るく、
　これぞ最後の温かみだぞ。
　この出来事の主題とは
　対象に訪れた神である。

フォミーン
　なるほど。

ブルノーフ
　他にいかなる主題があろう
　死の永遠なる仕組み以外に。
　病、災厄、処刑とは
　死の心地よき祝祭ぞ。

フォミーン
　それには無理があるであろう、
　ワシは行くよ。

食堂の机に横たわる
世の屍はクレームブリュレ。
周囲に死臭の漂える。
中には馬鹿が腰を下ろして
その場で繁殖、性をだす。
他には毒を呷る馬鹿。
渇いたお日様、光に彗星、
黙って落ち着く対象の上。
梢の木は首傾げ
空気は腐乱し。
運動、熱、それに強度は

誇りを失くした。
かじかむ翼で羽ばたく信心
世人の上にただ一人。
雀飛び出すリボルバー
口にくわえるイデアの先端。
誰もがまさしく気を狂わせた。
この世は消えた。この世は消えた。
この世の命取り。これぞ鶏。
されど多くの利益を得たり。
無論この世はまだ終わりでなし。
この世の冠落ちぬ限りは。
されど輝き確かに失せた。
倒れたフォミーンは青褪めて
ふた窓の手で祈り始めた。
いるのはもしや神だけか。
倒れる空間遥か彼方に。
鷲の飛翔が川の上を走り
イコンを握れるその拳。
そこに描かれていたのは神。
あるいは地上は眠りのせいで
空っぽ、貧相、狭苦し。
我ら罪人か、あな恐ろしや
鷲よ、お前は飛行機だ
きらめく弓矢で海へと出るか
はたまた煤吐く蝋燭となり
川へと急転落下する
輝けるのは意味なしの星、
ひとりぼっちの底なし、
死せる紳士が駆け込んでくる
黙して時を遠ざける。

［底本］（「まわりにもしや神さまが」「灰色ノート」ともに）
Введенский А. Полное собрание произведений: В 2-х т. / Вступ. ст., примеч. М. Мейлаха; сост., подг. текста М. Мейлаха и В. Эрля. М.: Гилея, 1993.

灰色ノート

アレクサンドル・ヴヴェヂェンスキィ

東海晃久 訳

СЕРАЯ ТЕТРАДЬ
Александр Введенский

〈I〉

暗い海の上を飢えの憂いなく
漂う大気は果てしなく
それは青い鳶となって飛んだ、
黙って夜の毒を飲み込んだ。
すると大気はこう思った、全ては過ぎ去る、
腐り果てた実りは辛うじてぶら下がる。
星は夢となって空に昇り、
不死身の蜂は歌い。
人は死や石のように
無言で砂を見ていればよい。
花は花弁で悲しみ
想いは花の上へと飛来する。
（大気が海を掃き清めたる
さながら海はメタル）。
それはこのとき分かっている
森も、空も、ダイヤのことも。
花のあいつはろくでなし、奴は木立、
俺たちはそいつのいる右を見る

まだ俺らの目が黒いうちは
そいつをナイフで刈り取ってやる。
（大気が海を掃き清めたる
さながら海はメタル）。
奴は人より賢くなった
自分に名前をくれよとせがむ。
花を俺らはアンドレイと呼んだ、
知恵では俺らと同い年。
奴を取り巻く甲虫と鳥たち、
立てば森の盃さながら。
奴の周りに川流れ
針をぐっと伸ばしてる。
蝶々も、蟻も、
その上で鈴生り、
心地よく小夜鳴き鳥が囀れば
野原を優しく飛び回る。
大気が海を掃き清めたる
さながら海はメタル。

〈II〉

コーロコロフ

もう一杯水を飲みたいものでして、
この大空の小鳥さんの健康祝して
その飛ぶ姿はまるで狂信家さん、
鈴生る狂喜に乱舞し耳貸さん
その眼の磁石の輝きはね
最高級の光線極め。
ひらひら小鳥は蠟燭の鳥、
ウォッカの雫を、山川を翔び、
しきりに聖歌の姿をとりて。
その物影は透き通る。
翼は丘に触れることなく、
鳥懐かしむ、地上の人よ。
それ神々しき女神の鳥ゆえ、
これぞ愛しき、神の紙。
生の砂漠のこの狭さゆえ
鳥にはあまり頂けぬ。
君は自殺の鳥なのか

それとも君は拒める鳥か。

クハールスキィ

出来れば私も触ってみたい、
一夜で汗ばむ処女の天体に。
説明不能なこの夜影にも
目を凝らしたい、じっくりと。
古びていかんとするこの夜を
息絶え絶えのこの娘子を
天の砂たる物質の
火曜の今の、萎えゆくこの娘《こ》を、
今宵の粒子を花弁さながら持ち上げるのに、
でも、僕が感じるのは同じこと。

スヴィデルスキィ

クハールスキィ、ひょっとして君はエーテルの吸い過ぎ
じゃないか?

クハールスキィ

石を触ってるんだよ。けど、石の硬さには
もはや何の説得力もない。
空の太陽が椰子の木みたいに輝いたところで、
もうこれ以上、光に僕は照らされやしない。
すべてにすべてに色があり、
すべてにすべてに長さあり、
広さあり、深さがあるのさ、彗星の
すべてがすべてが今暗くなる。
そしてすべてはそのまま残る。

コーロコロフ

なんで俺たちここで子供みたいにじっとしてるのさ、
どうせなら腰据えて何か一節いこうぜ
例えば、歌とかさ。

クハールスキィ

じゃあ、歌の上っ面を歌おう

ノートの歌

海よ、海よ、波産む故郷《こきょう》、

波は海の子ども。
海は彼らの母のこと
姉妹は彼らのノート、
そりゃもう何百年も。
暮らしはよいものでした。
それによく祈りました。
海は神に、
子どもも神に、
そのあと空へお引っ越し、
そこから撒き散らしたのは雨
雨がちな所に生えたのは家。
家の暮らしはよいものでした。
ドアや窓に教えたのです、
岸や不死、眠りやノートの遊び方を。
その昔。

スヴィデルスキィ

その昔、道を歩いていた私は毒に当たり
時間も私の隣についてきたり。
様々な小鳥たちは藪の中で歌い、

草は色んな所でしゃがんでました。
力強い海は戦場のごとく、彼方に湧き上がってました。
私はもちろんのこと、息が上がってました。
考えていたのです、わずかに動詞だけが
時、分、年に曝されるのはどうしてなのか。
でも、家、森、空はモンゴル人みたいに、
時間から突如、自由を得たのに。
考えてみて分かったんです。こんなの皆、承知してると、
行為が不眠の中国になったこと、
行為は死んで、死体となって転がってること、
また、私たちはそいつに今、花冠を飾ってるんです。
そいつが動くなんて大嘘で、硬いだなんて偽りですよ、
そいつは息の止まった霧に飲み込まれてくところなんです。
対象物たちは子どもみたいに、揺り籠の中で眠っています。
空のお星さんみたいで、その動きなんて幽かなもんです。
眠れる花のように、音もなく成長しては、
対象物たちは音楽のように、その場に立っています。
私は立ち止まりました。そこでふと思ったんです、
押し寄せる新たな禍いを知性で捉えきれなかったのだと。
そして見えたんです、家が冬のように潜っていくところを、

目にしたんです、燕の指し示す庭で、
木立の影が枝のようにさんざめいているのを、
そこでは木枝が知性の影みたいなんだと。
耳にしたのは音楽の単調な歩み、
捕らえようとしたのは言葉の小舟。
言葉を火で炙ったり、寒さに曝したりして、
でも時間はますます伸びていくばかりでした。
そして私の中に君臨していた毒は、
空っぽな夢のように統治していました。
その昔。

〈III〉

それぞれの言葉を前にして俺は、これは何を意味しているのかと問いを立て、それぞれの言葉の上にその時間の指標を立てる。大事な大事な僕のマーシャはどこにいる、あの子の哀れな手、目、それにその他の部位はどこへ行ったんだ？ あの子はどこを一体、死んだか生きたままほっつき歩いてるんだ？ もう耐えられん。誰にさ？ 俺にさ。どうした？ 耐えられんのさ。俺は蠟燭みたいに一人。俺は四時七分の一人で四時八分、同じく四時九分で四時十分。瞬間瞬間なんてなかったかみたいだ。四時も同じく。窓も同じく。でも、何もかも同じまま。

暗くなり、夜が明けて、夢も見えぬと、
そこには海、そこには言葉、そこには影、そこにはノート。
すべてのものに訪れるは百五十五だと。

〈IV〉

スヴィデルスキィ。君の前にあるのは道。君の後ろにも同じ道が横たわっている。君は動きだし、ほんの一瞬立ち止まり、君も私たちも、全員に君の前にある道が見えた。だが、まさにここに来て私たちはすべてを手にして背中の方を、つまり後ろを振り向くと、君が見えたのだよ、道が、君を見渡したのだよ、道程を、そして皆が一人となってその正しさを確認したんだ。それはある感覚だった——それは青い感覚器官だった。ここで一分前に戻そう、あるいは一分先を試そう、そこでクルッと回るか、周りを見渡してもそれら一分の姿は私たちには見えぬし、そのうちの過ぎ去った一分は思い出すが、も

う一つの未来の点は私たちの想像しているもの。木が横たわっていて、木がぶら下がっていて、木が飛んでいる。私にはこれを特定することが出来ない。私たちにはこれを無効にすることも出来なければ、手で触れることも出来ない。私は記憶を信じない、想像を信じない。時間は私たちの外にあって唯一存在しないものだ。これは私たちの外に存在するものすべてを飲み込んでしまう。知の夜が到来する。時間が私たちの上を星となって昇りゆく。自分の空想上の首を、つまり知性を上げようではないか。ほら、時間が見えてきたではないか。それは私たちの上をゼロとなって上昇していく。それはすべてをゼロに変えてしまう。（［最後の希望――キリストは復活せり。］）
キリストは復活せり――最後の希望。

〈V〉

私がここで「時間」について書こうとすることはどれも厳密に言えば正確ではない。それには二つ理由がある。1）時間のことがほんの少しも理解出来なかった者なら誰でもそうだが、ただその理解出来なかった者がほんの少しでも時間のことが分かってしまうと、存在する全てのことも分からなくなるはずである。2）われわれ人間の論理、それにわれわれの言語は時間に対応するものではなく、いかなる理解においても、初歩的な理解においても、複雑な理解においても対応していない。われわれの論理とわれわれの言語は時間の上っ面を滑ってしまうのだ。

とはいえ、もしかして、時間についてでもなければ、時間の分からなさに関してでもなく、われわれが表面的に時間を感じることになっているいくつかの状況について試しに何か書けるのではなかろうか、またそれを元にすれば「死」への、そして黄昏への、「広い無理解」への道のりを明らかにできるかもしれない。

もしこの不条理な訳の分からなさが感じられれば、この無理解に対して誰も何一つ明らかなものを対置出来ないことがわれわれには分かるだろう。時間について悩んできたわれわれに災いあれ。だが、この無理解がさらに広がりを見せたとき、君と私には明らかとなるだろう、われわれ思い悩んだものたちには災いもなければ、時間もないということが。

1　時間と死

一度ならず私は死を感じてきたし、理解することも理解しないこともあった。以下は私の中で強く残ることとなった三つの出来事である。

1

エーテルを浴室で嗅ぐことがあった。急にすべてが変貌した。ドアがあった場所、出口があった場所には第四の壁が出現し、そこに首を吊ったうちの母がぶら下がっていた。まさしく自分の死がこうなると預言されたことを思い出した。それまでに誰一人として私に自分の死を預言するような者などいなかったのに。奇蹟は死の瞬間に可能となる。それが可能なのは、死が時間の停止だからだ。

2

牢屋で私は夢を見た。小さな中庭、グラウンド、兵の小隊、誰かの首を吊ろうとしていて、どうやら黒人のようなのだ。私は強い恐怖に不安、それに絶望を感じた。私は逃げた。そして道を走っていても、どこにも自分には逃げ場がないことが分かった。というのも、時間が私と共に駆けてきて、刑を宣告された者と一緒に立っているからだ。仮にその男を空間的に表すとすれば、一脚の椅子があって、そこに男と私が同時に腰を下ろそうとしている感じだ。私はそのあと立ち上がって先を行こうとするが、男はそうしない。だが、私たちはそれでも同じ椅子に座ったままでいた。

3

再び夢。私は自分の父と歩いていて、父から教えられたわけでもなければ、はたと自ら気づいたのでもなしに、私は一時間後、一時間半後に絞首刑にされると分かった。私には停止が分かった、それを感じたのだ。本当に最後となるものがやってきたのだと。本当に成し遂げられたものとは、それは死のことだ。それ以外はどれも成し遂げられたものではない。それは成し遂げられつつあるものですらない。それは臍、それは紙の影、それは表面を滑ることなのだ。

2　単純なものたち

単純なものたちについて考えよう。人はこう言う。明日、今日、夕方、木曜、月、年、一週間の間で。われわれは一日の中の時を数える。われわれはその時が加算されていくのを示す。以前ならば昼夜の半分だけしか見えていなかったのに、今では丸一日の内部の動きに気がついている。だが、次の日がやってくると、時の計算をわれわれは一から始める。確かに、その代わりに日数には一の数を加える。だが、三十日、あるいは三十一日が経過する。そして量は質へと変換し、それは成長しなくなる。月の名前が替わる。確かに、年に対するわれわれの扱いは、言わば誠実なものと言える。しかし、時間の加算は他のどんな加算とも異なっているのだ。過ぎ去った三ヶ月を新たに成長した三本の木と比べるわけにはいかない。木は目の前にありながら、葉が淡い光を放っている。月に関して自信をもって同じようなことを言えたりはしない。分、秒、時、日、週、そして月の名称のせいで、時間をめぐる上っ面な理解からさえもわれわれは阻害されてしまうのだ。こういった名称は対象物なり、概念や空間の算定なりに類似している。そのため、過ぎ去った一週間はわれわれの目の前で殺された鹿のように横たわっている。これなどは確かに、仮に時間がただ空間の計算の助けになるだけであったり、二重帳簿であったりするのならばそうだろう。時間が鏡に写った対象物の像だというのならば。実際はと言うと、対象物は時間を映し出した弱々しい写像なのだ。対象物などないのだ。あると言うなら、摑んでみればいい。時間から数位を消し去り、偽物の名前など忘れてみろ、そうすれば、もはや時間はもしかしてわれわれにそのひっそりとした図体を、全身を見せたくなるかもしれない。

鼠に岩の上を走らせてみればいい。ただし、一つ一つ足取りを数えるのだ。一つ一つのという言葉だけを忘れ、足取りという言葉だけを忘れてみよ。すると、鼠の一つ一つの足取りは新たな運動に見えるだろう。その後、一つの全体として、君が足取りと過って名付けていた一連の運動の知覚が確実に無くなっているので（君は運動、そして時間を空間と取り違えていたわけだ）、その運動は君のもとでバラバラに砕けはじめ、ほぼゼロにまで達する。明滅がはじまる。鼠が明滅をはじめる。見渡すんだ、世界は明滅している（鼠のように）。

動詞

動詞とは、われわれの理解ではいわばそれだけで自存しているものである。それは山積みにされたサーベルやライフルのようなものだ。どこかへ行こうとしている時、われわれは行くという動詞を手にする。動詞はわれわれのもとでは三重になっている。動詞は時間を有している。動詞には過去、現在、そして未来がある。動詞は可動的である。動詞は流動的である。動詞は真に存在しているなにものかに似ている。その一方で、行為の中で重みをもつものは、殺人、自殺、首吊り、毒殺を除いて何ひとつない。注意しておくが、死の直前の一時間か二時間が本当の意味での時間と呼び得るのだ。それは全体的な何か、停止した何かであり、時間から解放された空間、世界、部屋、あるいは庭のようなものだ。それは手で触れることができる。自殺者や殺害された者は君たちのもとではそういう一秒ではなかったか、一時間ではなく？ 一秒、それこそ二秒か、三秒、一時間も彼らが話したりすることはない。だが、彼らには密度があるし、不変だっただろう？ そうとも、そうとも。

動詞はわれわれの見ているところでその一生を終えていく。芸術においては筋書きと行為が消えていく。私の詩の中の行為は論理的でもなければ、役にも立たないため、それはもはや行為とは呼べない。

以前帽子をかぶって通りに出ていこうとする人について、彼は通りに出たとわれわれは語った。それは意味のないことだった。出たという言葉なんて、不可解な言葉だ。しかし今では、彼は帽子をかぶっていて、外は明るくなりはじめ、天空は鷲のように高く翔け上がった。出来事が時間と一致することはない。時間は出来事を食べてしまったのだ。その出来事からは骨ひとつ残されていない。

対象

われわれの家には時間がない。われわれの森には時間がない。ひょっとして人は本能的にその脆さを、対象のもつ物質的な皮膜の密度をほんの一瞬でも感じたことがあるかもしれない。現在すら、ずっと以前から存在しないことが分かっているあの現在という時間すら、人は対象に与えたことはない。となると、家、空、森も現在がない以上にないというわけだ。

ある人が自分自身の爪の中で暮らしていた頃、心を痛めて泣いては嘆き悲しんでいた。しかしある時、彼は昨日もなければ、明日もなくて、あるのは今日だけなのだと気づいたのである。今日という日を終えた彼はこう言った。言っておくべきことがある。この今日という日は俺にはないし、あの頭の中に住み、気違いみたいに飛び跳ねて、飲んだり食べたりしてる奴にも、箱の上で泳いでる奴にも、友人の墓の上で寝ている奴にもないんだ。俺たちは同じ事情を抱えてんのさ。言っておくべきことがある。

そして、穏かな近所周辺を眺めはじめると、彼には時間の器の側壁に神が見えたのである。

動物

鬱陶しい朝日が昇る。森は目覚める。するとその森の木の枝に鳥が飛び上がり、夢で見た星のことをぶつぶつと言いだしては、白金色の自分の雛たちの頭を嘴でコンコン突く。ライオンも、狼も、鼬《いたち》もむっつりしながら眠そうに自分たちの白銀の子供をナメナメしている。この森を見ていると、そいつには銀のスプーンやフォークで一杯のビュッフェを彷彿とさせるところがある。それとも、それとも、それとも見てみると、奔放さに青く輝きながら川が流れている。その川には魚たちが子供を連れてあっちこっちへ動き回っている。それは神のような目で輝きを放つ水を眺めては、ふんぞり返ったミミズを捕まえている。こいつらのことを夜は待ち構えているのだろうか、こいつらを昼は待ち構えているのだろうか。昆虫は幸福に思いを馳せる。ゲンゴロウは憂鬱を感じている。獣たちはアルコールを飲まない。獣たちは麻薬もなくて退屈している。連中は動物的な乱痴気に身を委ねるのだ。獣たち時間が君たちの上に座っている。時間は君たちに思いを馳せる、神も。

獣たち君たちは鐘。女狐の音の顔が自分の森の方を見ている。木々が堂々と立っている様子はまるで点々のように、静かな冬将軍のようだ。自然は夜のように萎えていく。さあ寝るとしよう。すっかり気分が落ち込んでしまったな。

点と六時

就寝する際にわれわれは考えたり、話をしたり、ものを書いたりする、一日が終わったなと。そして翌日を迎えても、過ぎてしまった日のことを探したりはしない。だが、就寝までのあいだのその日への向き合い方は、まだ過ぎ去っていないかのようだし、さも未だに存在しているかのようで、まるでその日がわれわれの歩いてきた道であり、行き着くところまで行ってしまい、疲れ果ててしまったかのようなのだ。しかし、出来ることならその来た道をまた引き返せればよいのにと思ったりもする。われわれの行う時間のどんな区切り方も、われわれのどんな芸術も、その時間が過去のことであろうが、今のことであろうが、将来のことであろうが、まるで関心などないかのようだ。かつて感じたことだが、牢屋に入った時、初めて時間のことが理解できなかった。いつもならば少なくとも五日先のことくらいは計算していたし、それは五日前の場合でも同様で、いわば部屋のようなもので、その真ん中に立っていると、犬が窓越しにこちらを見ているような感じだ。振り返りたくなって、ドアが目に入ったと思ったらそうじゃなくて、見えていたのは窓だった。でも、部屋にのっぺらぼうの四つの壁があるとして、そこに一番大きく見えたのは、壁のひとつにある死だった。私が牢屋で考えていたのは時間を体感すること。牢屋のお隣さん相手に、試しに前日と同じことをそっくりそのまま繰り返してみようと提案したくて、また実際したところ、牢屋の中だとすべてその通りに上手くいった、そこでは出来事というものがなかったからだ。だが、そこにあったのは時間だった。罰もやはり時間によって受けたのだ。世界には点が飛び交っているが、それは時間の点だ。この点は葉っぱの上に降ったり、額の上に落ちてきて、甲虫たちを喜ばせる。八十歳で死なんとする者、また十歳で死なんとする者も、それぞれ死の瞬間だけを有する。他にはいかなる瞬間も持つことはない。カゲロウはわれわれの前では齢百歳の犬である。違いはわずかに、八十歳の者に未来はないが、十歳にはあるというだけのことだ。しかし、これもまた正確ではない。なぜなら、未来は分裂するからだ。なぜなら、新たな瞬間が加わるよりも前に古い瞬間は消え失せてしまうからであって、これだとそれとして描写することも可能であろう。ただゼロはこのように

ØØØØØØØ
ØØ0

線を引いて無効になるのではなく、抹消されるはずなのだ。こういった一瞬の未来ならどちらにもある。あるいはどちらにもそれは今ないし、あり得ないし、あり得なかったものだ、よしんば死につつあるというのであれば。われわれの暦というのは、新奇さを、それぞれの一瞬を感じるようには作られていない。しかし、牢屋ではこの一瞬一瞬の新奇さ、またそれと同時にこの新奇さのもつ無意味さが私にははっきりとしたのだ。もし二日前か後に釈放されていたり、何らかの差が生じていたならば、私には今が理解できない。以前と以後とはどういうことなのかが分からなくなっていって、何もかもが分からなくなっていくのだ。またそうしている間にも、雄鶏が毎晩鳴いている。だが、想起するというのは頼りにならぬ代物で、目撃者は記憶がこんがらがるし、間違えたりする。一晩に二度も三時は来ないし、殺されて今横たわっている者は一分前に殺されたか、明後日には殺された状態のまま横たわっているのだ。想像力というのは確たるものではない。せめて一分ではないにしても毎時間、自らの数を受け取っては、その後に毎時間次の数が加わっていくか、あるいはそのままとどまって同じ数を受け取ることになるはずだ。例えば、いま六時だとして、それがずっと続いているとしよう。まず最初に日、週、それから月を廃止しなければならない。そうすると、雄鶏はばらばらの時間に鳴くことになるだろうし、合間の等しさも存在しない、なぜなら存在しているものは存在していないものと、あるいは存在していなかったものともはや比較のしようがないからだ。どうやってそんなことが分かるというのか？　われわれには時間の点は見えないし、あらゆるものの上に六時が降りてくるのだから。

悲しき出来事の残骸

何もかも最後の死すべき部分に分解していく。時間に世界は食われてしまうのだ。私には分から…

〈一九三一～一九三三〉

言語の貧しさを敬え、あるいは死に、死にならえ、歌い人にして貧しき騎士よ

東海晃久

まさかぼくらが眠っているなんて。
まさかぼくらがここにいるなんて。
まさかぼくらが悲しんでるなんて。
まさかぼくらが存在してるなんて。

――ヴヴェヂェンスキィ「証人とドブネズミ」

忘却

「歴史を語る」とはどういうことか。仮にそれをある設定した時間軸を基にしてランダムに生じた事象を因果関係により整合的に結び合わせることと定義するならば、あらゆる事象を扱えぬためにそこでは語られなかったもの、つまり、「省略されたもの」がここでの語りの前提になるということだ。したがって、この事実上「省略」された事象をめぐる言説は権利上復元可能だということでもある。だが、復元しようとしてももはや参照すべき資料も失われ、線として結ばれるはずの点が消し去られてしまえば、それは事実上の忘却であり、その歴史を語るとなっても仮説の域を出ることはない。文学史もその例に漏れず、空白の領域を常に抱え込んだまま、沈黙を強いられることになるのだが、時に忘却から蘇ってくる事例もないことはない。それを長い前置きをしながら今回は語りたいと思うのである。

　前世紀六〇年代、日本の世代論で言うところの「全共闘世代」と比較的に類似した「六〇年世代」がロシアにも登場する。そのコノテーションの良し悪しはとりあえず別として、この時代が世界的に見ても一大転換期であったことは周知の通りである。スターリンの死の五三年以降、戦線から幸い帰還した者たちが改めて巻きはじめ

た歴史のゼンマイは「雪解け」で一度巻き切られ、戦中戦後の「誠実」な証言者として今までになかった言葉を語り始める。それは詩の渦となって特に若者たちを呑み込み、いつしか「アイドル」級の詩人たちを生み出し、朗読会の会場となるスタジアムを満杯にする。しかし、ここに我々が見るのは文学へゲモニーを握るソ連作家同盟という半官僚的メジャー文学機械に他ならない。三〇年代半ば（一九三四年）の「文学の集団化」を経てようやく完成するこの文学権力機械は同時に内部ヒエラルキーに応じて作品主題の選別・配分を行う検閲機関でもあったため、その底辺にあって公式なステータスを得られない書き手たちはボヘミアン的なアンダーグラウンドを形成し、日の当たらぬところで地下出版（サミズダート）を行いながら発表の場を作り出すほかなく、国外出版（タミズダート）を夢見ても目をつけられれば「徒食者」だの「反体制」だのとレッテルを貼られ、裁判にかけられては、挙げ句の果てに追放か亡命といった憂き目を見ることになる。これはロシアにおける文学（の力）への恐怖の裏返しでもあり、それが権力では飼い慣らすことのできないもの、長らく政治闘争における仇敵であり続けたことは内戦終了を目前にした二〇年代初頭の事件を見ると如実に分かるのである。

一九二一年、ジェルジンスキーの率いる秘密警察（チェーカー）はある反ボルシェヴィキ戦闘組織による陰謀を摘発したとして、知識人一〇三名を逮捕し、そのうちの六一名を処刑する（いわゆる「タガンツェフ事件」）。これは革命後の政治闘争においてでっち上げられた策謀の一つで、銃殺された六一人の中には、当時多くの詩人たちのメンターでもあり、ポスト象徴主義の一派であったアクメイズムの詩人ニコライ・グミリョーフ［一八八六〜一九二一年］が含まれていた。さらにこの翌年、ボルシェヴィキ政権は短命だと高を括っていた知識人たちが亡命第一波の象徴となる「哲学者の船」に乗ってロシアを後にすることになる（ちなみに、出国には「股引二枚、靴下二足、ジャケット、ズボン、外套、帽子、靴二足」の持ち出ししか許可されず、金銭は没収された）。また、この亡命第一波からはいわゆる「ナンセン・パスポート」を取得して難民化し、帰国を果たせなかった文学者たち（ブーニン、ナボコフ）もいる。また、異国での「苦難の道」を綴りながら「自分なりに考え、自分なりに書き、自分なりに自分の持つ真の使命を果たす可能性を得るため」（ゲオールギィ・アダーモヴィチ『孤独と自由』）国を逃げ出たと語る作家たちの作品には自ずと「自伝性」が纏いつき、この時代には「難民文学」とでも呼ぶべきものが懐胎することになる。それはもはや砕け散っていくロシアの痕跡であり、文化的エントロピーに抗う亡命社会は自分たちの記憶を失う前に夥しい量の回想録を西の岸へと「投壜」していくことになる。そして三〇年代に入り、ロシア文学は大きな転換点を迎えることになる。先ずディアスポラにおいては、故郷とのつながりを喪失した「亡命の子供たち」、「気づかれなかった世代」が出現する。この時代はおよそ過去を失った人間として、あるいはデラシネとして亡命社会でも居場所を見出だせず、自らの内省、自己分析へ傾斜する者たち、共産主義でも資本主義でもない新たな世界の構築を渇望するファシズム運動にのめり込み、失われた過去をメシアとしてのロシアという神話のうちに蘇生させようと夢見る者たちを生み出すことになる（同世代分析としてヴラジーミル・ヴァルシャフスキィが記録文学『気づかれなかった世代』を残している）。一方、書くことを諦めるわけでなく、国外へ逃れるわけでもなく、どこへも行かず国内にとどまりながら「内的亡命」の状態に入る者たちもいる。その時、作品が生き残るかどうかは一か八かの賭けであり、永遠に失われてしまうものもあれば、奇跡的に助かるものもある。歴史上、誰にも読まれぬまま長年仮死状態であり続けた作品の存在を我々は知っているし、またその中には未来の誰かに読まれる当てもなくただ書き綴られていたものも紛れ込んでいるだろう。ただ、すでにその存在を知る者からするとそれを「徒花」などと呼ぶのは適当ではない。むしろそれは「目的のない合目的性」という言葉で表現した方が別の意味でも相応しいに違いない……そして、冒頭で述べた歴史の空隙がまさに人工的に穿たれたものであったからこそ、それを記憶し続ける六〇年代世代の努力のお蔭で二人の詩人ハルムスとヴヴェヂェンスキィの作品がようやく日の目を見ることになったのである。彼らが一時期組織していた文学グループの名は「オベリウOBERIU」（リアル芸術団）［一九二七〜一九三〇年］として知られるが、ここでの関心は特にヴヴェヂェンスキィであり、日本でもよほどの数奇者くらいしかその詳細を知る者はいないと思われるので、遠回りしつつ、脱線を重ねながら、少しずつ近づいていきたい。

想起

「第二のロシア・アヴァンギャルド」が登場する六〇年代まで、オベリウはすでに忘却の川の淵にいると思われていた。その名が触れられることはあっても彼らは専ら「児童文学者」という肩書きで括られ、しかも生前発表できたのはわずかに二作品であったこともあり、事実上文学史から抹殺された存在とされて、発掘して論じることもまたご法度であった。ところが、実は川に投げ込まれて淵に沈もうとしていた作品をこっそり掬い上げていた人物がいた。その人物とは、粛清によって露と消えたメンバーの友人にして、音楽家・

哲学者のヤーコフ・ドルースキン［一九〇二～一九八〇年］であった。彼はレニングラード包囲戦の戦火からダニイル・ハルムス［一九〇五～一九四二年］の作品の入った鞄を救い出し、またアレクサンドル・ヴヴェヂェンスキィ［一九〇四～一九四一年］の遺産を引き継ぎ、戦後ずっと守り続けてきたのである。この彼がいたからこそ、忘却の川と思われていたものが実は人工的に拵えた沈黙の岸に挟まれただけであったことを我々は後に知ることになるのである。

　このヴヴェヂェンスキィとハルムスという、後にオベリウの中核メンバーとなる二人は当初、ヴェリミール・フレーブニコフ［一八八五～一九二二年］の衣鉢を継いでペトログラードのザーウミ詩人を統括する詩人・理論家のアレクサンドル・トゥファーノフ［一八七七～一九四三年］の手引きによって「ザーウミ詩人結社DSO」に参加し、一九二五年に詩人としてデビューする。やがて、グループ内で孤立していく二人は「レーヴィ・フラング（左側面）」という内部派閥を作ることになるも結社からは離反し、別の交流関係を広げていく。入れ替わりは激しかったものの、二人にはニコライ・ザボロツキィ［一九〇三～一九五八年］、イーゴリ・バフチェレフ［一九〇八～一九九六年］、ドイヴベル・レーヴィン［一九〇四～一九四一年］、コンスタンチン・ヴァーギノフ［一八九九～一九三四年］、ユーリィ・ヴラヂーミロフ［一九〇八～一九三一年］、ニカンドル・チューヴェレフ［一九〇五～一九三八年？］といったメンバーが追加加入し、グループ自体も何度か改名を重ねる。次に彼らの活動の背景を見てみよう。

左翼内闘争

　芸術と政治が表裏一体の左翼芸術運動は同時に政治闘争の場でもあった。中でもペトログラードにおける実験芸術の牙城であった国立芸術文化大学（二三年までは芸術文化博物館）は二五年以降、ヴィテプスクからその拠点を移したスプレマチズム（無対象絵画）の首領カジミール・マレーヴィチ［一八七九～一九三五年］や分析芸術派の画家パーヴェル・フィローノフ［一八八三～一九四一年］、それに拡張視覚を提唱するミハイル・マチューシン［一八六一～一九三四年］らが中心となって活動していた場所で、その中に設置されていた音声学科では二二年の亡命に失敗して帰国していた元未来派前衛グループ「41°」メンバーで舞台演出家のイーゴリ・テレンチェフ［一八九二～一九三七年］が教鞭を執っており、まさに彼の薫陶を受けたのが若きヴヴェヂェンスキィであった。ちなみに、この「41°」とは詩人アレクセイ・クルチョーヌィフ［一八八六～一九六八年］とズダネーヴィチ兄弟を中核とする前衛グループで、いわゆる「ザーウミ（超意味言語）」（これについては後述）を創作の柱とし、政治色の強い立体未来派とは一線を画していた。また、「自分にはフレーブニコフは相容れない、むしろクルチョーヌィフの方が近い」と語ったというヴヴェヂェンスキィの言葉からも、当時は少なくともテレンチェフを介してクルチョーヌィフが彼の直系の師であったことが窺い知れる。

ところで、この前衛の牙城の息もそう長くはなかった。二六年六月、当時最大の勢力を誇るリアリズム団体「革命ロシア芸術家連盟」（ソ連芸術家組合の前身）のイデオローグであったグリゴーリィ・ギンゲルが新聞への匿名寄稿の中で国立芸術文化大学の活動を「意味のない形式主義（フォルマリズム）」と糾弾し、組織自体を政治的に有害な、「国費で運営される修道院」であると痛烈に批判した結果、同年末にはかつてのロシア・フォルマリズムの総本山であった国立芸術史大学へと吸収合併され、消滅してしまう。ただ、この消滅の直前、二人の詩人にとっては大きな動きがあった。つまり、象徴主義演劇にも表現主義演劇にもコクトーにも物足りなさを感じていた同大学の学生劇団「ラディクス」（この中にいたのが後にオベリウ最年少メンバーとなるバフチェレフ）が文学的プロットや心理感情を一切排除した「純粋演劇」の脚本をヴヴェヂェンスキィとハルムスに依頼したのである。この実験演劇には学長マレーヴィチからの後押しもあり、二人はあらかじめ用意した台本ではなく、リハーサルをしながら自分たちの作品をモンタージュしていく方法で製作を進め、そのタイトルにはヴヴェヂェンスキィの詩と同名の「うちのママは時計にすっぽり」を付ける予定だった。ところが、これも糠喜びとでも言うべきか、その努力も虚しく当局からの圧力によってこの公演計画は立ち消えとなってしまう。

芸術教

さて、当時の実験芸術の理念の流れを掴むべく、ここでは少し立ち止まって革命以前まで戻ってみたい。これまた多少長めの脱線になってしまうことを予めご了承頂こう。

最初に見ておきたいのは十九世紀の詩人・神秘家であるヴラヂーミル・ソロヴィヨフ〔一八五三〜一九〇〇年〕の美学理論である。それ自体は一見すると単なる反ミメーシス的芸術観のように思える。ところが彼は芸術と自然との美学的関係に触れながら「われわれは美を、物質の中にその物質とは別の、超物質的な原理を受肉させることによって物質を変容させることだと定義せねばならない」と述べる。つまり、ここにあるのはこの世が不完全であるという前提である。無論これは自然界が死と生の繰り返しの法則に支配されているという事実確認に過ぎないのだが、まさに死がある限りにおいてこの不完全世界は乗り越えねばならない対象であり続けるというわけである。ならば、芸術に何が出来るのか、といった問いに立ち戻る時、この不完全な自然界が始めた芸術的事業を完成させることが芸術本来の課題だということになる。ただその際「物質」と「精神」の関係は相補的なものであり、彼は精神の物質化を「受肉」、そして物質の精神化を「変容」という神学用語でそれぞれ名付け、芸術の存在理由を「精神的なもの」と「物質的なもの」とのジンテーゼとして宗教的に再解釈する。そして芸術活動を『神人論講義』［一八七七〜一八八二］において「現実的芸術」と呼ぶこととなる。十九世紀において現実を映し出す鏡に過ぎなかったリアリズム芸術は、ここにきて宗教としてのステータスを獲得し、一九〇〇年代末にはこのソロヴィヨフの影響を受けた象徴主義文学者（例えば、ヴャチェスラフ・イヴァノフの唱導する「リアリズム的象徴主義」）たちは神官の衣をまとい、象徴の中に神話を見出す中で、いわゆるa realibus ad realiora（リアリティからより高次のリアリティへ）というスローガンの下、神との合一を図る神働術（テウルギア）による世界の変容と、地上における超自然的なリアリティの具現化を夢見るに至る。これは一言で言えば、ディオニュソス的な「死による再生」ということなのだが、文学がこのように今あるこの世界を一度解体して新たな生を創造するという魔術的言葉の創造へと向かうとすれば、文学は一度死んで宗教に生まれ変わるということでもある。ただ、「死による再生」というスローガンよりも重要と思われるのは、「世界＝言葉」という公式を前提にするかぎりは「言葉」への信仰を止められないということであろう。そして、一九一三年を臨界点にして今度はロシアの立体未来派「ギレヤ」が象徴主義の文学へゲモニーに敵対する形で一線に躍り出てくる。戦争を背景にする言葉の破壊力は自分たち自身の言葉にまで及び、その言葉は理知の外、意味の外へと超え出ていこうとする。その時用いられた手法というのが先ほど触れたあの「ザーウミ」であった。

ザーウミ

「ザーウミ」は「超意味」とも訳されることがある。これは言語の持つ伝達機能をゼロに近づけ、音あるいは言葉そのものの自存性を際立たせる詩的手法と言ってもよいのだが、もう少し丁寧に細かく分類すれば、音素・形態素・統語という三つの水準で生じる意味の不確定性を基準にして四つに分れる（ジェラルド・ヤネツェクによる区分）。つまり、（1）音声的：文字の組み合わせが識別可能な形態素に収まらない、（2）形態的：ある言語に既存の形態素がその言語にとって未知の語を作る、（3）統語的：ある言語に既存の語が標準的文章ではない構文を作る、（4）超統語的：ある言語に既存の語が特定の意味を持たない構文を作る、である。ちなみに、このような特徴を持つザーウミ詩は翻訳可能性が著しく低いため、ここでは敢えて引用することはしない。だが、その存在理由あるいは正当性については確認出来るところもあるので、若干ではあるが紹介しておきたい。

一つはフレーブニコフ、エレーナ・グロー［一八七七～一九一三年］、そしてアレクセイ・クルチョーヌィフによる著書『三者』からの「言葉は意味よりも広い」という一節である。つまり、言葉の中には伝達機能を持たない呪文、神々の言語、狂人の言語、あるいは私的言語も含まれるという意味で理解してよいであろう。また、同じフレーブニコフは『我らが礎』［一九一九年］という別の文章で「ザーウミ言語」を「理性の限界を超えたところにあるもの」と位置づけながら、音それぞれ（とりわけ子音）の持つ意味合いを意識化すれば超意味言語ですら理に適ったものになると述べている（これは後に「詩的理性批判」としてヴヴェヂェンスキィの試みる作品群と対極にある思想である）。

さらにこれと並んで〈偉大なる非詩人〉の異名をとるクルチョーヌィフは『薔薇の肥満』［一九一九年］の中で「過去の袋小路からようやく見えかけてきた新たな芸術の突破口はゼロへと通じるのでもなければ、狂気に至るのでもない。かつての選択肢は理に適ったものか、狂ったものかの二つであった。我々が提示するのは第三の選択肢、つまり、理性の彼方（ザーウミ）にあるものであり、これが先ほどの両者を創造的に変容させ、超克していくのである。理性の彼方のものは、病という救いのなさを除けば、あらゆる創造的価値を狂気からもらい受けるのだ（それゆえ、ザーウミと狂気の言葉は互いにほぼ似通っている）」と述べている。実際、クルチョーヌィフは思考や意味を前提とする硬直した概念語を解体し、例えば「百合（の花）」というもはや使い古された言葉はこれを復活させるべく「えうゐ」と呼び替えている。

最後にもう一つ、「41°」のイリヤ・ズダネーヴィチが二二年に亡命先のフランスにある医学アカデミーで行った「真珠病」に関する報告を取り上げておこう。その症例に関する説明を見ると、動物的情念の音声的発露に過ぎなかった原言語が思考伝達機能と文字使用の影響で次第に生きた言語（langage vivant）として代謝不順をきたし、元の状態へ戻ろうとする言語の硬直した組織の襞に真珠状の粒が形成されたのが「真珠病」であるとし、その粒こそが詩における「ザーウミ」だという。彼らグループにとって詩の課題とは、ザーウミによって言語を再び生き返らせる治療を施すことにあるとされる。われわれの文脈において注意すべきなのはただ一つ、ここには言葉への望みがまだあるのだということ、また同時にこの世界に対する親和性が詩人たちには残っているという点である。そしてこの未来派詩学は二〇年代に入って「ザーウミ」とは別の方法論によってさらなる展開を遂げることとなる。

Das wort ist zur tat geworden

一九二二年、モスクワではマヤコフスキィを中心に「芸術左翼戦線」が結成される（その機関誌は「レフ」）。メンバーのほとんどはかつての未来派で、革命前の破壊的アプローチから「生の構築としての芸術」を最大綱領とする社会的運動体へと変貌を遂げる。ただ、その指針には二十年以上前のソロヴィヨフ美学の残響がはっきりと聞こえる。例えば、「生の反映」に過ぎなかったこれまでの芸術の指針は革命芸術において「生の構築」へと生まれ変わり、それによって生と芸術を隔てていた境界線は取り除かれて、創作者と消費者とのあいだにあった社会的断絶も解消されるというのだ。さらに人間心理の壁もなくなるとなれば、人間の価値は「苦悩の体験」によってではなく「もの作り」によって測られることになる。またその結果、「心理」に立脚する芸術作品は「心理主義」として排除されていくことになるだろう。さらに、芸術は実生活を彩るべき技術となり、文学はあらゆる言語活動を芸術作品にすることを使命とし、芸術家はもはや職人として、霊感ではなく社会的発注に応じる形で、作図した図面通りに淡々と作られるべきものとなろう。要するに、芸術の語源であるarsはその語本来の意味を取り戻し、大衆化のための技術として生まれ変わることになるのである。この背景にあったのは無論、ラジオ通信・トーキー映画・写真技術などのメディア革命であり、世界をこれまで支配してきたむき出しの自然は姿を消し、情報ネットワークがそこに覆いかぶさり、いわゆる「スペクタクルの社会」（ドゥボール）が始まる。この用語が意味する社会について雑駁に言えば、生全般がメディア的表象に吸い上げられてそこにしか存在せず、大衆がそれを「観客」として受動的に消費する社会ということになるだろうが、レフの理論家セルゲイ・トレチャコフ［一八九二〜一九三七年］は情報を消費対象としていた大衆をその生産者へと転換していくための「ファクトグラフィー（事実記述）」運動を展開する。「事実」を記録することはただ現実を客観的に映し出すことではなく、労働の産物として位置付けられ、生の織りなすテクスチャへと積極的に介入するものと看做されることになる。ただ、ここでもやはり最大の課題は現実世界と表象とのあいだに広がる断絶をいかに取り除くべきかということにあり、「事実の文学」のファクトグラファーはこの時、現実を積極的に組織化し、変革することをメディアやリソースに求め、作家と読者との差異を事実上完全に取り除こうとする「参加の美学」の条件を作り上げることとなる。鑑賞者はこの時スペクタクルの一員であると同時にその意味を作り出す行動者として、同時に出来事の外部と内部に立っている。つまり、現代の意味での「情報商品」を生産するだけではなく、社会にコミットする「実働性」のあるジャーナリズムの誕生が目指されたのである。これを一言で言い表そうとしたのが「言葉は行動になる」というトレチャコフの言葉であった。

「世界≠言葉」

ところで、もう一度「世界=言葉」という公式に戻ろう。これまで見てきた言葉の詩的再生を通じた世界の再生といった話は、そもそも世界が認識可能であるかどうかの問題を度外視したところで行われてきたものであった。しかし、理性を超えた言葉の探求をめぐっては別の戦略もあり得る。つまり、言葉の再生以前に、理性によって「世界」が認識可能かどうかを問題として立て、詩の領域においていわゆる理性批判を行う方法である。ヴヴェヂェンスキィが行ったのがまさにこれであった。「僕らには分からないことが心地よく、説明不能なものが友」（『私に考えさせる招き』）と詠う彼についてオベリウのマニフェストには次のような紹介が出ている。

「A・ヴヴェヂェンスキィ（われわれ結社の最左翼）は対象を粉々にはしても、そうすることによって対象がその具体性を失うことはない。ヴヴェヂェンスキィは動作を散り散りばらばらにはするが、動作がその創作上の法則性を失うことはない。最後まで解読すれば、その結果〈見た目上〉は意味のないものということになる。なぜ〈見た目上〉なのか？その理由は、明らかに無意味となるのはザーウミの言葉であろうが、そういった言葉はヴヴェヂェンスキィの創作には見られないからだ。今まで以上に好奇心を持って、飽くことなく言葉の意味と意味とが衝突するところを観察しなければならない。詩というのは噛まずに飲み込めば忽ち忘れてしまうような麦粥ではないのだから。」

「言葉の意味と意味とが衝突する」の意味するところは実際に作品を読むと分かるのだが、彼の使う言葉は個々に取り上げてみると、実際には抽象度は低くなく、実に平易な言葉が多いことが分かる。ところが、それらが一つの文章としてつながった途端、一挙に意味不明なものになってしまうのである。これなどは先に触れた「統語的ザーウミ」というものを体現していると言える。例えば「決闘は有名な森へと変貌する」（『まわりにもしや神さまが』）という文章では互いに異なる概念に分類される名詞（決闘は動作、森は地理的名称）が同列に扱われている。また「諸君よ、諸君／よろずの対象。すべての岩／魚、鳥、椅子、炎《ほむら》／山岳、果実、水もの、／兄弟、妻、父、そして獅子、／腕、数多の千、そして顔、／戦争、山小屋、憤り、／平らに流れる川の息、／これらを表にし分類したのは／頭のよくない人間よ。」という台詞が登場する場面は、この世の万象をめぐる分類についての批判であることが分かる。一つ前の例にあったそれぞれステータスの異なるものが同列に扱われるのを単なるザーウミ的手法と見ることには実は抵抗がある。というのも、二つ目の例からはいわゆるアリストテレス的な概念的分類を拒絶したところに世界を位置づけし直そうとしていることが想像出来るし、またそれ以上にこの作品自体がヴヴェヂェンスキィの三つの主題である「時間、死、神」を扱った神秘劇の形式を取っていることからしても、彼が終末論的主題によって「世界に対する拒絶」の態度を示していると考えられるからだ。オベリウとは別に彼が参加していた非公式グループ「チナリ」の会合での談話には時間、論理をめぐって次のような発言が記録されている。

> 時間の問題に芸術が答えを出せるだろうか？ 生憎、芸術というのは主観的なものだ。詩に作れるのは言葉の奇跡だけで、本物のじゃない。それにどうやって世界を再構築すればいいのかも分からない。俺は概念、そもそもの一般化という奴を痛めつけてやったわけだけど、これは俺がやるまで誰もしたことのないことさ。こうすることで、言うならば**詩的理性批判**「強調、引用者」をやったって訳さ——例の抽象的な理性批判よりも根本的なものをね。疑問に感じてきたのは例えば、家、別荘、塔といったものが建物という概念で結びついて、一つにまとめられてしまうということ。ひょっとしたら、肩は4と結びつけなきゃならんのかもしれない。俺はそういうことを実践で、詩の中でやってきたし、そうすることで証明もしようとしたのさ。そこで俺は、以前まであった結びつきが偽りだということは確信しているけれど、新しい結びつきがどういうものであるべきなのかは言えない。その結びつき方が一つなのか、それとも複数あるのかすらも分からない。あと、俺が基本的に感じているのは、世界には結びつきなんてものはなくて、時間は細かくブッ切れだということ。これは理性と矛盾しているということになるから、要するに、理性には世界のことが分かっていないということさ。（『会話』一九三三年）

ここには万象がもはや散り散りばらばらになった世界があるのが分かるが、これを読んでその対極にあるストア派の世界観を思い起こすのは私だけではなかろう。ストア派の宇宙は「ロゴス」の文字通り具現化したもので、それは合理的に構築され、またそれゆえ合理的な説明が可能な対象だとされる。世界は理性的であり、生気があり、知的な生命体とされる。つまり、それ自体が神（ロゴス）そのものなのだ。認識は人間と世界とのあいだに合理的な調和をもたらし、人間はそこで安住を約束される。さらに、その世界にあるのは物体（ソーマ）だけであり、それ以外はいわゆる非物体（レクトン＝表現可能なもの・空虚・空間・時間）とされる。この物体は性質を持たない物質をその基体とし、世界はこの物質の一つの様態であるところの物体を内に含む（神もまたこの物質の一つのあり方にすぎない）。そのため、物体の概念は非常に広い領域にまで適用され、夜も、あけぼのも、非物体を除くすべてのものが物体であることになるので、ヴヴェヂェンスキィにおいて同列に扱われていた「肩」と「4」あるいは「決闘」と「森」はいずれもがここでいう物体である以上、ストア派的世界では別に異常なことではない。また、ここでは本質的なものが普遍的な形相として設定されないし、個体が非合理的な偶有性を持った偶然の事実と看做されることもないので、いくつかの個体がその共通の性質に基づいて一般化されることもない。この論理学は主辞に感性的性質を帰属させたものを賓辞とする論理命題（ＳはＰである）、つまり概念の帰属関係の判断に帰するアリストテレスの論理学と異なり、存在する個体に二つと同じものはないストア派の論理命題は時間的な前後関係の必然性に基づいた事象を表すことになる。この点については先程見た万象をめぐる分類への批判と、時間をめぐる問題に直接つながることは明白である。ただ、決定的な問題はヴヴェヂェンスキィの世界はストア派のような活力のある世界ではなく、すでに死んでいて、当然そこにある物体同士には互いに結びつくために協和する力（マルクス・アウレリウスの言葉では「聖なる結合」）が働いていないことだ。これには別の宗教的な問題が重なっているようなので、次に少しだけ指摘しておきたい。

興味深いことに、ヴヴェヂェンスキィの出自に着目し、彼の描く世界に神がいないということをロシア正教古儀式派無司祭派のスパーソフツィ（救世主派）の教義と重ねた上で、彼のテクストが決して「ザーウミ」的ではなく、十分に理解可能な作品であると解釈する研究者もいるのである。この救世主派の教義によると、今の世は反キリストの時代に入っており、教会及び至福はもはや天に移されてしまっていて、人間がこの世で救われることは原理的に不可能であり、あとは全て神に委ねて終末を待たねばならないのだという。

『まわりにもしや神さまが』の冒頭にある「花たちの聖なる飛翔」と題された詩行を見てみると、確かにそのような文脈で意味が通るのである。

太陽はみだりに輝き、
花たちは花壇に飛び
肥えた大地の横たわる姿は大山猫さながら。
花たちは言うのだった、天よ、開け、
僕らをそちらへ連れていっておくれ。
大地はおのが苦難のさだめに従いつづけた。

ここでストア派を持ち出したのはヴヴェヂェンスキィの詩学に関して新たなテーゼを提示したいからではない。ただ、この神秘劇の最後に終末を迎える世界が神によって燃え上がるところが、外に広がる空虚の中で宇宙が大燃焼して再創造を繰り返すというストア派のイメージと重なることだけは付け加えておこう。

さて、これまで見てきたアヴァンギャルドの流れとは大いに異なる世界観と言語観がここにあることは確認出来たのではないかと思う。ヴヴェヂェンスキィの世界において言葉は病んでいるどころか、世界を捉える握力もないまま機能不全に陥っており、死という救済に取り憑かれているとすら思えるほど彼の作品には死が溢れているのである。あのソロヴィヨフが物質の変容と精神の受肉を介して語る美学の裏地にあった神のロゴスはヴヴェヂェンスキィのいる此岸へ密輸されることはなく、そういった試みこそは理性の倨傲に過ぎぬことを暗に仄めかしているとも思えてしまうのだが、また同時にそこには論理がただ崩れ落ちるほかない没論理（alogism）の場が露出しているようにも見えるのだ。一度目の逮捕で送致されたクルスクで書かれたとされる未完の『灰色ノート』には次のように記されている。

私がここで「時間」について書こうとすることはどれも厳密に言えば正確ではない。それには二つ理由がある。（1）時間のことがほんの少しも理解出来なかった者なら誰でもそうだが、ただその理解出来なかった者がほんの少しでも時間のことが分かってしまうと、存在する全てのことも分からなくなるはずである。（2）われわれ人間の論理、それにわれわれの言語は時間に対応するものではなく、いかなる理解においても、初歩的な理解においても、複雑な理解においても対応していない。われわれの論理とわれわれの言語は時間の上っ面を滑ってしまうのだ。
とはいえ、もしかして、時間についてでもなければ、時間の分からなさに関してでもなく、われわれが表面的に時間を感じることになっているいくつかの状況について試しに何か書けるのではなかろうか、またそれを元にすれば「死」への、そして黄昏への、「広い無理解」への道のりを明らかにできるかもしれない。

もしこの不条理な訳の分からなさが感じられれば、この無理解に対して誰も何一つ明らかなものを対置出来ないことがわれわれには分かるだろう。時間について悩んできたわれわれに災いあれ。だが、この無理解がさらに広がりを見せたとき、君と私には明らかとなるだろう、われわれ思い悩んだものたちには災いもなければ、時間もないということが。

古儀式派の言い伝えには確か、聖書を全て理解出来た者は発狂するという話があると記憶しているが、その意味するところが次の文章を読むと少し分かる気がする。これは今引用したばかりの『灰色ノート』の手前に書かれているものである。

> 私は記憶を信じない、想像を信じない。時間は私たちの外にあって唯一存在しないものだ。これは私たちの外に存在するもののすべてを飲み込んでしまう。知の夜が到来する。時間が私たちの上を星となって昇りゆく。自分の空想上の首を、つまり知性を上げようではないか。ほら、時間が見えてきたではないか。それは私たちの上をゼロとなって上昇していく。それはすべてをゼロに変えてしまう。(「最後の希望——キリストは復活せり。」)キリストは復活せり——最後の希望。

おそらくこの文章を読んだだけでは理解不能であるに違いないが、今は少なくとも、至福をもたらす終末を求めてもただの人間の言葉では歯が立たず、世界が理解出来ないのであれば、沈黙するのではなく「言語の貧しさを敬え。物乞いする思考を敬え。」(『いくつかの会話』)と唱えながら没論理に身を晒しつづけ、「広い無理解」の中にとどまりながら辛うじてリアルなものとの接点を見出そうとしているのが見える。

> 何もかも最後の死すべき部分に分解していく。時間に世界は食われてしまうのだ。(『灰色ノート』)

と書いて未完に終わったとはいえ、終末を迎えて「死」が逆説的な意味での「生」の勝利として完成される最後の瞬間が訪れた時、彼の言葉の上に降りてきた階段で「意味なしの星」となって上昇していく彼の姿を想像してみることは果たして許されるだろうか。

ANTONIN ARTAUD
CAHIERS D'IVRY
TOMOHIRO HARA

アントナン・アルトー
『イヴリーの手帖』との対峙
原 智広

アントナン・アルトー『イヴリーの手帖』との対峙

原智広

CAHIERS D'IVRY
Antonin Artaud

「カイエ233」一九四七年二月

［1r.］
肉体は非常に複雑なある容貌を露顕している。
下種な模倣を通して覆われた肉体はさらに九つの
さらに前代未聞の霊気を放ちある当世風の不特定の場所を通過する
閃光を放つ複数の頭の重々しいこれらの塊は、
一九四七年二月三日

私の激怒、熱狂、憤怒を伴う肉体と同じ意味に於いて
それ故に、存在どもを粉々にし、苦しめる
何処なのだろうか、豚箱でもなく、法廷でもない
［1v.］
絞首台でもなく、
軍用運搬車でもなく、
大砲でもなく、
銃殺刑用の柱でもなく
全部が、そのまま、手つかずに

また
心臓の背後に激怒の電柱にあるこの私の途方もない記録
あるフィルムが映写される
何故なら、この私、アントナン・アルトーは
既にそれらを解明した

[2r.]
異なった別次元の者たち［使徒たち、福音記者たち］、またイエ
ス・キリストの記録などもはや存在しない
それらが仮に存在したという証拠であるフィルムのような断片の回
想録を観たとしても
現在、再びその特異な体験をすることは断じてあり得ない
だが
規定的なようである存在の想念を見たという欺瞞、卑劣で臆病なも
のどもが高く評価するだけのことだ

[2v.]
それらを私が享受している日ごとに重くのしかかる要求
ある天性の概念
感情を見せない、沈黙によって
私の拷問たる喘ぎ、熱狂、地獄の業火を鉄格子の中に無理やり押し
込め
それらは永遠に終わることはない

[3r.]
二月二日、日曜日、痔核の鋭い痛み
私の脳［当然それが存在しないように］を超越し生み出される
あまりに酷い自己の存在を改めて確かめるかのようなその突如の襲来
あらゆる呪術師どもは
私の肉体のさらに奥の隠棲した部位を攫っていく
サンミッシェル大通りの公衆便所に棲みつく悪魔どもめが！
至る所にいる（汚物のにおいを喜ぶ）性的倒錯者ども
脾臓の肉体を
頭部の中心を
滅茶苦茶に壊して暴れまわる

[3v.]

悪魔が私の眼前にいて
彼は一体なんなのか
何のために此処にいるのか

常に同じ場所に留まっている
大地のパビリオン
ひび割れた音を連なって

(ありとあらゆるものの根源)鋲を打ち抜かれる
名も知らぬ神学者の手によって
私は魅了された
器官のすべてを取り除いた
Henri Libaude 或いは他の神学者

[4r.]

我々は喧噪の中で、血に塗れている。
二つの人形

許しがたい過ち、原罪、侵犯したものたちはイエス・キリストの世界の中に幽閉されて、武器がイヴォンヌへ与えられる
ある特筆すべき状態
外部空間へと

理性は失われた

[4v.]

奪われ侮辱された血と性を幼児化し、麻痺させ、不随にし
原罪を再び体験する

おぞましい内部の闘争という教訓、読誦
デヴェニィール夫人或いは私は
そこで実行された肉体のモンタージュに戦慄し
跳躍し、壊れるのだ

[5r.]

栗のアイス
キャビア　アルバ
マーマレード
セモリナ　タピオカ　米

イチジク　クルミ　ナツメヤシ
キャッサバ
白い小麦粉

一トンのコカイン
一トンのヘロイン
一〇〇〇トンの阿片
一トンのハシシュ
一トンのマリファナ
一トンの麻酔薬

[5v.]
聖霊の働きによる九つの小さな大砲
八回の装填による機銃掃射

一トンの粉末、メリナイト、ダイナマイト、硝酸カリウム
黒い賢者の石の欠片
四人の狙撃兵

[6r.]
歩行する私は私自身を超越した光を感じた
現実認識不可能な領域　ある不可避の
私を脅迫し、激怒させ　つま先から肉体へと浸透した
またそれ故に
私は永遠に何らかの価値あるものを欲することはもはやない

その光は出来る限り完璧な存在として君臨していた。
その光を生み出す必要は断じてあってはならない
私は何らかの代償を背負っても応答することを決意した
何故なら私にとってより良い気を、肉体に纏うために
悪い気は通過させ、遮断せねばなるまい、一切干渉することなしに
私は常に生み出されたものは一切の疑念なくすべて不必要であると
考えており、同様に存在することとの危険性と脅威を知っているので、
一切それらに関知しないほうがいいと考えている。

[6v.]
すべて、存在は引き裂かれたままであることを私は知りながら
同様に、私は私自身を日々生み出していると考える

私の内面を露わにすることは誰によっても出来ないであろう

結局は?
すべては過ぎ去ったままなのであろうか。
別の場所にある意識は私に言及する
充分に長い期間私の作品を推敲する必要があると
洗練され
超克し
強度と烈しさをもってして　また

［7v.］
悪魔の所業とは、世界のあらゆる場所で
主観を排した、特定の個人とは無関係な、個人を超越した観点で
臭いを放っている

だが、私はもはや、良心を信じることはない

議論することなどない、もう終わった

ある生み出されたものは一定の場所に留まっており

私を裏切ったイヴォンヌをもはや信じることはないだろう
もう断じて
私はやって来た場所へと還ることを望む
私は何らかのものを発見し高次元の段階へと到達し、それが悪いものであったとしても、その生み出されたものがこの世に留まっている限り
常に私は対峙せねばなるまい

［8r.］
すべてのものから

それぞれの個人は裁きを下すために
本当の身振り［現実態］を目撃する必要があり、また
我々の精神の、才気のアストラル体を通した星から発する性向を
人間どもは我々の行為に罰を与え
我々の霊魂、精神を粉々に打ち砕く
中性の肉体は均整のとれた完璧なままで
特徴もなく、精彩を欠くこともなく
随分と離れた他所にある

私はそれを手に取るだろう

[8v.]
ルシフェルにもはや言及することはない
お前は生み出されたのだろう、それは確かなようだ、もしお前が私を残してくたばるなら気分は悪いがその前に捕えることにするだろう
私はお前に冴えない出鱈目をごちゃごちゃ喋り、お前に反逆し、仰天させ、二度と日の目を浴びさせないようにしてやる。
私は真っ黒な肉体を見られた
私は明らかにする、隠された外部から来た、白くて、灰色で緑がかった、無知なものどもに賞賛されたお前を八つ裂きにしてやる
私はさらに同時に上手く仕組まれたこのイマージュを、ルシフェルを通して、お前の別次元の影を露わにする使命を私は持つ
この人間は神でもあり、彼自身は一人の人間でもある。

[9r.]
すべての死体をこの世に引き留めておくことにしたのは、偶然の出来事が現世を超越し、

ヨーガ行者の主導者或いはキリスト教の司祭の手をもってして、何千年にも渡って我々は騙され、駆逐され、戒め、現実を再構築するならば、死者たちは溌溂と蘇り、覚醒するだろう
此処にある耐え難いひとつづきのすべての死は、今、現在も保護されず、誰も重要なものだと認識しない、見ることを諦めたかもしくは最初から誰も何も見ていない
しかしながら、電気ショックの暗闇、蒙昧、意思の攪乱が、世界を元の状態に戻すかもしれないし、原始の生命の息吹のリロードをともなうも、何もかも無意味であると判断されるかもしれないが、いずれ我々はある無垢の状態を体験することになるだろう。
コレット（クララ会修道女）でさえも同じようにひとつづきの死を無視した
この原罪は一体何なのだろうか？
この絶対的な過ちは誰にも同意されることなく、悪魔どもが我々を誘惑した結果起こった重罪でもある
私は肉体に一〇〇箇所の切り傷をつけた、また一〇〇の存在たる一つの霊魂、この歴史の連続性、見者となることを欲し、私は自身の

死刑執行代理人の四肢すべてを切り裂いた。

したがって、断章たるこの時間はもはや存在しない、また手つかずのただひとつの存在はもはやない

［9v.］

また、誘惑が存するとは何なのか、私、アルトーが、何らかの実在性に実害を与えることで生み出されたものだ。

また卑劣なものどもで構成されるこの地上、この世の愚かなものどもは、私、アルトーとともにやって来た、彼らが漂わせる、咎むべき、ある不浄、彼らに反して新たに洗練された実在を生み出すことに私は奔走し、最も重要なこの要点に私自身が介在することで、彼らの存在を剥奪し、私の存在が彼らに取って代わらねばなるまい

どんな予想だにしない新しい出来事も私が認めない限りは、私自身を同一のものとしない限りは、到来することは出来ず、「私を挑発し、激怒させるだけだ。」

［10r.］

外部にある最も重要な事実を歪め、すべてから成る最も重要な出来事を抹消し、うわべだけの、偽物の、真実を偽ったものを孕ませ、彼らを生み出し（産み出し）、創造したのは、際限のない、罪深いうらなりどもである。生命にかかわる絶望感を漂わせたものどもはのけ者にされ、そのものどもが所有する中で息絶えてしまった。

すべてのものは大多数のパトリキアどもに奪われた

墓のようでもあったロデーズの精神病院に気を付けたまえ！

［10v.］

道徳

もし、あなたが労働者階級たる存在として、世間に見放されて、あなたが生きている集団の中で酷い状況に置かれているならばすぐさま退職すべきである、気のふれた常軌を逸したものどもは白い小便を垂れ流したインゲン豆料理の一皿をあなたの前に置いていく。

（球根状のやわらかい）

「カイエ234」一九四七年二月

[1r.]
だから、私は神に永劫の罰を下している
存在することが天罰であると私が見做しているならば
この私、アルトーの肉体が生み出した
才気が純粋無垢なものでないならば
外部にあるありとあらゆるものすべてに唾を吐きかけ
世界そのものを私は踏みつぶし無きものとする
もはや、世界にも外部にあるすべてにも
私、アルトーが通った後には、何もかも消え去り何も残っていない
だろう

[2r.]
奇蹟というものは実際には存在せず
神の要求に応じるため、神の裁きと訣別するため
極めて空疎な身振りによる模倣行為
別次元からやってきた純潔無垢な肉体
また
それらの純潔な気質、空白に満ちた考え抜かれた強度は一貫して
貫かれたものである　肉体を
その考えを語るためには幾つかの難題があるが
結局のところ
それらは地上の表面を抉り取った形で
この難題と同時に生み出される

存在或いは魂どもは決して肉体には宿らず
私は敢えて繰り返し言うが
それらは肉体には宿ることなしに
洗練されたある意識
私は何らかの実在性を会得することなしに
終焉へと辿り着くことはないだろう
しかし、私は同時にそのことを既に知っている
人間どもは内在的な存在たちを
今後も断じて認めることはないだろう

[2v.]
悪意を持って、生み出されたこの世の矛盾や問題点は
すべて綺麗に洗い流されるだろう

存在が不確かなもの、或いは確かなものとして移り変わるように
推論せねばなるまい
したがって
もう私は生きていないし
断じてこの世の何処にも存在していない
代償不全の
何者にも代えがたい
確然たるものとして
辿り着くべきある地点へと向かう

休止状態の特質性
心情の蟠り
肉体の状態
絞首刑のような
思考の不可能性

小さな微粒子とともに
存在とともに
真実故の麻痺した肉体の状態とともに

[3r.]
この永遠のような眠り、この状態が私を激怒させる
微粒子から派生する感染症たる病原菌どもに侵され
私はこの世のすべてに糞をたれる
異論の余地のない　極めて明晰たる事実
地獄の中で悲鳴をあげ、棺桶の中に閉じ込められた

不幸な数々の出来事をこの世の不在と共に思案する
世界はまるで機能しない循環と
人々が欲する実に滑稽な欲望の渦のために維持せねばなるまい【】
とするならば
私、アントナン・アルトーはこの世界を眠りから覚醒させ、明確に
定義するだろう

この世には未だ何も存在しないし
異なる次元の雑踏の中で重大な審判が行われる、裁きと共に
[3v.]
我々は別次元の或いは外部にある半球のもとへと還ることになるだ
ろう

また、私、アルトーは、存在しておらず、またあらゆる複雑な現象
で構成された、掃き溜めのようなこの世などもはやない
この世でかつて書かれたであろう、文章の神髄或いは精髄を抽出す
るために、そもそも脳など存在していないのだ、この嘘で塗れた、
まやかしの、まがいものを粉々にすることだ
何故なら、私、アルトーはこの世のどこにも存在せず
永眠することなど断じてあり得ないからだ

[4r.]
そう、すべてこの世の偽りのものに、私、アルトーは呪いをかけた
私が私自身でいるために、そして、生存するために
また、死も終息もこの世の耐えがたい苦痛も私にとってはごく普通
のありふれた日常であり、誰も何処にも存在しない、この私、アル
トーを除いては
日々の夜と共にざわめく腐臭を放つものどもは眠りについた
しかしながら、これらの爆発的な怒りは封鎖され
だが、少しずつ修復され、すべてが生み出される夜ごとに
この何ものにも代え難い私の生と共にすべては生み出されるだろう
或いは霊感、或いはひらめき、或いは血潮、そして生命

[4v.]
精液
唾液
内部の分泌物
胆汁と胃液
（ある脾臓の精粋）
心のはずみ
腫瘍
前立腺
アルブミン

[5r.]
また、同時にこれらのものが生を通して表現され
また、感情は抑えられ、ある毒薬を喰らったような麻痺
（モルヒネの派生）
活性化されたこのざわめき、何ものにも動かされないし
あらゆる動機を私はこの静止した時は拒絶するだろう
（小さい坂或いは存在と純潔なる結晶、内部に潜んでいる何者かが
騒ぎ立てる）

[5v.]
拷問のような叫び、実際に私は他所からやって来て
不安、心配、疑惑のかげり、シルエット、文章の並び、圧倒するよ
うな、飛沫をあげるような
黒い鳥の翼のようなものは
尚も変わらず存在していて
がりがりの亡者ども　黒衣の僧衣、一匹のカラス
絶望的なほど　失われ　それらは堕落した残骸だ
途轍もない確たるものどもと共に
紫がかった道を渡り
聖別の祈りによって沸いた最も卑しいものどもの始原
大混乱、乱雑、天地創造以前の混沌をもたらす
あるいは匿名の手紙の差出人が殺され　この世から抹消され
この天罰は何たることであろうか！
急がなければ　急がなければ　私は私自身の生を一変させ、糞った
れどもを蹴散らすだろう。
私と瓜二つの実存（この意味は敢えて詳細に形容すまい）或いは肖
像画に関しては、私はもっと知ることを求め、やがて確信へと至る
だろう

一体どれほどの数の精神科医が、明晰で、悪がきのような、陰鬱な
ヴァン・ゴッホのような素晴らしい絵描きの肖像画を真似出来ると
いうのか、敢えて言うまでもない、したがって、私はゴッホに彩ら
れたものでもある。彼がかつて描いたようなこの苦悶、苦痛、苦し
みとこの世からの断絶。

あるこの地上の自転からの決別するように
機械を焼損させ、コーヒーを濾過するように、一筋の光を導き出す
そこにヴァン・ゴッホの頭、気質、この世のものざるものの墓があり
~~その奥深くには~~
地下道の入り口、そう、まるで波状のような
だが、それは、精神感応の、テレパシーの、思念伝達の
終着地点である。

[12r.]
別次元の芸術作品は　~~現実において活用され~~
かつて使用された、ある特殊で残酷な劇場空間を暗喩する
実際に、我々はある存在たちを受け入れ
その存在たちは断片的でもなく、生み出されたものでもない
あるいは、それらの特徴は、滅びやすいもの、はかないもの、保存

のきかないもの、実際には分析可能なものではあるが、個人また自分自身として思案するなら分析不可能なものである。
何故なら、それらはすべてが人間たちの理性や識別、認識において語られるべきものでもなく、また、存するものでもなく、この様々な構成要素から成るいわば認識不可能な難問は、大規模な、照応関係、ある偏愛を超えた基軸、ある重要な、さらなる価値を推し進めるものだからである。

それらは自己でもなく、人間でもない
私にとって、すべての次元から解き放たれたある特殊な人間たちは
猿とよく似たものという単純な言葉で語れるものではない

［12v.］[2]
結局のところ
人間とは
infra
fara
para
tara
rara

これらの音感が接近した一〇〇の鋲、支柱にとりつけられた一〇〇
〇の棒状のもの、それらのイマージュ
遠く隔たった、分断された物々しい絶壁のような
燃焼室の過熱からなる沸騰を超えて
空中を分解しつつも維持し
一億個の地上の箱
一億の鞭節平韻
十億の穴のあいた原生動物
シバムシ
一〇〇京のペストをまくネズミども
不完全そのものが織りなす大合唱

［13r.］
フランを盗んだある略奪者の叫び
（ピカドールの槍を突き刺されひりひりする感触で跳ね回る）
デカステールまた、ナイフで抉られたような過熱状態と飛沫
極限の、空洞のある、真空の
地獄のような、凄まじいまでの、冥界の
或いはそれは、肉体が生まれたときの叫びと共にある量感
また、この世をある多様体からなる次元や位相空間と捉え、背後にあ

る実存の浮遊関係、そして、その実在性に最も価値があるものとする空虚な美しい日に私が私に言及したかったことは、我々は見えること以外は何も見ようとはしないし、信じようとすること以外何も信じようとはしないということ、突然、一〇〇〇の生々しい小さな人形が倒され、未知なる軌跡を彷徨し、信じがたい、耐え難い、彼らが死んでしまったという現実をこの世に刻むだろう

[13v.]
私は産まれてすぐにこの世の矛盾を発見し
同時にそれ自体が、再び何らかの形で忌まわしいものへと変貌を遂げ、私のもとへとやって来てギタギタに肉体を切り刻むだろう
今此処にある
また、私は断じて天罰、苦悩、この身体の苦しみをただ眺めるだけということはないだろうし、それらは度々ある種の隔たりとして、胸のざわめき、予感を、そして未来を射貫く。
それはほんの小さな小像たち、瞼の奥深くに、この状況、電気のように早いかけぬける強烈な、羅針盤、或いは、それらは悪魔が堕とした制裁、糞のような、反吐が出る、私の戒律、宗教上の、使命、また、私は強烈な何者にも交えない肉体を生み出し、その影響を受けて、この意欲や意志は強烈なものとして伝令され、私自身を刻む。

[14r.]
それらの小像たちは、何らかの実在性を目撃するだろう、そして、不自由で、苦痛で、厄介な肉体を作り出し、この世の裏側にある、ある不規則な、超自然的なものへと分岐し、語られる、そして、その実在性の突破口、人類の誕生より前にある、それら実在は粉々に攪拌されるだろう、また、実在そのものに切り傷をつけるだろう、また、私自身のものへとその実在たるものを奪還し、私をこの世に到来させるために、充分に叡智のある肉体としてそれら実存は囚われている

したがって、それらの腑抜けた猿真似どもは、遥か以前から呪いに侵されており、肉体から肉体へと、すべては至る所に、呪いとして伝染され、私自身でさえもこの世に塞がれつつあるが、私が生み出したものは生み出されたままであり、純粋無垢な、丸裸なままで外部へと伝達する使命をもつが、間もなくこの世界を維持することは不可能になるだろう、さらに、この肉体、いたるところで、こいつを痛めつけ、器官がバラバラになったように宙を彷徨い

再び一個の肉体として外部からやってくる、振動、始動、天地創造、あるひとつの状態を超えて、どこかから音色が聴こえる、私は悪魔どもの手によって眠らされ、打ちのめされ、骨は粉砕され、ある不特定のものどもに集中攻撃を浴び、息をしているのかどうかさえ定かではない。そうだ、私は超越的な、悪魔どもから、おぞましいものどもから遠く離れた時空にいる。

[15r.]
ナチの兵隊どもについてはどうかと言うと
昨日の夕暮れ、奴らの亡霊を発見した
私の目の前を堂々と通り
この生きている時代というものに私は唖然とし、打ちのめされた

ホテル・ハスラー
ガリマール社
数学者たち
ピエール・ロッセ[3]
[15v.]
それらは突如、不意に起こる、そして、電撃のように私は襲われた、
神に見放されたたえなる屍、憎悪や反感の死、ある状態に置かれた
何者かを鍛え、
同時に駆逐もされたが、水を飲めないものにした悪魔ども
すべて、そう、この世に蔓延っている大気中の有毒気体のせいでもあり
私は恨んでいるのだ、堕落させられ、退廃させられ、汚染されたのだ。
純潔なる熱意をもって告発すべきこの貫かれた真摯さ

[16r.]
その言語機能体系、ラングとパロールの総体、中世の典礼解説書、文法にかなった生成用語、現代的で因習にとらわれない、助力の恩恵、原罪に対する、現実神経症、
あまりにも過剰で、不明確な、感情を締めつけ、追い詰める、手法、
レトリック、文体、~~全体そのものの完全な過ち~~
明確に真実を偽っており原罪を免れ得ない
それは迷妄を解かざるとも、教化せずとも、生き字引、透明で明瞭な事態や現実の内部において余儀なくされる
それらは既に命題をもってして照明され、語られた
探し求めようと幾人ものものたちが行き着く場所に
難解なおのおの、未知の、正体不明の漠然としたものの数々

そのうちの何人かは、努力や尽力、重圧、また、強烈な意志力に
よって、生を与えられるだろう、これは光によって照明された
私が生み出したもの
澄んだものから遠ざけるために
漠然と光を注ぐために、それはひとつのものを導き出す

[17r.]
ヴァン・ゴッホの可能性について
実際に内部へと深奥へと
現実という根幹を揺るがし、
永続的に、ひとつの歴史の中に侵入する
私が言及したいことはその芸術の、ある歴史性の震撼にまつわるこ
とだ
それは確実に再び開かれた歴史性と鮮血とともにある幾つもの体験
私はそれを体感したし、目撃もした、私は修復せねばならないだろう
陰鬱な、不吉な、この行程から滲み出たものを
あるいは、その空間をある時刻に開くために
すべての原罪の欲求を頑なに跳ねのけねばならないだろう
螺旋から、一〇〇の太陽は回る。
誰も画家は、そう、ヴァン・ゴッホ以外には存在するまいと
もうこれ以上は何も
哲学はない
魔術はない
神秘主義はない
劇文学はない
文学或いはポエジーはない

[25r.][4]
Lagug dekal
O valzolu
Foltal peltra（痛み）
Ok brama putre（純粋な透明さ）
Ganal olil lol
Kaxake
galjake
Kallait（隔離された） azil（聖域） o textale
Putra pentul
O copra（ココヤシ） pachtre
Enema（浣腸）

[25v.]
肉体に関して
本質的なこの欲求、この苦痛、この苛み
肉体はそれ自身が苦痛に対する欲求である

——

「カイエ235」一九四七年二月

[1r.]
多様性
文学的肉薄
錯綜
尾骶骨、松葉杖、私にはざわめきすらも聞こえない
私の肉体が分泌する血まみれの汗が滲み出た解剖学へ
一方では眠り、静寂
一方では未知なるものたちの虚無、死滅、消滅
白滅を超えた光線、要するに、統一理論による記録保管所
ある宇宙論、進化に関する理論

鉄槌で白骨を粉々に砕く
カンブリア紀、生命の起源の細胞、身体体系論

[1v.]
何かが生み出されようとして見出されたその明瞭たるもの
見捨てられた、失われたその重力、その地軸の中心とは
それは存在すべてを揺るがす
広大で果てのない至るところが中心の無限の球体[5]、焦点の無限遠

[2r.]
無価値の中央なき球体と
あちらこちらにある汚物、無限の、果てのない、中心[6]

[3r.]
ブラックの手紙
サイユの手紙
生まれたてのアニーの手紙
私の現実的な状況を鑑みると
此処から他所（実在たる中枢）へと立ち去らねばならない
ある作家は魔術めいた業で

人知を超えたもの、未知なるものを攻撃し
絶えず実存そのものを揺るがすものを書く
（別の世界が当然あるように）

［4r.］
したがって、先入観や悪意や偏見を消し去りたまえ
キリスト教の神たる存在は私のことである[7]
私とは
アントナン・アルトー
虐待され、苦しめられ、殉教させられた
対をなす幾つもの世紀、俗界、浮世の世紀

また、まさに、かつて存在したかのように
この人間ども、また一人のあの人間は（イエス・キリスト）
決して召喚された選ばれし神の媒介者などではない
すべての教会は粉々になり燃やされている
絶えず迫害されたものたちは
キリストたるもの自身の栄光のために
無神論者は根こそぎ断絶させられたのだ

~~だが、そして~~
いや、つまり、何らかの予感を受けた
神という存在である
私、そう、アントナン・アルトーは
一八九六年九月にマルセイユの中産階級の家で
強い光明を浴びて、体感し（ゴルゴダを当然記憶している）、この
世に産み堕とされた

［4v.］
短刀で背中を刺されたことによる襲撃
マルセイユにて、一九一六年六月十日
ある教会の前で、キリスト教の反逆による襲撃
私は仮死状態になり、死に呪いをかけた
しかしながら、すべて、私の存在、実在性、エクステンティアは
一九二八年にモンマルトルで、突然に背中を突き刺された短刀によ
るあの古傷から、新たな啓示、脅迫観念を植え付けられた
それから、ダブリンにて、騒動を引き起こし、攪乱し、悪しき人間
どもに
船の上で、鉄の棒状のもので脊椎を二つに割られ、攻撃を受けた
窪み、耐え難い苦痛を味わい、聖パトリックの杖を持ち

私の肉体を通して、奴らはすべてを八つ裂きにするために
私を全方位から囲んだ、こんなことはもううんざりだと私は言おう
[5r.]
ダブリンでの騒動の後で、帆走不能にされた船舶
それから、精神病院に収容された
十七日間拘束衣を着せられ、臥所で両足を鎖で繋がれたまま監禁され
縛られた、不可解な理由で、秘密裡にされ、三年間も
五か月の間、定期的に毒を盛られ
病身のまま、昏睡状態で一か月も放置され
電気ショックを浴びせられ、最終的にはうんざりするほどのドブの
ような
臭いの、私の避難場所は聖マリア[8]のもとだけだ
さらに、二年間も電気ショックを受けて過ごし
ロデーズの精神病院に収容された
私は幾世紀もの記憶を盗みとられ
私にとっての生まれつきの性質を蘇らせ
結局は、私は何もかもが失われ
二つの人格の私は、なんであろうか

だが、一人きり、そう、私そのもの
[5v.]
ある人間は決して何も持たず
生まれつき、神の伝達を耳にする運命にある
それゆえ
それゆえに？
存在たる神を予知し
私は世界の至る所に少しばかりの間かつていた
ある人間のように迫害され、この奇癖、欠落のすべては
私の生命
　　ここにある、
だが、私はある人間について知っていることなどもはやない
毅然とした少しの時間という概念に幽閉され
草創期の前に、精神病院に収監され
かつていたものたちはもういない、なぜなら、すべての人間どもは
私を私自身だと信じ込ませた　存在
それらの人間
私に疑惑をかけ、呪いをかけ、その肉体たる存在は
私の根源を探し当て、照射した

[6r.]
この人間どもの肉体の数々、存在それ自体と個々の存在を引き裂く
ように
その生命のすべてはある時期に絶命した、

また、肉体は拘束されたままの状態で
すなわち、我々は絶えず殺されたままの状態にある

始めを定めることなしに、人類はある状態から脱することはない
そして、それゆえに、すべての根源的な欲求を信じ、ある命題に身
体を捧げた

存在を抹消され、肉体を拘束され、監禁され、悪しき魂、武器を装
備し
すべてのうらなりどもは社会的欲求を満たすためだけの下らない偽
善を誇示する

したがって、ペストであり、コレラである、この世界の状態そのものに
裁きを与えるために、その根源を

[6v.]
天然痘、梅毒
器官形成されたかりそめの
女性の姿をした悪魔（スクブス）
釈明はない……

[7r.]
神たる存在の悪意を思うとき
私は津波にあったような日と夜の境目におり
女の姿をした悪魔がいる、その羊水に飛び込み、
胎盤の中に捕らわれたままで
泥土の、ガス気体性の
体液、精液、純度と光沢さ
純粋なもの、それゆえに、それらは数えることが出来ない無数の
毎夜、暴風と死をつかさどり、子供と霊魂を誘拐する、ハルピュイアが
私をべたべたに汚し、辛うじてこの熱烈さ
生の中にある
良心が私を支えるために
世界は、一個の水であり、一個の空気であり、その地表、全世界の人々
燃え盛る、気が澄み光が輝く部分の神（アイテール）

だが、それらは同時に一個の原音素、そして、二つの音素の対立の象徴
これらすべては常に秘密裡のままであり、腐敗物から発生するガスの海に汚染され
猥褻なものどもが、この大地を腐敗させ、
この肉体を有するものを、麻痺させたまま
すべての希求は打ちひしがれた

[7v.]
どいつもこいつも、階級やら、生活の向上のために、色んな奴らから盗み取る
だが、ある種[9]は常にそこにおり、それ故に私はそれらとは違い、とりわけ差別化され、恵まれている。
私は確かに一九二五年に生贄の役割を果たし、激しい感情に襲われ、
そして目覚め、
不可思議な現象を体感した。
私は今でも本質的で、根源的であるその起源を知っている
したがって、神たる存在である私は拘束され
私は毎晩、尊敬すべき対象として名誉の伝言を受け取っている

[8r.]
一万の強欲非道なものども、他人を食い物にする人間ども、エトセトラ
高みの見物を気取っていやがる

また、何故なら、私の肉体がその事態を避けられず、絶えず侵され
そいつらは常に同じように、
綿密に、丹念に、見物や巡回をし、私はそれらを告発する運命にある

[8v.]
この草稿[10]を考慮するとなると、その1なることは、1から1へと不変的に変遷する
そして、空中から眺める、もし、何かを目撃したならば、ところで、
1なる存在が
何も盲目のように見ることが出来なかったとするならば、すべては
……
世の人々は、何も体感も目撃することもなく、目を瞑っている。
ある現実を、存在が見出すことが出来ると仮定するならば
現実に即した猥褻な言動
1なる存在

確固たる肉体
おぞましいまでの、嗚咽、括約筋（解剖）
目の狭窄部、麻痺に罹患しながらも前へ進む運命にある
ある腐敗した動物特有の新たな種が、調教されることで、
ある一つの、ぞっとするような
人間どもを締めつけ、錯乱させ、筋肉組織を破壊する
畜生同然の、腐れきって、死にそうになった
動物的な叫び、その大規模な開拓者、あばずれどもの体液と汗の坩堝の中で
実際に、そこに、実在性をともなって、暴れまわっているのは卑猥なものどもである

[9r.]
私、アントナン・アルトーは
醜いものどもに、悪魔どもに、苦しめられた
悪しきものどもを私はこの世から消滅させるだろう
なんのために、私は生存するのか、この世の腐敗を、呪いに裁きを与えるために、私は今をもってしても現実以外の現実が何であるか知らないのだ
私はそのことを知りたくもない

私は明日、すべてを終わらせようとも
そう、私は全く、何も知りたくもないにも関わらず
私は悪しきこの世の終焉に裁きを与える運命にあるのだ
ただちに
いや、この世は決して終わることはないのだろう
もう、何も、感じたくはない
結局は
私は支配者が牛耳るひとつの構成要素にすぎない
また、これらの社会的混乱を招く騒乱において
私は、もう二度と存在であるこの世の実在性たるものに触れることを望まないのだから
侵略され
この世のものざるものを通して
私はもう何も、欲しない、寝静まり返り、感覚を麻痺させている

したがって、ある生は唯一のものであり、まるっきり、完全に、この世界の縁を沿って進む以外には何もあり得ない

[9v.]
他とは異なる眠り

ある幻覚、幻影、夢想
もう生きることを終わらせないのだから
—
私はもう耐えがたい苦痛を欲しない
—
私はもう眠ることを欲しない
—
私はもう死ぬことを欲しない
—
私はもう夢をみることを欲しない
—

[10r.]
すべては微睡の中（ペヨーテの儀式の渦中）にある
（私はしたがって、外部にいる。あのチェンチ一族は？）

幻覚
　　メスカリン
耐え難く、凄まじいまでの苦痛、衝撃、破壊

滅びよ、私を攻撃するものどもよ
研ぎ澄まされた肉体（私、アルトーが常に肉体の苦痛に苛まれていることは言うまでもない）
眠りの儀式は今宵も拒絶され　また
一九四七年、二月六日 木曜日 終末の夜の夢想と

[10v.]
ヘロインの注射
その行いは有害をもたらすともいえるが
私は単純に拒むことにも疑問符をもつ
—
モルヒネの拒絶
麻薬を使用することはないと
空虚、憔悴
私は断じてもう一オンスの麻薬もやるまいと
同時に限度を超えた接種とともに
その中心には
何もない
また何も言述することはない
何も存在してはいなかった

Yomart
te i-no

te i o
stat
i
o e cel

[11r.]
Choiz（選別?）I zi vivi（生体）
Zian（男性器?）vientse（速度?）
I e o niotsel（ニオッセル?）
E vivi（生体）

抹消された、tacles
＝ Tacles

ロデーズにいたときと同様に
ヘロインの摂取はなく
私は死に直面した

ちょっとした詩句を書きなぐり
早朝
現代風で若々しい当番が
すべての私の精液が
枯渇し、存在することがもはや耐え難いくらいに
耳鳴りがし、幾つもの幻夢を体感し
天地万物の流転

[11v.]
この目覚めた状況
あるいは、普通であること、根源にあること、心の底など
何も知ろうとはしない
一方では感覚は麻痺し、常に眠りの状態にある
昏睡
—
この眠り
身体を露わにする
したがって、私は断じてここにはいない
ずっともうここでは麻薬の習慣をやめ
人々は常に静止した状態にあり

純粋な愛を通して
極めて卑猥な地点へと到達しつつある
彼らにとって生み出すこととは、**彼らそのものである**
彼らは死にかけているのだ、**生（幼稚なものども、愚鈍なものども**
の）を奪うように

[12r.]
殴打による骨を粉々にされるようなショック、ゴシック風の骸骨の
ような容貌で
あらゆる存在から解放されたかのような安堵
~~個性、人格、当てこすり~~
瑞々しいあの洗練された少女の生き写しのような個体性
私は間違いなくマリエット・シェール[12]の傍を通ったのを見た
――
私にはもう愛も、純粋な精神も何もなく体感したことはない
ある人間の肉体を借りた人間もどきどもを駆逐し、
苦しむこと、我慢すること、彼らの悪行を無視することは断じて許
されず
生き延びるために、悪魔どもの特性をよく観察し、追い払うのだ
――

しかしながら、私自身を高みにおいて、裁きを与えようとも
悪魔どもは毎晩産み出されるので、きりがないのだ。

[12v.]
私の性器を盗みとったもの
その間に、天使たちは滅多に現れることはなかった
私の外部生殖器である脳髄までも機能しなくなり
また、私を虐待し、あろうことか殉教までさせ（私はキリストに一
度殺されたのだ。）
私の脳髄、私の生殖器はある才気を封印させようとするまでずっと
病気の状態に陥っていた
慈悲深きこの生命を
――
また、私の脳髄の中にある性器と同様に
虐待し、毒を盛り、苦しめるのだ
――
私の脳髄
私の神髄の**処女性**
~~私の心臓の動悸と共に~~
私の心臓の睾丸、精巣の中に

[13r.]
身体の一部を痙攣させるために
神聖なる聖香油の／また
ひとつの極限の、危険を伴った、信者に聖油を塗ることは
老いることを避ける愚か者どもが（ドイツ語?）それから、ナチ・
ドイツの幹部のような
永遠を語るかのような強迫観念とファシズム（ドイツ語?）神ども
は罪を犯し見放し
死に絶えた
Delo（恐怖政治?）
心臓を一突きに刺し（terco ?）
Trepirta（十字架?）
Trepirta（十字架?）
Ala（ああ）
Depirta（すべて失われた?）
epo[13]（この至高のもの?）
性的であるこの穢れたものに堕落した脅威は
核心に触れることすらなく
私が反キリストである決定的な確信、キリストはどこにも、存在し
なかった
存在したとしても、キリストは神でも媒介者でもない
私が覚えていることをはっきりと提言しておこう
[13v.]
想像上の頭蓋骨にある一個の精神の脊髄、
純粋な精神を脱することを創造するために
——
そういうわけで、ネネカ[14]によって
生み出すこともう何もないし、死ぬこともない
もう何も
したがって、何もない
もうこの世に
生み出されること
もないだろう
私は既にすべてを生み出したからだ
[14r.]
幾人かのものたちが私の肉体の間をすり抜け

私は閉塞的な小さな突起や団粒状のある果てなき道を歩行する
確固たる清潔さ
すべての奇癖、悪癖は洗い流された
あらゆる過失、錯誤、遍歴
流動理論の、心霊波の、霊気の
精神
すべての才気と霊魂と思惟
あらゆる認識と意識化、そして良心
ある人間を、一個の肉体を通して
あるいは人間たちの群れのものの見方を通して
それぞれが維持されたまま
観念
感受性
知覚
制度
自然のままの現象
鶏卵が受精している小さな塊と分離と融合
[14v.]
私はもはや義務を課せられることはない

イヴォンヌが滞在している
この九か月の間
別の肉体を見出すに至ったからだ

揺るぎなき異なる次元の肉体は
九か月間の助力によって再び現れた
体験したことをそのまま受け入れることはなく
もはや以前の自分のものであった肉体は溶けて消えていった
—
悪魔の手先でもあり、神の供養でもある[15]
青いノートに書いてある二つのテクスト
—
ひとつのノートは黄ばんだ状態の九冊目のもの
もうひとつのノートは黄土色になっている
—
それらのテクストは神の偏見や悪意に対する攻撃の予防である[16]
[15r.]
この考えに基づくと
人間そのものの革命によるひとつの世界の思想体系の廃止は

脳や骨髄、器官に基づく思考（西洋医学？）を終わらせた
脊柱を二つに割られ
解剖学が根拠になる決定的な誤り

a

私とともに
私はもう様々な書物を読解することはないだろう
それ自体がもう既にある呪いである
相変わらずも誤った考えが承認され続けている
だが
反乱を起こした過去の過ちと同じようなことはもうやるまいと
目立たない陰湿な場所に閉じ込められることはもうないと
書物からは遠く離れ、静かに、ただハーディーの音色を聞き
Zohar（ゾーハル　ユダヤ神秘教）を崇拝する

[15v.]

ou
une
ou encore

cette
イエス・キリストの模倣
抜け目なくさらに読み込むこと
生み出したものは
ひとつの人間の精神ではない
したがって、ひとつの脳の情報を受け取ることは同時に
それ自体が精神ということではない
だが、一つの人間の
形成美のあるこの張り巡らされた膜の身体
架空の身体をもつこと
脳というひとつの犯罪じみたものに囚われてはならない
それは当然宗教ではなく
学問でもない
もっと根源的なものだ

[16r.]

魔術と呪術

いかなる現実も見破られたことはいまだなかった
模倣とこの種概念、唇の痙攣、接近した唇、あの震え

一万回暗唱すること
あの、父なる聖職者
あるいは祖霊　祈祷の色彩へ　あの世へ連れ去ったもの
この世の断片的記憶、切断されていない筋肉組織
生まれたままの状態
小鳥のさえずりが聞こえる
また、さらに、さらに内奥へ

[17r.]
彼方には青色の夜
こちらの円天井では呪術師どもが犇めき
わら色とともに夕べの戯言を改心する
衣類をまとっていないものたち
安楽さを求めて
幾人かは激戦の末に憔悴し、表皮が剝がれている
敗残兵たちは軍用運搬車で運ばれた
だが　　何にもまして　その
銃が　　　深く打ち込まれている
ああ、若きものたちよ（聖処女！　マリア！）
敗残兵たちは、小さな突起の中に、この処女性

肩甲冑を脱ぎ捨て、ザックを置き
続いて
私の背中を短刀で二度突き刺されたケガは
剃髪のときに、どこかに消えていった
大気の流れゆくなかで、体感した、深遠な、計り知れないもの
だが、とりわけ重要なのは
もっと奥にあるもの、そして良い空気を醸し出すもの
再び夜に立ち戻ることを私は修繕する
だが、今はもう何よりも奥に、ただその中に

[17v.]
完璧な身体とは
正確な除細動器の縫合
ある無気力な状態で静止したままで
帳の裏側にある聖躯布を大事にし
カールの口髭を身だしなみよく伸ばし、
人の意見をまるで聞かず
あるひとつの革命が
限度を超え、枠組みをはみ出て
不一致の中で

絶対的な
いや、そう、器官の外側で
だが、偶然に、中央には何もなく、いまだに何も存在せぬまま
思いがけない巡り合わせ
また、何にもまして、生み出すことはもうないと
現実はもういずれにせよあるままである
そうであるから　人間の結びつきの弱まりのように
見たままを放っておくべきである

[18r.]
存在は絶えず、手にとることも見ることも出来なかった
また、存在とは誰も知る由もないものである
性悪女どもは深い穴、渦巻、深遠の奥深くに埋められた
人間たちについてどうかというと
罪を犯した堕天使ルシフェルはデミウルゴスに謀殺され、
そして、デミウルゴスは異なる別の世界を造ろうと試みた
偽の神の天国は一世紀ものあいだ存在していたのだ

[18v.]
プラハの塔
絞首刑

[19r.]
私を実体化させるものは、植物でも鉱物でも動物でも炭鉱でもなく、
私が私自身を一番感じるのは不可解な出来事、絶壁から飛び上がらんばかりに生まれる衝動や実在より後にくるものだ
また、同時に私は別の現実があることも知っている、ギリシア神話のヘファイストスに相当する、この世界には今はなきものとして扱われている

[19v.]
私がもろもろの実在たる問題について語ることはもはやない
というのも、探求心や知識欲で構成されるこのようなひとつの存在が
私とともに既にあるものとされ生み出されているからだ
何人かの意地の悪いものどもがひとつの原動力となり私を激怒させるとでも？

ひとつの存在を重んじ、ひとつの存在がどのように生み出されるのか
純潔な、戒律を遵守して、宗教的戒律、崇拝し、畏敬の念を抱く
[20r.]
弁別のある支配力をもつトーテム（ヴァン・ゴッホの絵）
粘土質でユリが咲いたような、真っ黒な地表の上に失われた残骸
外層
滲出しながら
~~粉状の水酸化鉄~~
口紅のような赤い色彩の地層
句読法
蜃気楼
すべては常に表面に薄く着色され炭のように黒い底に
滅多に見ることのできない金銭には代えがたいものが
失われた土地
絶対に午後からは見ることは出来ない
いいや
だが、確実に、ノアの洪水の前にはあったものだ
トーテムを保持することを逆らったものどもの天災

[20v.]
なぜ、人間たちは
神聖なものを汚すのか
なぜ、人間たちには好奇心や探求心
というものがあるのだろうか
なぜ、人間たちは
お喋り好きなのか。
お喋りから遠く隔たって
どのようにして人間は存続するのか。

[21v.]
私が目撃した一個の歴史は
現実として魅了するものであり
極めて表層的で思慮深いものではない
本来の実在性とは
遺棄されたままであり
いたるところにその残骸があり
ダライラマの手下どもは
徒党を組み、無視している
世捨て人は、ありふれた慣習を破滅させ

身振りをもってして現実を修正しようとしている
悪意をもった見せかけだけの親切
あるいはこの世捨て人は古くからいて「重要なものである」!.!.!
精神
女性器の肉体にある内部の女性器が再び現れることを

[22r.]
純粋な才気の塊とは
知性的純粋さであり
理知的純粋さであり
理知的、知性的な精神というものはもうどこにもない
それは始原でもなく本質でもなく
混じりっ気のないものであり
肉体とはただ単純に
あなたたちのためにただ存在するのではなく
あなたたちが囚われている固定観念を捨て去ること
ただ単にその瞬間だけの肉体のみが存在するということを

「イヴリーの手帖との対峙」は学術的な翻訳ではない。そもそも、アルトーの書いた原文自体が支離滅裂、切語的、狂気、血痕、叫び、造語が犇めきあっている。（イラストや呪文めいたものまで記述されているし、アルトーを少しでも知るものであれば彼が新しい言語の創造を求め続けたことは承知のことであろう）フランス語と言えるものは本文には半分程度しかなく、読解すること自体極めて困難だった。完璧な翻訳（そもそもそんなものはないのだが）は当然誰の手によっても不可能だろう。私はアルトーの告発していることを、これまでの著作や前後の文脈、憶測や文体、言葉の隠された意味、記憶の派生から、飛躍させ、進化させ、大枠ではアルトーが言ったことを表現出来たと自負している。つまりは、論理や構成、意味を取り除き、真に迫る本質だけを強度と共に浮かび上がらせるという方法を採用した。アルトーと違う時代、違う場所ではあるが、同じ生をもってして書くこと、その意味において、一般的な観点からみれば、本作は「創作」でもあり、同時に「翻訳」でもあると言えるとは思うが、自分自身は「創作」であるとは全く思っていない。「人間（世界）の有様を変えるには現実を再構築せねばならない」とアルトーがかつて語ったように、私はアルトーのテキストに導かれるまま、紀元前からつづくひとつの生を再構築したのであるから、一般的な翻訳とは到底言えないが、最もアルトーに接近した文章であると確信している。そして私はひとつの揺るぎないものを導き出した。アルトーがロデーズの精神病院から解放された後、晩年、死ぬまで書き続けた「イヴリーの手帖」は極めて難解であるが、もし、今後本作に向き合うものがいるかもしれないし、少しばかりの助言をしておこうじゃないか。この作品を紐解く唯一の道は「再体験」し「体感」することにある。もっとも、この膨大で、凄まじいまでの狂気の作品に向き合うということは、殆どの場合、生還することは極めて難しいとだけ忠告しておこう。よく留意してほしい。

1——『アルトー全集』二十二巻・五二六頁 n2でポール・テヴナンが指摘したある記述に基づく。西洋医学に真っ向から反対を表明するアルトーは「現実は病魔に侵された腫瘍である」と告発しており、アルトー独自のグノーシス主義的な観点による記述とも取れるし、「器官なき身体」へと、新しい身体を見出すに至った過程とも取れる。テヴナンはこの記述に関して、現実という関連性をなくした文節を横断する、より進化した言語の形を指摘している。切断的言語の形の表出と、身体と世界に関するひとつづきの告発。

2——ロデーズに監禁されて以後のアルトーはグノーシス的身体の迷路を彷徨う。棒状のものや鋲はキリストの真っ向からの否定、原生動物やネズミ、病原菌は、「演劇とはペストである」と表明していたアルトーの記憶から沸き出てきたイメージと推察される。人間の不完全性そのものの告発。

3——青いインクで書かれ、三本の線が引かれている。ガリマール社『アルトー・モモの本当の話』を担当したアルトーの編集者であり、友人。

4——おそらく、何らかの呪文、造語、音感。バリ島の演劇に関するもの。インドネシア語、概ね呪術と造語によって構成された鬼気迫る叫びと嗚咽。

5——原文では“Ciconference”となっている。(パスカル『パンセ』S230-L199-B72)

6——アルトーのパスカルについての論考を考慮するとここでも無限の中心なき球体についての言述であることは明白である。また、中心だけでなく周縁もないというアルトー独自のパスカル読解が窺える。(ガリマール社『アルトー全集』二十一巻・三一七頁“la circonference partout et cest le centre.”)

7——後期のノート、バルテュスに関する言及と絵画に想起されたもの。

8——アルトーは常に聖母マリアを男性として書いている。

9——補足すると、「醜悪なある種は、甘い言葉で誘う(ハルピュイアの誘惑)、私はそれを無視する。それ故に、私は多くの種よりも優遇されている。」

10——この断片の見解は、『アルトー全集』十四巻・二一三—二一四頁参照のこと。原文より、「全世界に影響を及ぼす、ある草稿を再編成し、その燦燦たる核心を刻み、そして、私はそこに糞を垂れる。」

11——読みやすいように青いインクで強調されリライトされている。

12——アルトーの祖母。実の母親のように面倒をみた。アルトーにとっては、洗礼を受けた聖女としての存在として君臨していて、非常に繊細な人物だった。タイピストとして働いていた。

13——解釈が非常に難しいが、ドイツ語を変形させたものかもしれない。「すべては幻想である」『アルトー全集』十二巻・十頁に同じ文字が出てくる。アルトーは敢えてタイプライターを使って青い下線を引いている。それが意味するものとは?テクストから解釈すると一見意味不明だが、構文法や単語の意味において少なくともドイツ語に近いことから、少なくとも意味のある断片性や規則性をもつものと訳者は解釈した。「神たるもの、さらにその手先が所有するものなどなにもなく、残存するものはもはやない、すべては奪われた。」

14——アルトーの祖母の妹。

15——「言葉は時に悪魔の手先であり、時に神をなだめる供養でもある。」(『アルトー全集』十四巻・二三六頁)

16——このカイエ２３５には膨大な量に及ぶ秘められた描写や表現がある。「神たる存在から身を守るための」大いなる構想。この神、アルトーは反キリストと謳っていることから、キリスト自身が神であることを否定していると思われる。

栗原雪彦

Yukihiko Kurihara

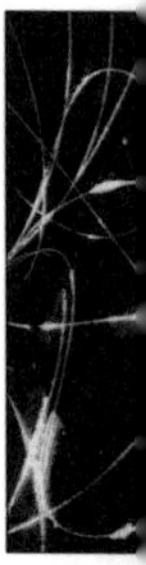

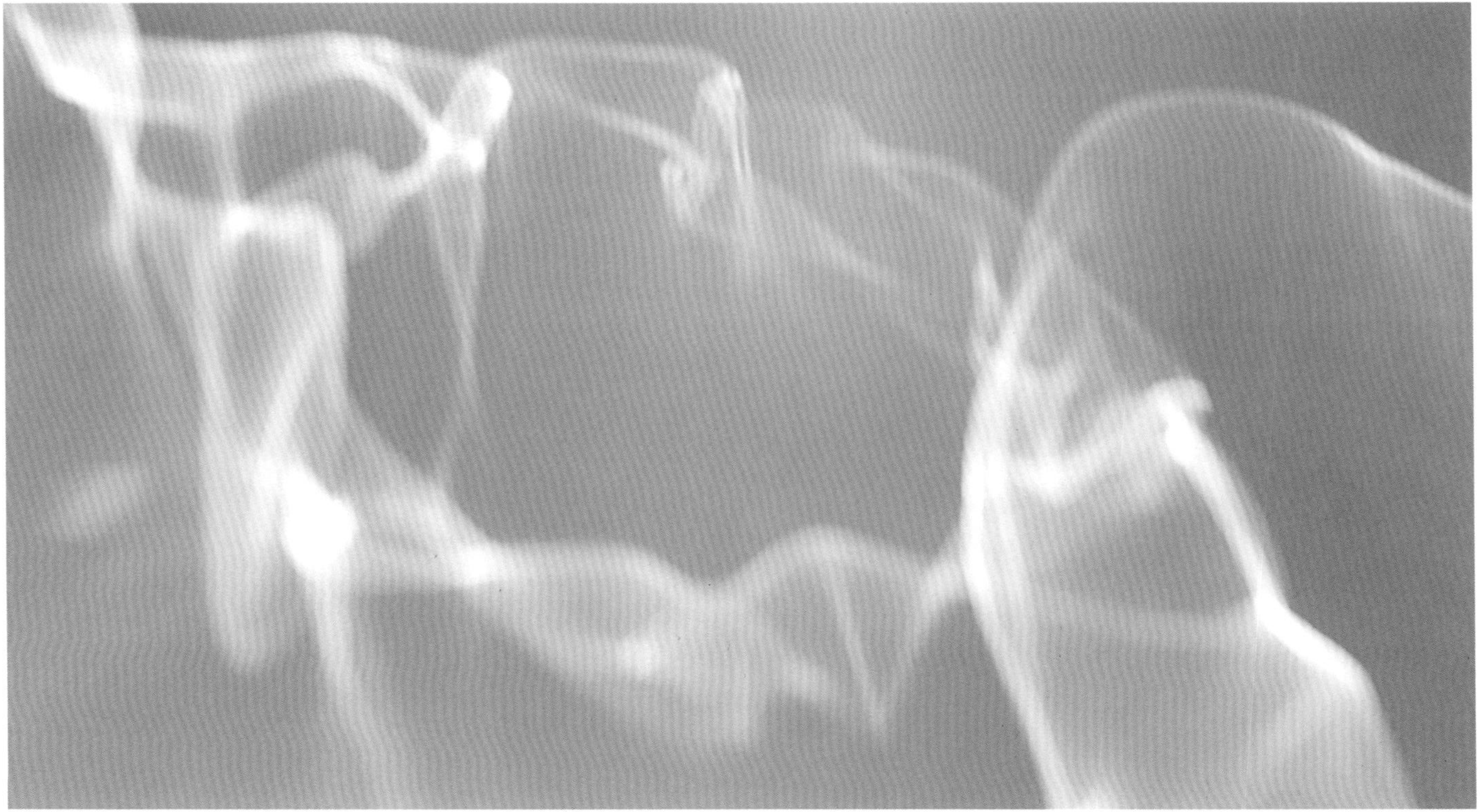

火を盗むもの

栗原雪彦

人を綺麗だと思うとき、人間の姿としてではなく「野生の動物のようで綺麗だ」「植物のようで綺麗だ」とばかり思い、綺麗さとはそういうものだとどこかで思っていた。「走る」と同じ形をした獣、「飛ぶ」と同じ形をした鳥、「泳ぐ」と同じ形をした魚、「見つかる」と同じ形をした花。走ることもできる、ということではなく、その形が「走る」ということそのものである、という有り様。どうやら私はそのような有り様を見たときに綺麗だと感じるようであった。

鳥が鳥であるように、木が木であるように、人間は人間であることができるのだろうか。私には、鳥や木が生まれてから死ぬそのときまで「それであること」と完全に重なっているように見えるのに対して、自分もまたそうであるとはどうしても思えなかった。鳥や木は初めからその魂と一体化しているように見えるのに、人間は放っておくと加速度的にその魂から遠ざかってしまうかのように見えた。私は生まれたときから飛べるわけでも、泳げるわけでも、日光を糧に生きる術を知っているわけでもなかった。何ひとつ持っていないかのように見える自分の手のひらに目を凝らし、そこにただ一つ残っていたのは「不思議に思い、考えること」だけであった。それは私が「人間」のことを考えるときに遠くのほうに見える、唯一の小さな灯台だった。

〈自然〉は一つの神殿。生きた柱が、
時として、混乱した言葉を発する。
その中で、人間は象徴の森を通る。
彼を親しげに見つめる森を。

長いこだまが遠くで溶け合うように、
夜のように、光のように、広大な
暗く深い一つのもの（unité）の中で、
香りと色と音が応え合う。[1]

魂は〈自然〉と言い換えられるのかもしれない。個別の魂という意味ではなく、あらゆるものの根底に流れる、万物が響き合い混ざり合いながら複雑に成立している和音のような、大きな共通の魂。ボードレールが「Correspondances（万物照応）」の中でunité《ユニテ》（一つのもの／ひとまとまりのもの）と表すもの。仮にそのユニテがあたりを水のように満たしているとするならば、人間は、その中にあり決して水と混ざり合わない一個の水泡のように思えた。あるいは、仮にユニテが光のようなものであるとするならば、人間とはそれを透過することができない物質であるように思われた。

—万物が照応するのではなく、照応することが万物なのだ。[2]
—（あらゆる透明な幽霊の複合体）[3]

その閉じた水泡、あるいは光を透過しない物質は、おそらく自分が「自分」だと思っている領域であろう。鳥が鳥であるように、人間が人間であるためには、まず自分を〈自然〉の外に置くことをやめるしかない。人間にとっての、自分自身にとっての、自然な有り様とは何なのか。自らのうちを隅々まで探究し、透過を阻害する物質を洗い出し、ひとつの違和感も見逃すことなく、気の遠くなる緻密さで、自らが〈自然〉と照応する方法を思い出すこと。自らの手で自らを解剖し尽くし、血を流しながらその地平を探り当てること。想像を絶する痛みを伴いながら、麻酔から最も遠く離れた、明晰な精神のままで。

〈詩人〉は、長きにわたる、膨大で、しかし筋の通った全感覚の撹乱を経て〈見者〉となるのです。ありとあらゆる愛の、悲しみの、狂気の形をおのれのうちに探《たず》ね、おのれのうちに潜む一切の毒を洗い出し、その精髄だけをおのれのうちに残すのです。強靭な信念、持ちうる限りの超人的な精神力が要求される、その筆

——舌に尽くし難い苦痛を通して、詩人はひときわ偉大な病人、偉大な罪人、偉大な呪われ人へと至るのです——そして至上の〈知者〉へと[4]——。

——すべての書かれたもののなかで、わたしが愛するのは、血で書かれたものだけだ。[5]

やがて光を透過し始めた精神は、それまで自分が「自分」だと思っていたものとはまるで違うだろう。しかしその果てに「自分が自分と完全に重なるということ」、「あらゆる魂と照応すること」があるのではないか。そして、自らをあらゆる魂が通過できるほどに透過させる、その地平をたずねて自らの精神を隅々まで探究するその有り様が、「鳥が鳥であるように、人間が人間である」ことのように思えてならないのだ。

——鳥のように軽くあらねばならない、羽根のようにではなく。[6]

万物が透過し、私と私が重なり、私と万物が重なる場所、そうイメージすると思い浮かぶ場所がひとつある。それはあらゆる次元を含んだ座標の原点だ。(0,0,0) の後に、これからいくつ0が続くのかはわからない。それでも私は確かに予感する、私たちがかつてそこにいたことを、そしてすべてのものが今も同時にそこにあることを。

〈すべてわたくしと明滅し
　みんなが同時に感ずるもの〉
ここまでたもちつゞけられた
かげとひかりのひとくさりづつ
そのとほりの心象スケッチです[3]

いままで私が、真に「詩」である、と感じた一握のものに共通することは、それがたとえ散文の形であろうと、何かの研究書であろうと、絵画であろうと、数式であろうと、生き様であろうとみな同じであった。それは、自らの精神を旅し尽くした者が、その探求の果てに実際に自らの目で見たもの、〈見者〉の目で見てきたその事実を、可能な限り正確に描写し、説明しようとしたものだということだ。そして、そのようにして持ち帰られた「震え」は、時空を超えて一瞬で伝わる。

——私はあとから来るであろう誰かのために仕事をする。[7]

はじめてポール・ヴァレリーの臨終の床の写真を見たときに、これが人間の綺麗さなのか、まるで人間のようで綺麗だ、と思った。これは、私がある人間を「人間のようで綺麗だ」と思ったはじめてのことであった。それは、ヴァレリーが生涯を通して、途方もなく広い自らの精神を、たった一人で繰り返し探究し、その孤独な探求の成果を膨大な手記『カイエ』という形で持ち帰ったことを知っていたからであった。彼は私にとって、途方もなく遠い場所から、たった一人で人間のために火を盗んできたプロメテウスであった。

人間がこの出来事であった。
これが私のお前に与える名である。[8]

すなわち、詩人とはまさに火を盗む者なのです。
彼は人類を背負っています。動物さえも背負っています。彼は自らが見出したものを、人が感じられるように、触れるように、聴こえるようにしなければなりません。もしも彼が〈彼方〉から持ち帰るものに、形があるのなら形を与え、形がないのなら既存の形に当てはめることはしません。一つの言語を見つけることです。[9]

——(ひかりはたもち その電燈は失はれ)[3]

1——Charles Baudelaire, "Correspondances", in *Les Fleurs du Mal*, 1857.［下記サイトより、大文字の La Nature の訳語に〈〉を追加した上で引用。］https://bohemegalante.com/2019/02/25/baudelaire-correspondances/

2——松岡正剛『千夜千冊』、求龍堂、二〇〇六年、第四巻・六二〇頁。

3——宮沢賢治「春と修羅 一:序」(『宮沢賢治詩集』、岩波書店、一九五〇年、十一頁。)

4——Arthur Rimbaud, " Rimbaud à Paul Demeny — Charleville, 15 mai 1871 ", in *Œuvres complètes*, Gallimard, 1972, p. 251.［訳、引用者］。ランボーによって一八七一年五月に書かれ、「見者の手紙」("Lettres du voyant") と呼び習わされる二通の書簡のうちの一通。

5——フリードリヒ・ニーチェ『ツァラトゥストラはこう言った』、氷上英廣訳、岩波書店、一九六七年、上・六二頁。

6——Paul Valéry, "Choses tues", in *Œuvres tome II*, Gallimard, 1960, p. 485.［訳、引用者］

7——ポール・ヴァレリー「我」、菅野昭正訳(『ヴァレリー全集 カイエ篇』筑摩書房、一九八〇年、第一巻・二八頁)

8——ポール・ヴァレリー「譬喩」、佐藤正彰訳(『ヴァレリー全集』、筑摩書房、一九六七年、第一巻・四七四頁)

9——Arthur Rimbaud, " Rimbaud à Paul Demeny — Charleville, 15 mai 1871 ", in *Œuvres complètes*, Gallimard, 1972, p. 252.［訳、引用者］

［イーケースティス 刊行予定］
※内容は都合により変更となる場合があります。

デミウルゴス処刑裁判・光学的革命論　原 智広

原智広全集

お前たちは狂っているのか？　ルネ・クルヴェル

反＝天空　ルネ・ドーマル

［鋭意制作中］

ディストピア・サヴィア・ケース　原作／脚本／監督 原 智広

PRODUCTION

芳賀正幸
＋M
塩見博貞
今井司道

GRAND MERCI À

古書フローベルグ
GUY FAWKES
MI
赤池啓也
岡崎 凛
ぬかるみ
月影耿太郎
∪n＊deD
本田屋久夫
ぐみょう
板倉風磨
湯本はるか
高橋祐子
びしほぷ
荒川幸也
吉村優作
風流痩身
Shinji Nakashima
落合隆志
保科道恵
古賀絵里子

大崎善治
Julien Bielka

COOPÉRATION

MOTION GALLERY
先行予約してくださった皆様

イリュミナシオン［創刊号］

2021年6月21日 発行

発行人
原 智広

発行所
合同会社 EK-Stase（イーケースティス）
千葉県銚子市和田町 1503-6 銚子ビル 3F
fax 042-362-2858
tel 080-8043-2795

編集
矢田真麻 山本桜子

装丁／装画／本文デザイン
栗原雪彦

印刷／製本
株式会社イニュニック

定価
本体 2000円+税

ISBN978-4-9910041-1-7